Beyoncé
Un destin de star

Anna Pointer

Beyoncé
Un destin de star

Traduit de l'anglais (États-Unis) par Florence Dolisi

MARABOUT

Publié pour la première fois par Coronet en octobre 2014 sous le titre
Beyoncé : Running the World.

Je suis puissante, je le sais… Puissante à un point qui dépasse mon entendement.

BEYONCÉ

CHAPITRE PREMIER

Le tonnerre d'applaudissements s'affaiblit. Une petite fille s'avance sur scène et sourit aux centaines de spectateurs enthousiastes entassés dans la salle. Elle n'a que sept ans, elle arrive à peine à voir par-dessus le pupitre et à atteindre le micro, mais elle a déjà préparé son discours. Elle se sent parfaitement à l'aise, c'est évident. Elle se sent à sa place. Vêtue d'une robe à paillettes, les cheveux bouclés et brillants, elle vient de participer à un concours de chant important. Elle respire un grand coup, puis s'exprime : elle remercie ses parents, et les jurés qui l'ont désignée gagnante. Et pour terminer, comme une vraie professionnelle, elle souffle un baiser au public. Un geste plein de charme – éclair de génie d'une star du show-biz en devenir, empathie naturelle pour le public, qui se lève comme un seul homme et renouvelle encore plus vigoureusement ses applaudissements. Parvenir à captiver toute une salle de concert : ce don ne l'a jamais quittée. Il est même devenu la marque de fabrique de son succès.

Un an plus tard, la petite fille est devenue une vraie artiste. Le moindre de ses mouvements est étudié, gracieux. Même quand elle grimpe dans les aigus, elle est incroyablement sûre d'elle. De retour dans cette même salle de Houston, elle ne participe pas au concours, cette fois. Elle y est invitée. Domptant la scène à nouveau, elle offre une performance éblouissante au public.

Cette enfant est promise à un brillant avenir, tous les spectateurs en sont convaincus. Beyoncé Knowles semble bien partie pour devenir la plus grande star de variétés du monde.

Elle est née avec la musique dans le sang. « Mon père raconte que quand j'étais bébé, la musique me rendait dingue, nous apprend-elle dans *Soul Survivors*, l'autobiographie des Destiny's Child. J'ai essayé de danser avant même de marcher. Quelques vidéos compromettantes sont là pour le prouver ! » Pour Mathew Knowles, son père, ces vidéos familiales n'ont rien de compromettant ; il les considère au contraire comme son bien le plus précieux. Il a toujours été très fier de sa fille aînée, et cela dès le 4 septembre 1981, lorsque Beyoncé Giselle Knowles fit sa grande entrée dans le monde à l'hôpital Park Plaza de Houston.

« D'après ma mère, ce fut un accouchement facile et presque sans douleur – contrairement à certaines autres de mes entrées sur scène, ajoute Beyoncé dans *Soul Survivors*. Avant ma naissance, mes parents ont décidé que mon père choisirait mon deuxième prénom et ma mère le premier. Beyoncé, cela vient d'elle. C'est son nom de jeune fille, en fait. »

Enfin, pas tout à fait. Tina est née Celestine Ann Beyincé. Pour pouvoir perpétuer ce patronyme après son mariage, elle a imaginé le prénom Beyoncé, s'attirant par la même occasion les foudres de son père, Lumiz Beyincé. « Cela n'a pas plu à ma famille, avoua Tina un jour au magazine *Rolling Stone*. Mon père m'a dit que ma fille allait beaucoup m'en vouloir de lui avoir donné un nom de famille comme prénom. » La prédiction de Lumiz s'est avérée exacte : petite, Beyoncé haïssait son prénom. « Au fil des ans, j'ai fini par l'aimer, mais dans mon enfance, tous les autres gamins se moquaient de moi, raconte-t-elle dans *Soul Survivors*. Et chaque matin, quand le professeur faisait l'appel, j'avais envie de ramper sous mon pupitre. »

Beyoncé avait un prénom bizarre, mais elle ne l'apprit que lorsqu'elle entra à l'école. Ses toutes premières années d'existence, elle les vécut sans une ombre au tableau. À la maison, on la surnommait « Bey », ou même « B », deux diminutifs qui lui sont restés. Les photos de cette époque la montrent souriante, heureuse, adorable bébé au visage rond sous une crinière de boucles sombres. Quand elle apprit à marcher, elle se mit aussi à danser dès qu'une chanson passait à la radio ou que ses parents mettaient un disque : Michael Jackson, Luther Vandross, Prince… Mathiew et Tina chantaient eux-mêmes depuis leur plus jeune âge ; enfants, ils avaient participé à des concours, comme leur fille, et Tina avait fait partie d'un groupe de pop, les Beltones, formé sur le modèle des Supremes. À l'époque, elle concevait elle-même ses tenues de scène. Il y avait tout le temps de la musique à la maison et Beyoncé se souvient encore avec émotion des chansons reprises en famille avec son père au clavier.

Dans l'un de ses plus anciens souvenirs, elle chante à Tina un morceau appris en classe. « J'étais à la maternelle quand ma mère m'a demandé ce que j'avais fait à l'école ce jour-là. J'ai répondu : "On a appris une chanson." Elle faisait la vaisselle. Elle s'est essuyé les mains sur son tablier, puis s'est tournée vers moi. "C'est chouette, ça, m'a-t-elle dit. Je t'écoute." J'étais assise à la table de la cuisine. Je me suis levée, comme l'instit me l'avait montré. Je n'oublierai jamais ce que j'ai ressenti à cet instant, raconte-t-elle dans *Soul Survivors*. J'ai adoré chanter pour ma mère ! Quel bonheur ! Jusqu'alors, c'était mes parents qui me chantaient des chansons. »

La musique tenait donc une place importante dans la vie de Mathew et Tina, mais tous deux, doués pour les affaires, avaient décidé dès leur plus jeune âge de parvenir quoi qu'il arrive à certaine aisance financière. Mathew est né en 1951, à Gadsden, en Alabama. À l'époque, le racisme et la ségrégation régnaient encore dans tout le pays. La famille vivait dans une maison délabrée, sans salle de bains, mais les parents de Mathew étaient débrouillards et durs à la tâche. Le père – un Mathew, lui aussi – était routier. Il parvint à persuader les propriétaires du camion qu'il conduisait de lui en laisser l'usage la nuit pour vendre la ferraille qu'il trouvait dans les carcasses de voitures et les maisons abandonnées. La mère de Mathew, bonne dans une famille blanche, fabriquait puis vendait des couvertures et des conserves pendant son temps libre. Son grand-père, à moitié Cherokee, possédait 300 acres de terrain qu'il louait à une usine de papier.

Mathew décida très jeune de suivre l'exemple de ses parents et de son grand-père. Il était encore à l'école quand il acheta des bonbons à prix réduit pour les revendre un peu plus cher. « Déjà, à l'époque, je voulais devenir homme d'affaires, raconte-t-il dans le magazine *Empower*. J'achetais pour un dollar de sucreries, et ce dollar m'en rapportait trois ! Je ne savais pas vraiment ce que je faisais, mais ça marchait. »

Ses parents ne se contentèrent pas d'encourager son esprit d'entreprise ; ils soignèrent également son éducation… et sa passion pour la musique. Tous les dimanches, après le repas de famille, Mathew était chargé de passer des disques, et ses parents dansaient dans le salon. « Mon père faisait 2 mètres et 145 kilos, mais il bougeait bien, pour un homme de cette corpulence. J'ai toujours aimé la musique », avoue-t-il. Enfant, il chanta dans une chorale et dans un groupe de garçons, mais raconte que Beyoncé, en grandissant, s'est mise à le supplier de se taire. « S'il te plaît, papa, ne chante pas… S'il te plaît… »

Il obtint une bourse de l'université du Tennessee grâce à ses qualités de basketteur, puis changea d'université et se retrouva à Nashville, où il étudia l'économie et la gestion des entreprises. À l'université de Nashville, il faillit se lancer dans la création de spectacles musicaux avec la station de radio locale. Après avoir obtenu son diplôme en 1974, il remit à plus tard son envie de travailler dans le monde de la musique, préférant se concentrer sur sa carrière de vendeur. Il travailla pour une compagnie d'assurances et pour des entreprises vendant du matériel médical. En 1981, à la naissance de son aînée, il réussissait si bien qu'il gagnait un salaire annuel à six chiffres. Lui et sa femme Tina vivaient dans une confortable demeure à Houston, au Texas.

Tina vient elle aussi d'une famille pauvre. Cadette d'une fratrie de sept enfants, descendante de créoles de Louisiane, elle possède des ancêtres africains, amérindiens, français et irlandais. Originaire de Galveston, au Texas, elle a passé son enfance dans des écoles catholiques privées. Une partie de ses frais d'inscription annuels étaient payés en vêtements que sa mère confectionnait pour les gens d'Église. « Ma mère confectionnait des chasubles d'enfants de chœur, des manteaux de curés, des nappes d'autel… a raconté Tina au magazine *Ebony*. Elle avait de l'or dans les doigts. Les gens lui commandaient des robes pour le bal de fin d'année, des déguisements… »

Au milieu des années 1970, pendant une fête, Tina rencontra Mathew. Elle travaillait dans une banque, à l'époque. Ils commencèrent à se fréquenter un an plus tard et se marièrent en 1979. C'était un jeune couple séduisant au style de vie prospère. Mathew touchait un bon salaire chez Xerox. Belle maison, voitures, argent… Tout leur souriait, et ils décidèrent de fonder une famille. En 1980, à Noël, Tina tomba enceinte de leur premier enfant.

Beyoncé naquit en 1981. L'année qui suivit sa naissance, Tina quitta son travail à la banque et ouvrit un salon de coiffure avec ses économies. Les Afro-Américaines fortunées de Houston s'y bousculaient. Elles étaient parfois jusqu'à vingt-quatre en même temps. L'endroit rapportait tellement que la famille put déménager dans une maison encore plus grande. Les Knowles vivaient maintenant dans Parkwood Drive, une rue verdoyante de la troisième circonscription, dont les habitants étaient majoritairement afro-américains. Beyoncé chérit tant ses souvenirs d'enfance dans cette rue qu'elle baptisera plus tard *Parkwood* son équipe de direction. En 1986, Tina donna naissance à une deuxième fille, Solange. Malgré leurs cinq ans d'écart, les deux sœurs devinrent inséparables. Beyoncé jouait souvent à la maman avec le bébé. Elle adorait la bercer dans ses bras, quand elle n'aidait pas sa mère à la baigner, à la nourrir, à la changer. Tina, qui se reposait beaucoup sur son aînée, raconte que les deux sœurs se disputaient rarement. « Il y a bien eu un moment où Solange exaspérait Beyoncé parce qu'elle fourrait son nez dans tout ce que faisait sa grande sœur, a expliqué Tina à *Access Hollywood*. Ce genre de choses se passe dans toutes les familles. Mais elles ont toujours été très proches, très protectrices l'une envers l'autre. Cette rivalité que les gens inventent parfois entre elles n'a jamais existé. Ces deux sœurs s'aiment et s'entraident, comme toutes les autres sœurs. »

Si les deux filles s'entendaient si bien, c'est surtout parce que Solange ne cherchait pas à rivaliser avec sa grande sœur. « Dans ma famille, on m'appelait la rebelle, a-t-elle confié au magazine *Texas Monthly*. Je ne m'habillais pas comme les autres, par exemple. Je n'ai jamais cherché à ressembler à Beyoncé. »

Pour Tina, la famille passait avant tout le reste. Grâce à elle, ses filles connurent donc les plus belles traditions de l'enfance. Noël, en particulier, avec ses chants traditionnels, le sapin étincelant, la dinde, les décorations… Autre moment mémorable dans l'année de la famille Knowles : la foire agricole de Houston, avec son célèbre rodéo. Tous les ans, les filles attendaient cette journée avec impatience. « C'était comme un énorme pique-nique en famille. On se gavait de Sneakers frits », se remémore Beyoncé dans le magazine *Essence*.

Aujourd'hui, Solange est maman à son tour, et elle garde elle aussi un souvenir ému de leur enfance. Une enfance tout ce qu'il y a de plus normal, d'après elle. « On ne nous achetait jamais de vêtements de marque, a-t-elle raconté un jour au *Guardian*. Quand nous étions gamines, nous rêvions d'avoir des baskets Fila. Ma mère nous en a trouvé des imitations au marché aux puces. On les voit sur les premières vidéos de Destiny's Child ! »

Les baskets à la mode coûtaient trop cher, mais les sœurs étaient toujours très mignonnes, le culot de Solange compensant la timidité de Beyoncé. Sur une photo de l'époque, on les voit toutes les deux dans des robes à carreaux assorties. Beyoncé fixe l'objectif d'un air serein, derrière Solange qui fait la grimace et s'agite.

Pour gagner un peu d'argent de poche, Beyoncé lavait le sol ou chantait dans le salon de Tina. Cet argent lui permettait de s'offrir l'abonnement au Six Flags AstroWorld, un parc d'attractions de Houston qui a fermé ses portes en 2005, après avoir été le premier au monde à proposer une descente de rapides. Beyoncé y raffolait des montagnes russes. Pour compléter la somme dont elles avaient besoin, les deux sœurs montaient des petits spectacles chez elles. « Personne ne voulait venir, raconte Beyoncé sur la chaîne NBC. On se fabriquait une scène avec ce qui nous tombait sous la main, en empilant des trucs, en démontant les meubles, avec le radiocassette installé le plus haut possible… Et on faisait payer l'entrée. Cinq dollars l'entrée ! Vous vous rendez compte ? On avait un sacré culot ! »

Constatant que leurs filles adoraient ça, Tina et Mathew firent construire une estrade à plusieurs niveaux derrière la maison. Tous les jours, les deux sœurs y fignolaient un petit spectacle. « C'était presque toute leur vie, à l'époque, raconte Tina. Elles aimaient ça, vraiment. » Solange ajoute que sa sœur passait des heures à s'entraîner devant le miroir : « Très tôt, j'ai des souvenirs de Beyoncé répétant seule dans sa chambre. Elle prenait un extrait de chanson ou de chorégraphie et le répétait sans arrêt jusqu'à ce qu'il soit parfaitement au point… Là où d'autres se seraient arrêtés à cause de la fatigue, elle, elle continuait. Elle voulait venir à bout des difficultés et maîtriser ce qu'elle faisait. »

Beyoncé avait cinq ans quand ses parents l'emmenèrent à un événement qui allait tout changer pour elle : un concert de Michael Jackson. « C'était mon premier concert, raconte-t-elle. Cette nuit-là, j'ai compris ce que j'allais faire de ma vie. C'est grâce à Michael que je suis devenue ce que je suis. Je n'aurais jamais connu cette magie sans lui. »

Sur une vidéo de l'époque, on voit une Beyoncé aux dents écartées interprétant un petit rap avec une aisance extrêmement surprenante pour une enfant de cet âge. Elle chante en tapant dans ses mains :

I think I'm bad
Beyoncé's my name
Love is my game
So take a sip of my potion and do it in slow motion
She thinks she's bad
Baby, baby don't make me mad[1].

Très croyants, Mathew et Tina se rendaient tous les dimanches à la messe, et Beyoncé intégra une chorale dès l'âge de sept ans. Les Knowles fréquentèrent d'abord une église catholique, puis optèrent pour l'église méthodiste unifiée St John, à laquelle ils restèrent fidèles par la suite. La jeune Beyoncé y chantait du gospel, pour son plus grand plaisir : « Cette musique touche les gens au plus profond d'eux-mêmes, provoque en eux des émotions indicibles, les remue. Le gospel, c'est la musique la plus belle et la plus puissante qui existe. »

À la fin de l'année scolaire, les filles retrouvaient leur cousine Angie Beyincé, dont elles étaient très proches. « Le dernier jour de l'école, ma tante Tina venait me chercher, a raconté Angie à l'hebdomadaire *The Observer*. Je passais tout l'été chez eux, puis on me ramenait à la maison la veille de la rentrée scolaire. Beyoncé et Solange étaient fans de Janet Jackson, à l'époque. Nous regardions *Showtime at the Apollo*[2] à la télé et nous discutions toute la nuit. J'avais un serpent, Fendi, qui rampait autour de nous ou se lovait sur nos têtes quand nous regardions une émission. » Bien des années plus tard, Angie deviendrait l'un des rouages principaux de l'équipe de Beyoncé, jusqu'à en être

1. *Je crois que je suis méchante/Mon nom est Beyoncé/Mon jeu, c'est l'amour/Bois une gorgée de ma potion et fais-le au ralenti/Elle croit qu'elle est méchante/Bébé, bébé, ne m'énerve pas.*

2. Une émission de variétés.

nommée vice-présidente des opérations. Elle est aussi coauteur de beaucoup de ses chansons.

Beyoncé ne manquait aucune rediffusion du film *Une étoile est née*, avec Barbra Streisand. « C'est là que je suis devenue fan de cette chanteuse. Plus tard, j'ai vu la version antérieure, avec Judy Garland. Et j'ai compris quelque chose : tous les vingt ou trente ans, une nouvelle star apparaît, un nouveau talent qui incarne sa génération, son époque. Je n'aurais jamais pensé devenir moi-même un jour cette star... » Récemment, on a proposé à Beyoncé le rôle principal dans une nouvelle adaptation du même film.

Chez elle, protégée par sa famille, Beyoncé était heureuse, mais sa timidité lui rendait la vie difficile à l'école. Les taquineries des autres enfants, qui se moquaient de son prénom étrange, finirent par susciter en elle un profond sentiment d'insécurité. Silencieuse et réservée, elle avait peur de lever la main en classe. « Comme beaucoup d'enfants, ça me rendait malade quand on ne m'aimait pas. Je passais mon temps à essayer de comprendre pourquoi, pour résoudre le problème. »

Certaines filles lui en voulaient parce que les garçons la trouvaient jolie, elle le savait. Elle les évitait pourtant comme la peste. Elle était si timide qu'elle s'éloignait sans un mot quand ils cherchaient à lui parler. Réservée et mal à l'aise en classe, elle devait travailler dur dans beaucoup de matières. « Certains gamins apprennent facilement. Moi, à l'école, j'ai dû me battre », écrit-elle dans *Soul Survivors*. Surtout en maths : « J'avais peur des nombres, ils m'intimidaient. Le garçon assis à côté de moi aussi me faisait peur. Il disait que j'étais stupide, débile et moche. J'étais déjà timide, et j'ai fini par le croire. Je me suis mise à porter des vêtements de garçon parce que je me trouvais trop grosse. C'est à cause de lui que je me suis mise à avoir des complexes. »

Beyoncé n'était pas consciente de sa beauté, à l'époque. Elle se croyait en surpoids, avec des oreilles de Dumbo. Pour que personne ne la remarque, elle portait des vêtements les plus quelconques possible. Sur une photo de l'école, on la voit vêtue d'une robe chasuble et d'un pull blanc à manches longues – à mille lieues des tenues sexy qu'elle porte sur scène aujourd'hui. « Je faisais tout pour ne pas attirer l'attention, déclare-t-elle. Les gens se font parfois trop vite une fausse opinion de vous. Moi, on me considérait comme une fille hautaine, imbue de sa personne... On prenait ma timidité pour de la prétention, sans jamais me laisser une chance de prouver le contraire. »

Pour que leur fille reprenne confiance en elle, Tina et Mathew embauchèrent une personne chargée de l'aider dans son parcours scolaire et la poussèrent à suivre des cours de danse à l'école. Darlette Johnson, la prof de danse, perçut immédiatement son potentiel. Beyoncé venait d'entamer son ascension vers son statut de superstar. Elle se souvient parfaitement bien du jour où Darlette l'entendit chanter pour la première fois : « Elle m'a entendue fredonner, et elle m'a demandé de chanter pour elle. Ce que j'ai fait, bien entendu. Et elle m'a dit que je m'en sortais très bien. C'est elle qui m'a conseillé de m'inscrire à mon premier concours de chant. Ce jour-là, je suis tombée amoureuse de la scène. Je lui dois beaucoup. »

« J'ai tout de suite compris que c'était une star, raconte Darlette de son côté. Un jour, elle est restée après les autres élèves et elle m'a entendue chanter faux. Elle a fini la chanson à ma place en grimpant dans les aigus. Elle avait peut-être six ou sept ans. Je lui ai dit : "Recommence !". Et quand ses parents sont venus la chercher, je leur ai lancé : "Votre fille chante vraiment très bien ! Vous êtes au courant ?" Ensuite, je l'ai inscrite dans quelques concours de chant et de danse, et tout le monde connaît la suite. Dès que cette gamine a ouvert la bouche devant moi, j'ai compris qu'elle était spéciale. »

Darlette suggéra à Beyoncé d'interpréter *Imagine*, de John Lennon, pendant un spectacle de l'école. La fillette n'avait que sept ans et l'idée de chanter devant un public la tétanisait. Elle n'était même pas sûre d'arriver à prononcer un mot, alors chanter, n'en parlons pas ! Dès que la musique commença, pourtant, elle oublia comme par magie sa timidité. « J'étais terrorisée, je ne voulais pas y aller, mais Darlette m'a dit : "Allez, ma puce, c'est à toi." Je me suis avancée sur la scène, complètement terrifiée. Et puis la chanson a commencé, et je ne sais pas ce qui s'est passé... Tout d'un coup, je me suis transformée. »

Beyoncé avait trouvé sa voie, tout simplement. Sa voix aussi, d'ailleurs, une voix sucrée comme le miel. Ce soir-là, elle éclipsa tous les autres enfants participant au spectacle, y compris les « grands » de quinze ou seize ans. Elle eut même droit à une standing ovation du public. « J'ai alors décidé que le monde entier serait ma scène, déclare-t-elle. Je ne me sentais à l'aise que quand je chantais ou que je dansais. Je serais donc une artiste. Ma timidité s'envolait dès que je grimpais sur scène. »

Ce jour-là, l'image que ses parents se faisaient d'elle changea du tout au tout. En l'entendant interpréter cette chanson avec tant d'assurance et de puissance, ils prirent soudain conscience de ses extraordinaires possibilités. Mathew, dans une interview accordée au magazine *Billboard* : « Nous nous sommes regardés, sa mère et moi. Ça ne pouvait pas être notre enfant, notre petite Beyoncé timide et silencieuse... Nous tombions des nues. Nous étions venus la soutenir, mais elle n'avait pas besoin de nous, en fait. Ce n'était plus la Beyoncé que nous connaissions. » Tina ajoute : « Elle s'était comme animée. Je me suis dit : *Ouah ! Mais c'est qui, cette gamine ?* Et c'est comme ça que tout a commencé. Nous l'avons poussée dans cette voie parce qu'elle lui permettait de s'affirmer. »

La vie de Beyoncé changea radicalement dès qu'elle découvrit qu'elle avait un don pour le chant. « Chaque fois que je montais sur une scène, j'oubliais tous mes problèmes. Tout d'un coup, je me sentais bien. Sur scène, la timidité ne me servait plus à rien... » Elle avait trouvé sa vocation, et toute la famille décida de la soutenir. Mathew et Tina l'inscrivirent à une bonne trentaine de concours de jeunes talents. Un peu garçon manqué, Beyoncé détestait ceux où l'on notait aussi les enfants sur leur apparence. Mais elle avait déjà pris de l'assurance, et son image ne la gênait plus autant. Elle remporta tous ces concours. Dans sa chambre, ses étagères croulaient maintenant sous les trophées étincelants qu'elle récoltait partout. « Elle terminait systématiquement sur la première marche du podium, jamais la deuxième », raconte fièrement Mathew. Et comme elle-même l'a expliqué quelques années plus tard dans *USA Today*, elle n'avait même pas besoin de se forcer. « Tout m'est venu très naturellement. J'avais cinq ans quand j'ai participé à mon premier concours, je me suis mise à écrire des chansons à neuf ans, etc. C'était en moi, voilà tout. Quand on vient au monde avec un talent, quand certaines choses vous tiennent à cœur, il faut en tirer le meilleur parti et faire ce pour quoi on est bon. Vous ne croyez pas ? »

CHAPITRE DEUX

En 1988, à Houston, Beyoncé gagna son premier concours national. Un moment grisant, qui détermina le reste de son existence. L'événement était organisé par un organisme de promotion des arts nommé *People's Family Workshop*, très important à Houston. La fillette s'était présentée dans la catégorie « talents bébés », pour les sept ans et moins, remportant ce prix très convoité avec beaucoup d'aisance. Dans la vidéo de son discours de remerciement, l'enfant fixe le public et déclare, avec un fort accent texan : « Je remercie les juges qui m'ont choisie, et mes parents que j'aime. Je t'aime, Houston ! » Puis elle souffle un baiser au public comme une véritable pro.

Un an plus tard, elle participa à nouveau à ce concours, mais comme simple invitée, cette fois-ci. La présentatrice raconta au public son incroyable performance de l'année précédente : « Les gens applaudissaient à tout rompre chaque fois que je prononçais son nom ! » Lorsque Beyoncé apparut enfin sur scène, les spectateurs n'en crurent pas leurs yeux. Était-ce bien la même fillette que douze mois auparavant ? Elle interpréta *Home*, une chanson difficile tirée de la comédie musicale *Le Magicien d'Oz*. Maquillée, ses cheveux brillants tombant en cascade sur ses épaules, elle portait une tenue inspirée de celle de Dorothy : robe chasuble à sequins bleus sur un corsage blanc aux manches ballon. Elle bougeait et chantait déjà comme une petite star, tourbillonnant sur la scène sans émettre la moindre fausse note.

Son talent était indéniable, mais Mathew et Tina décidèrent de faire appel à un professeur de chant pour préserver la voix de leur fille et s'assurer qu'elle ne contracte pas de mauvaises habitudes. En 1989, ils contactèrent David Lee Brewer, ténor mondialement connu, qui travaillait à l'Ebony Opera de Houston et commençait justement à proposer des cours privés. Beyoncé possédait une voix de mezzo-soprano, la tessiture la plus courante chez les chanteuses, qui suscita aussitôt l'enthousiasme du ténor. « Quand j'ai rencontré Beyoncé, c'était un petit ange de huit ans », raconte-t-il sur son site web. Tina demanda à David s'il voulait bien écouter sa fille, ce qu'il accepta volontiers. L'audition eut lieu quelques jours plus tard. « Elle portait une petite robe avec des socquettes assorties. Elle a pris une grande inspiration, lentement, puis s'est mise à chanter. Je n'avais jamais entendu un son aussi impressionnant sortir de la bouche d'un enfant ! Quelque chose dans sa voix m'a profondément remué. On aurait dit de l'or en fusion, avec un timbre remarquable. En outre, cette enfant semblait littéralement habitée par la musique, physiquement, je veux dire. La voix ne faisait pas tout, il y avait aussi un esprit. Notre passion partagée pour le chant nous a immédiatement rapprochés. »

Plus tard, David s'installa au-dessus du garage des Knowles ; et, grâce aux conseils de cet expert, la voix de Beyoncé s'affina encore. Ses parents lui offrirent un appareil de karaoké qui lui permit de se mesurer à certaines de ses idoles du R & B. « J'adorais le karaoké, a-t-elle révélé au *Guardian*. Je passais ma journée à m'enregistrer sur les chansons des autres, et parfois, à réécrire les paroles. »

Comme elle participait de plus en plus souvent à des concours de chant, elle chercha un moyen de dompter le trac qui la tourmentait avant chaque prestation. À cet effet, elle s'inventa un alter ego, Sasha Fierce, dont elle adoptait la personnalité chaque fois qu'elle se produisait en public. Sasha avait du cran, du sang-froid, une voix d'une grande puissance et une carapace la rendant imperméable aux critiques les plus dures. Son nom est une trouvaille d'Angie, la cousine de Beyoncé. Grâce à ce stratagème, la fillette parvint à supporter la pression des concours, comme elle le raconta plus tard : « Sasha est très sûre d'elle, elle n'a peur de rien, elle peut faire des choses dont je suis incapable. Elle me protège. Dans ma tête, je me dis : *Ça y est, c'est mon tour. Je suis Sasha, Sasha, Sasha…* Sinon, j'ai la trouille et je perds tous mes moyens. » Sasha et Beyoncé restèrent inséparables jusqu'en 2010, date à laquelle celle-ci décida de « tuer » son double.

À l'école, Beyoncé se débrouillait tant bien que mal, comme on l'a vu. Elle était aussi chargée de veiller sur Solange, de cinq ans sa cadette. « Chaque fois qu'un gosse faisait mine de s'en prendre à moi, ma sœur arrivait et le menaçait », a confié Solange au magazine *GQ*.

Des sœurs si proches, ce n'est pas si fréquent. Beyoncé évoque souvent ses sentiments envers sa cadette : « Je suis l'aînée. J'ai cinq ans de plus que Solange. Je l'aime et je ressens le besoin de la protéger depuis toujours. Je n'ai jamais cherché à me battre avec elle. Nous sommes très différentes, nous n'avons pas les mêmes goûts, nous ne faisons pas les choses de la même façon, mais ces différences renforcent notre amitié. Je l'aime plus que tout, ma sœur. »

« Elle s'occupait déjà de moi quand j'étais bébé, déclare Solange. Elle me protège depuis toujours. »

« Je deviens carrément féroce quand on manque de respect à ma sœur », reconnaît Beyoncé.

En 1990, à neuf ans, Beyoncé entra à l'école Parker, connue pour encourager les talents musicaux de ses élèves. Mais la plupart d'entre eux s'inquiétaient plus des devoirs à rendre que de leur future carrière musicale… Beyoncé, elle, n'était pas de ce bois-là : elle avait déjà décidé de devenir une chanteuse célèbre. Désormais, le petit circuit des concours locaux ne lui suffisait plus. Elle devint très amie avec LaTavia Roberson, une camarade de classe dont la fréquentation allait décupler ses ambitions artistiques. « On se connaît depuis l'école primaire ! Nous avons grandi ensemble, pour ainsi dire », a raconté LaTavia dans le magazine *Black Beat*.

Beyoncé et LaTavia adoraient chanter ensemble. Un jour, Mathew et Tina apprirent qu'on recrutait des jeunes filles pour un groupe destiné aux ados, et ils décidèrent d'emmener les deux amies à l'audition. Ayant subjugué les jurés avec leurs irrésistibles harmonies, elles intégrèrent Girls Tyme, le groupe en question. « Beyoncé et moi, nous avons battu toutes les autres candidates ! Et il y en avait soixante-trois ! » nous apprend LaTavia. Girls Tyme comptait déjà trois autres filles : deux sœurs, Nikki et Nina Taylor, cousines de LaTavia, et une certaine Ashley Támar Davis. La composition du groupe resta incertaine pendant quelques mois ; d'autres chanteuses en herbe s'y succédèrent, et inévitablement Beyoncé finit par y endosser le rôle de chanteuse principale.

Dès la création du groupe, Andretta Tillman, une femme d'affaires, proposa d'y investir de l'argent si on lui en confiait le management. Peu de temps après, LaTavia lui présenta Kelly Rowland, une autre de ses amies. Elle allait devenir une membre clé de Girls Tyme, et par la suite une personne très importante dans la vie de Beyoncé. LaTavia et Beyoncé retrouvaient Kelly pour aller à la piscine, jouer à la poupée mannequin ou dormir sous la tente dans leurs jardins respectifs. Très fan de Whitney Houston, Kelly fredonnait sans arrêt ses chansons quand les trois filles jouaient ensemble. Elle avait une voix mélodieuse, et LaTavia lui suggéra de se produire devant les parents de Beyoncé. À leur demande, elle intégra très vite Girls Tyme.

Kelly – dont le vrai prénom était Kelendria – et sa maman avaient quitté Atlanta pour s'installer à Houston. De sept mois plus âgée que Beyoncé, Kelly chantait elle aussi depuis son plus jeune âge : elle avait intégré une chorale à quatre ans. Comme Beyoncé, elle rêvait de gloire : elle voulait devenir aussi célèbre que Whitney Houston, son idole. Mais contrairement à son amie, elle venait d'une famille à problèmes. Doris, sa mère, s'était résignée à quitter un époux alcoolique et brutal. Nounou à domicile, elle avait parfois du mal à joindre les deux bouts. Après le déménagement à Houston, Kelly ne vit plus que rarement son père : « Quand je voyais tous ces papas qui venaient chercher leurs enfants à l'école, le mien me manquait énormément. Un papa, c'est très important, pour une petite fille... La musique me permettait de m'évader. Je crois que je souffrais beaucoup de ne pas avoir de papa. »

Kelly fut chaleureusement accueillie au sein du clan Knowles. Elle adorait pousser la chansonnette avec Mathew, Tina et Beyoncé, et il lui arrivait même de dormir plusieurs nuits d'affilée chez eux, dans la chambre de Beyoncé. Les deux amies gloussaient et papotaient parfois jusqu'au milieu de la nuit. Bien des années plus tard, dans l'autobiographie de Destiny's Child, Kelly raconte qu'elle avait l'impression de vivre une soirée-pyjama tous les soirs... Mais une soirée-pyjama du genre bruyant, précise-t-elle.

Avec Kelly dans le groupe et le soutien d'Andretta, les filles de Girls Tyme se mirent à répéter partout où c'était possible et dès qu'elles le pouvaient. Elles reprenaient des classiques de la pop et du R & B au cours de répétitions si intenses que quelques objets chers au cœur de Mathew et Tina en faisaient parfois les frais. À force de s'agiter et de sauter partout dans le salon des Knowles, elles fracassèrent même une vitrine. Elles testaient leurs chorégraphies survitaminées sur les clientes de Tina au salon de coiffure de Montrose Boulevard, ce qui leur valait parfois de généreux pourboires en récompense de leurs efforts. Pendant que Tina coupait les cheveux de ses clientes, Mathew dirigeait les pas de danse du groupe, puis demandait leur avis aux habituées. « Parfois, elles ne voulaient pas les écouter, avoue Tina dans *Texas Monthly*. Quand les filles leur criaient "Tout le monde tape dans ses mains !", ces clientes-là levaient les yeux au ciel. C'était un public difficile. »

Voulant sans cesse progresser, elles passaient leur temps à étudier de vieux clips pour comprendre les astuces de leurs prédécesseurs : les Jackson Five, les Supremes… À cette époque, Tina décida de les relooker des pieds à la tête : elle avait compris que l'image était primordiale pour qui voulait attirer l'attention des maisons de disques. Elle les coiffa toutes dans son salon, et conçut pour elles des tenues colorées. Le parfait petit groupe de pop…

Elles travaillaient dur, mais Beyoncé répète souvent que personne ne les y obligeait. Leurs parents ne cherchaient pas à les exploiter, contrairement à ce que certaines mauvaises langues ont prétendu par la suite. « Je m'amusais comme une folle pendant les répétitions, écrit-elle dans *Soul Survivors*. Créer de nouvelles chorégraphies, de nouveaux arrangements vocaux, quel bonheur… C'était la récré en permanence. »

En 1991, Kelly s'installa définitivement chez les Knowles, un arrangement qui convenait à tout le monde. « Ma mère était nounou à domicile, avec des horaires de travail qui ne lui permettait pas de m'emmener à nos répétitions quotidiennes, raconte-t-elle. Elle a donc demandé à Tina si je pouvais passer l'été chez les Knowles. Et l'été s'est transformé en… une période indéterminée. Mais maman venait me border tous les soirs. C'était vraiment une grande famille heureuse. Je dis toujours que j'ai trois parents : Tina, Mathew et ma mère. Trois personnes avisées, et toujours là quand j'ai besoin d'un coup de main. »

Les parents de Beyoncé aimaient Kelly comme leur propre fille. « Kelly m'apporte beaucoup de bonheur, admit Tina par la suite. Le jour où elle partira, j'aurai énormément de chagrin. » On lit de temps à autre que Mathew et Tina ont adopté Kelly, ou qu'ils sont devenus ses tuteurs légaux, mais Tina prétend que c'est faux : « Toutes ces rumeurs sont idiotes. Nous avons donné les clés de la maison et de la voiture à la maman de Kelly. Elle passait la plupart de ses week-ends avec nous, et sa fille la voyait tous les jours. »

Beyoncé était maintenant plus proche que jamais de sa grande amie Kelly. « Nous dormions dans le même lit, nous

nous levions en même temps le matin, nous chantions sans arrêt et nous adorions chaque minute de nos journées », raconte Beyoncé. Quant aux bêtises... Bien des années plus tard, dans une émission de télé, Beyoncé en a raconté quelques-unes : « Nous étions de sales gamines, mais qu'est-ce qu'on s'amusait... On sortait tous les matelas dans le jardin, on se balançait aux rideaux, on enfermait un maximum de chatons dans la maison et quand ma mère rentrait, il y avait une vingtaine de bestioles qui couraient partout ! »

Les deux amies partageaient les mêmes aspirations. Dans une vidéo familiale datant de cette époque, Beyoncé formule tous ses objectifs dans la vie. Elle ne se contente pas de dire qu'elle veut être une popstar ; avec un luxe de détails surprenants pour une jeune fille de son âge, elle affirme qu'elle compte obtenir un disque d'or pour commencer, puis un disque de platine avec son album suivant, puis qu'elle écrira et produira elle-même le troisième. Trois vœux qu'elle accomplira avant son vingt et unième anniversaire !

Ses camarades de classe ne savaient rien de ses projets ou de son don pour le chant. Elle venait d'entrer au collège, aussi timide et discrète que les années précédentes. Elle était toujours plongée dans ses cours, même ceux qui ne lui demandaient pas un énorme travail. Sa cousine Angie lui avait expliqué que si les autres filles se sentaient menacées, si elles découvraient sa passion pour la musique, elles lui arracheraient les cheveux. Extrêmement secouée à cette perspective, Beyoncé se coiffa en chignon pendant les six mois suivants ! Et dès la fin des cours, elle se ruait aux répétitions de Girls Tyme pour laisser enfin s'exprimer sa vraie personnalité.

Très croyante, Beyoncé s'arrangeait pour faire un saut au moins une fois par semaine à l'église méthodiste unifiée St John. C'est à l'église que Kelly lui présenta Lyndall Locke en 1993 : un beau garçon de treize ans, à peine plus âgé qu'elle. Ils se plurent instantanément et commencèrent à se voir après l'école quand Beyoncé ne répétait pas. Chaque soir ou presque, ils s'appelaient et discutaient parfois si longtemps qu'il leur arrivait de piquer du nez, le téléphone à la main. Le week-end, ils allaient au cinéma ensemble, ou bien traînaient toute la journée chez Beyoncé. Ils regardaient des clips, jouaient à Puissance 4... Ils étaient amis depuis un an quand Lyndall demanda à Beyoncé si elle voulait bien être sa petite amie. Elle accepta avec joie, mais ce nouveau statut ne changea pas grand-chose à leur relation : leurs « rendez-vous amoureux » restaient très innocents. Ils se fréquentèrent ainsi pendant sept ans. « À cet âge, c'est beaucoup, sept ans, déclara la jeune femme quelques années plus tard. J'étais un peu plus mûre que lui, mais je ne l'ai jamais trompé. »

De son côté, Lyndall a raconté dans une interview accordée au *Sun* qu'il avait été très amoureux d'elle. À l'époque, il la considérait comme un ange, et aucune fille n'était plus jolie à ses yeux.

Au tout début de leur relation, Beyoncé décida de ne pas lui révéler qu'elle menait une double vie : elle avait peur qu'il la trouve arrogante ou ridicule. « Elle était tellement timide... À l'école, on la considérait un peu comme une paria. Elle n'était même pas dans la chorale ! Je n'ai su qu'au bout de deux ans qu'elle chantait. » Il savait qu'elle dansait bien, cependant : chez les Knowles, il l'avait vue mettre au point d'innombrables chorégraphies avec sa sœur Solange.

Ils ont sans doute été très amoureux – comme on peut l'être à cet âge –, mais depuis, Beyoncé a minimisé l'importance de cette histoire, déclarant que leur premier baiser avait été « horrible ». « J'ai passé un sale moment, raconte-t-elle au magazine *Elle*. Comme j'avais peur qu'il enfonce sa langue dans ma gorge, j'ai serré les dents de toutes mes forces. Ensuite, j'ai dit à Kelly qu'il n'y avait pas pire dans la vie que d'embrasser un mec. » Lyndall conserve un souvenir radicalement différent de ce baiser, comme il s'en explique dans le *Sun* : il avait emmené Beyoncé à un concert ; son cornet de pop-corn était tombé par terre et... « On s'est penchés en même temps. Nos fronts se sont heurtés et nous voilà en train d'échanger notre premier baiser.

C'était incroyable ! Un vrai feu d'artifice ! Un de ces baisers mythiques qui n'existent qu'au cinéma... C'était la première fois que nous nous manifestions notre amour, Beyoncé et moi. Le baiser le plus ardent de ma vie, je l'avoue. »

Beyoncé le contredit résolument : dans une interview accordée au magazine *CosmoGirl*, elle parle de Lyndall en termes peu flatteurs : « Mon premier copain était nul. Complètement à côté de la plaque, le pauvre. Quand on discutait au téléphone c'était du genre "allô ?", "Ouais, salut." "Tu fais quoi, là ?" "Rien, et toi ?" Ça craignait vraiment. Je m'ennuyais avec lui. Il n'avait aucune ambition dans la vie. »

Beyoncé l'adorait, au début, mais il ne prit jamais le pas sur ses projets. Ses parents considéraient leur relation d'un œil bienveillant, tout en se montrant très stricts quant à ce qui se passait sous leur toit. Dès la plus tendre enfance de leurs filles, les Knowles leur ont inculqué des principes moraux qui se reflétaient dans leurs projets musicaux. À cette époque, Tina était intransigeante : quand elles chantaient, ses filles avaient l'interdiction de proférer la moindre insanité ou de danser d'une façon provocante.

Après des mois de pratique acharnée – et une motivation remarquable pour des filles de cet âge –, Girls Tyme se lança dans une série de petits concerts, dont une courte apparition au concours de beauté Miss Black Houston Metroplex. C'est à peu près à cette époque qu'elles commencèrent à faire parler d'elles. Arne Frager, un producteur de R & B, se déplaça en avion pour les voir. Leur engagement l'impressionna au plus haut point, tout comme leurs vocalises et leurs chorégraphies affûtées. La voix et la personnalité de Beyoncé l'intéressaient tout particulièrement. Il invita le groupe dans son QG californien et lui offrit l'exposition à grande échelle qui lui permettrait de se faire connaître des maisons de disques : il inscrivit Girls Tyme à *Star Search*, un grand concours télévisé. Cette émission pionnière connut un immense succès pendant les années 1980 et 1990, avant *X Factor* et autres productions du même acabit. Un jury de quatre professionnels y attribuait des étoiles à des artistes débutants. Au fil des ans, l'émission avait vu passer une très jeune Alanis Morissette, ainsi que Britney Spears, Justin Timberlake et Jessica Simpson, qui tous devinrent par la suite des popstars de renommée mondiale.

Vêtues d'imperméables aux couleurs vives, de shorts assortis et de tennis montantes customisées, les filles de Girls Tyme se lancèrent dans un rap énergique, mais la sauce ne prit pas. Elles ne furent distancées que d'une seule étoile par un groupe de heavy metal rocailleux, Skeleton Crew. Cet échec les marqua beaucoup, et Beyoncé se rappelle encore le supplice enduré pendant la prestation de leurs rivaux : « Nous étions au bord des larmes, mais nous faisions semblant de sourire. » Dès la fin de l'émission, les filles éclatèrent en sanglots dans leurs loges, complètement accablées. Puis, après avoir revu leur passage sur scène, toutes reconnurent qu'elles s'étaient plantées. D'après LaTavia, la chanson choisie ne convenait pas à leurs voix juvéniles. « Ils nous ont demandé un rap, alors que nous voulions chanter, raconte-t-elle. Ils ont même créé la catégorie Hip-hop pour nous. Avec du recul, ce fut une bonne leçon, que nous n'oublierons jamais. »

Beaucoup plus tard, dans un entretien filmé en 1993 à l'occasion de la sortie de son album éponyme, Beyoncé évoque ce jour important : « L'émission a marqué un tournant dans ma vie d'enfant. J'avais tout prévu : nous devions nous produire dans *Star Search*, remporter la première place et signer dans une maison de disques. C'est du moins ce dont je rêvais. Je n'avais jamais envisagé la possibilité d'un échec. À neuf ans, on s'imagine qu'on ne peut pas perdre quand on a travaillé super dur et donné tout ce qu'on a. J'ai retenu la leçon. »

Elle ajoute : « C'est ça, la vraie vie : parfois on gagne, parfois on perd. Cela arrive même aux meilleurs, et même aux plus malins. Ça arrive, voilà tout. Et ça arrive quand ça doit arriver. Il faut accepter ce genre de revers. »

Après cette défaite, personne n'en aurait voulu aux filles si elles avaient renoncé à leur rêve. Personne, sauf Mathew et son indécrottable optimisme. Il venait de frôler du doigt l'avenir brillant qu'il espérait pour sa fille et il n'était pas prêt à capituler sans se battre. Il s'est exprimé à ce sujet en 2011, à l'école de musique Thornton de l'université de Californie du Sud : « Allez savoir pourquoi, ceux qui perdent dans l'émission Star Search se remettent au travail de plus belle, tentent de nouvelles choses et finissent tous par connaître le succès. »

Il avait décidé de prendre les choses en main, et il supplia Andretta de le laisser s'occuper de Girls Tyme avec elle. Devant ses réticences, il alla jusqu'à la menacer de retirer Beyoncé du groupe si elle ne cédait pas. Andretta mourut quelques années plus tard des suites d'un lupus qui la rongeait depuis des années. Lornonda Brown, son frère, raconte qu'elle s'était résignée à déléguer une partie de ses responsabilités à Mathew. « Elle n'a pas eu le choix, précise-t-il. Mathew possédait un atout incontournable : sa fille. »

Maintenant qu'il était à la barre, Mathew avait décidé de tout reprendre depuis le début – d'autant plus qu'une nouvelle recrue venait d'arriver dans le groupe : LeToya Luckett, une fille plutôt douée, ancienne camarade de classe de Beyoncé à l'école primaire. Dans une interview accordée à *The Independent*, LeToya déclare : « Bey a découvert que je savais chanter pendant une audition pour *Pinocchio*, une pièce qu'on montait à l'école. Comme nous avions décroché les rôles principaux, nous avons appris ensemble ses chansons et ses petites chorégraphies. »

Après l'arrivée de ce nouveau membre, qui apportait une fraîcheur nouvelle au groupe, Mathew et Andretta décidèrent de procéder à d'autres changements radicaux. Le nombre de six passa de sept à quatre. Le nouveau groupe ne comportait plus que Beyoncé, LeToya, Kelly et LaTavia. Chacune d'elles avait ses propres qualités et à elles quatre, elles couvraient enfin tout le spectre vocal. Kelly chantait sur plusieurs octaves, ce qui convenait parfaitement aux chansons entraînantes ; le timbre profond de LaTavia lui permettait de descendre dans les graves ; le soprano de LeToya pouvait atteindre des hauteurs vertigineuses ; quant à Beyoncé, sa voix puissante et expressive faisait frissonner tous ceux qui l'entendaient.

Elles s'adaptèrent à cette nouvelle configuration et se remirent à travailler d'arrache-pied. D'entrée de jeu, Mathew leur expliqua qu'il n'était plus question de s'amuser. Pendant dix-huit mois, il leur organisa des mini « camps d'entraînement » particulièrement sévères, les envoya courir avant l'école dans les parcs de Houston – le but étant de pouvoir continuer à chanter pendant de gros efforts physiques –, leur imposa un régime pauvre en matières grasses. Beyoncé dut remplacer les aliments frits ultra caloriques qu'elle aimait tant par des plats allégés et des desserts sans sucre. Les filles apprirent aussi à pratiquer leurs chorégraphies endiablées juchées sur des talons hauts, au prix de quelques entorses. « Chaque fois qu'il me bousculait, je m'endurcissais », raconta plus tard Beyoncé à propos de son père. Les filles durent faire de nombreux sacrifices, parmi lesquels quitter la troupe de *cheerleaders* du collège. Et elles n'avaient plus le droit de fréquenter leurs camarades de classe en dehors de l'école. « Ma vie, c'était le travail, explique Beyoncé au *Daily Telegraph*. Je ne suis jamais allée à un bal de fin d'année, vous vous rendez compte ? Enfin si, à celui de mon petit copain parce que j'étais sa cavalière, mais je ne connaissais personne, et j'ai dû rentrer super tôt ! »

Toujours dans la même optique, Mathew poussa les filles à composer leurs propres chansons, en plus de celles qu'elles reprenaient. Beyoncé trouva l'inspiration dans le salon de coiffure de sa mère, où les clientes parlaient souvent de leurs hommes. « Les femmes se confient beaucoup dans les salons de coiffure, explique-t-elle. Elles feuillettent des magazines de mode, écoutent du Anita Baker, disent du mal de leur mari... C'est bien plus croustillant que n'importe quelle discussion entre mecs. » Girls Tyme se produisait devant un public au moins une fois par semaine – davantage pendant les vacances scolaires –, que ce soit dans les écoles, les églises ou les défilés de mode de la ville. « Rien n'était jamais trop petit ou trop grand pour elles, raconte Mathew au magazine *Forbes*. Je les faisais répéter, répéter et répéter encore, mais Beyoncé aimait tant la musique qu'elle ne se plaignait jamais. »

À plusieurs reprises, elles chantèrent même dans le parc d'attractions préféré de Beyoncé, le Six Flags AstroWorld. Celle-ci y connut d'ailleurs l'une des expériences les plus humiliantes de sa vie : « Il y avait toute ma classe dans le public, il faisait un froid glacial de canard et mon visage s'engourdissait. J'ai le nez tout rouge et tout d'un coup, je vois un truc qui enfle… une énorme bulle de morve ! En plein milieu du concert ! J'ai quitté la scène en courant pour me moucher, mais tous mes amis l'avaient vue. La honte… »

Pour beaucoup, Mathiew s'est montré trop dur avec elles ; mais Beyoncé maintient qu'elle a choisi cette vie-là toute seule : « Quand j'étais ado, tous mes copains faisaient la fête. Moi, je voulais aller en studio. Quand les autres jouaient dehors, je n'avais qu'une envie : rester à la maison pour écrire des chansons et m'exercer à danser. »

Grâce à son carnet d'adresses de plus en plus fourni, Mathew parvint à convaincre Teresa LaBarbera Whites, chargée de recruter de jeunes artistes pour la maison de disques Columbia Records, de prendre un avion depuis New York pour venir écouter Girls Tyme à Houston. Les choses ne se passèrent pas comme prévu : légèrement enrouées parce qu'elles avaient trop nagé la veille, les filles chantèrent d'une voix nasillarde. Pendant une vidéo de leur prestation devant Teresa, on entend un Mathew mécontent interrompre une chanson : « Je m'en moque, que Teresa soit là ! Vous avez vu le résultat, quand on va nager la veille ? »

Plus tard, LeToya avoua qu'elle avait trouvé tout cela très difficile. « Participer à un groupe quasi pro quand on est si jeune, c'est une tâche astreignante, a-t-elle raconté à *The Independent*. Cours de chant à six heures du matin, enfance en partie sacrifiée… On nous a retirées de l'école en sixième, donc le bal du collège, on ne sait pas ce que c'est, on n'a pas connu tout ce truc de l'élection de la reine de l'école… Mais c'était super excitant, j'avoue. Nous n'étions que des gamines, mais des gamines hyper assidues qui savaient ce qu'elles voulaient. »

Très croyantes, elles priaient parfois ensemble pour demander à Dieu de les aider à décrocher un contrat avec une maison de disques. Les Jackson Five aussi étaient passés par là. « Nous surnommions Mathew "Joe Jackson", raconte LaTavia. Il était drôlement sévère. Beyoncé était la seule qui avait le courage de s'opposer à lui. » Sans doute la plus cinglante quand on leur demande de revenir sur leurs débuts, LaTavia ajoute : « On bossait vraiment comme des dingues. On répétait sans arrêt toutes les quatre, avec Mathew dans le rôle du sergent instructeur. Dès le début de l'été, on s'installait chez lui, à Houston. Il nous réveillait tôt le matin et nous emmenait au parc Herman, sur une piste de cinq kilomètres et demi de long. Nous chantions en courant, puis il nous ramenait et nous répétions de plus belle à la maison. Voilà en quoi consistaient nos journées, sept jours par semaine. Avec du recul, je sais que la musique nous a coûté notre enfance. Mais nous étions prêtes à tout pour réaliser nos rêves. »

CHAPITRE TROIS

À treize ans, Beyoncé intégra la prestigieuse école des arts vivants et visuels de Houston. Sur les photos du lycée prises cette année-là, c'est une magnifique jeune femme en devenir. Peau parfaite, sourire rayonnant, dents très blanches, cheveux nattés : on pourrait la prendre pour un mannequin. Et pourtant, pour elle, la musique a toujours compté bien davantage que l'apparence.

Pendant que les filles poursuivaient leur cursus scolaire, Mathew se démena pour leur obtenir des premières parties de groupes de R & B connus. Ses recherches finirent par payer : quelques maisons de disques leur proposèrent des auditions, dont Elektra, où elles rencontrèrent Daryl Simmons. Sur la vidéo granuleuse de leur prestation pour Elektra, on les voit toutes les quatre en jeans beiges et boléros noirs présenter une chorégraphie soignée sur *Wide Open*, un de leurs propres morceaux. Elles maîtrisent bien mieux le chant qu'à leurs débuts, avec un résultat plus efficace, plus adulte. Après des années de persévérance, elles bondirent de joie en apprenant que Daryl allait parler d'elles à Sylvia Rhone, personnage clé de chez Elektra. C'était à sa demande que le célèbre groupe féminin En Vogue figurait au catalogue de cette maison de disques. Comme beaucoup d'autres avant elle, Sylvia flasha sur la voix étonnante de Beyoncé, et elle chargea Daryl de leur proposer un contrat, avec Beyoncé en figure de proue.

Les filles prirent l'avion pour Atlanta, à 1300 kilomètres de Houston. Daryl les emmena en studio, et elles commencèrent à enregistrer des voix pour un album. On les installa dans une petite maison, avec l'assistante de Daryl pour veiller sur elles. Le tout avait un petit côté colonie de vacances, d'autant plus que les filles rataient l'école, pendant ce temps-là. Très inquiets à cette idée, les parents leur envoyèrent quelques précepteurs. Malheureusement, quelques mois plus tard, rien ne s'était passé. Aucune date de sortie n'avait été fixée pour l'album et Elektra semblait traîner des pieds. Un jour, dans une lettre envoyée par l'un des grands patrons du label, elles apprirent qu'Elektra laissait tomber le groupe. D'après le magazine *Essence*, les décideurs de la maison de disques avaient brutalement changé d'avis, estimant maintenant que les filles étaient « trop jeunes et trop peu aguerries pour progresser ».

Cette nouvelle les accabla. Elektra venait de les lâcher sans leur avoir laissé le temps de faire leurs preuves. « On a eu l'impression que le monde s'écroulait », raconta Beyoncé au magazine Q quelques années plus tard. En 2002, alors que Destiny's Child était au sommet de sa gloire, Kelly évoqua cet épisode avec beaucoup d'humour : « J'espère que le type de chez Elektra qui a décidé de nous virer a regardé la cérémonie des Grammy Awards 2000. »

À Houston, quand Mathiew apprit la nouvelle, il prit une décision radicale : il renonça à son salaire à six chiffres dans l'industrie pharmaceutique pour s'occuper du groupe à plein temps. « Le jour où Elektra les a laissées tomber, ce fut pour moi un tournant décisif. J'ai quitté mon boulot, et tout le monde m'a traité de cinglé… » Son travail l'intéressait de moins en moins, depuis quelque temps. « Je bossais dans le privé depuis vingt ans. J'y avais passé dix-huit années extraordinaires, mais les deux dernières… Mon job ne me passionnait plus, et je savais que j'allais devoir passer à autre chose. » L'état de santé d'Andretta, qui s'occupait du groupe avec lui, l'aida à franchir le pas : affaiblie par le lupus, elle était de moins en moins présente.

Il prit une autre décision qui s'avéra décisive pour l'avenir du groupe : il décida de le réinventer en lui attribuant un nom plus adulte. On lui suggéra « Somethin' Fresh » et « Borderline », qui ne convainquirent personne, de même que « Cliché » et « Da Dolls ». Destiny étant déjà pris, les filles optèrent pour Destiny's Child. Beyoncé nous explique pourquoi : « Chaque fois que j'hésite, je demande à Dieu de m'aider à choisir, et Il m'aide. C'est comme ça que nous avons trouvé notre nom : nous avons ouvert une bible, et la première chose que nous avons lue, c'était ce mot, "Destiny". »

LaTavia nous en apprend davantage : « Un jour, la mère de Beyoncé a ouvert la bible pour y lire un verset du livre d'Isaïe. Une photo de nous en est tombée. Le mot "Destiny" y figurait en caractères gras. Comme si Dieu Lui-même nous envoyait ce nom. Nous y avons ajouté "Child" pour nous distinguer des groupes qui s'appelaient déjà Destiny. "Child", ça évoque un peu une renaissance… »

Tout le monde était très excité par la nouvelle direction qu'elles prenaient. Malheureusement, après la démission de Mathew, la situation financière des Knowles se dégrada. Prêt à tout pour lancer la carrière de sa fille, il décida de vendre la maison familiale, en accord avec Tina. « Nous avons déménagé dans un appartement, raconte Beyoncé, puis mes parents ont vendu deux de leurs trois voitures. »

Ce brusque changement de mode de vie déstabilisa Tina. Dans une interview accordée à CBS, elle déclare avec franchise : « Ce fut une période stressante, nous étions passés de deux sources de revenus à une seule. Nous avons dû nous installer dans un logement plus petit, et vendre deux de nos voitures. Nous avons vraiment vécu des moments pénibles. » Parmi les amis du couple, beaucoup trouvaient leur décision absurde. « Pour eux, on était devenus complètement cinglés. Bons pour l'asile, même. »

Puis l'administration fiscale s'en mêla, aggravant encore leur situation. « Tout semblait s'effondrer autour de nous, raconte

Tina dans *Rolling Stone*. Nous avons dû vendre la maison bien moins cher que ce que nous en aurions obtenu si nous avions eu le temps de faire les choses correctement. Ce fut dur également sur le plan émotionnel : mes filles avaient grandi dans cette maison… Ça leur a causé beaucoup de chagrin. » Cerise sur le gâteau, avant d'emménager dans le nouvel appartement, Mathiew apprit que l'ancien locataire s'était suicidé dans la salle de bains.

LaTavia nous décrit le nouveau foyer des Knowles : « Il y avait une chambre pour les parents de Beyoncé et une autre pour les trois filles. Et elles n'avaient que deux lits dans la leur, avec des matelas rangés en dessous. Les Knowles ont dû en baver, quand j'y repense. »

Pour mettre un peu de beurre dans les épinards, Tina allongea ses journées au salon de coiffure. De son côté, Mathiew partit suivre des cours de gestion artistique pendant plusieurs mois. Quelques années plus tard, grâce à cette formation, il put monter son propre label, Music World Entertainment. Un label qui engrangea plusieurs millions de dollars.

Si Mathiew avait décidé de devenir le manager des Destiny's Child, c'était pour imiter Berry Gordy, le fondateur de Motown Records. Berry avait connu une incroyable réussite en s'occupant de tout lui-même dans son studio de Détroit : le management de ses artistes, l'enregistrement et la diffusion de leur musique, le marketing, etc. Il poussait le détail jusqu'à leur apprendre à se comporter, à s'habiller et à bouger correctement. En fait, il leur apprenait à devenir des superstars.

Le combat à mener pour faire décoller la carrière de Beyoncé l'emportant sur tout le reste, Mathiew et Tina décidèrent de se séparer. « À ce stade, je le trouvais un peu trop obsédé par la carrière de sa fille, raconte Tina à CBS. Je savais qu'elle y arriverait, je n'avais aucun doute à ce sujet, mais Mathew en oubliait de vivre, de prendre soin de sa famille… » Dans *Rolling Stone*, elle décrit cet épisode en détail : « Nous en étions à un point où nous ne pouvions plus nous entendre. Mathiew ne pensait qu'à la musique, il ne cherchait pas à retrouver du travail... Nous étions malheureux, tout simplement. »

Comme tous les enfants confrontés à cette situation, Beyoncé vécut un véritable traumatisme en apprenant la séparation de ses parents : « C'était vraiment une période horrible... Du coup il y a plein de choses que j'ai effacées de ma mémoire. » Elle chercha du réconfort auprès des membres de sa paroisse, qui la voyaient souvent prier en larmes à l'église St John. Un jour où elle n'en pouvait plus, elle apprit un mantra qu'elle se récita ensuite sans arrêt : *Dieu a un plan et Dieu contrôle toute chose.* Un mantra qui l'apaisait, et dont elle fit sa devise.

Sa foi l'aida aussi à supporter les innombrables remous que traversait le groupe. Elle a raconté au magazine *CosmoGirl* sa première vraie rencontre avec Dieu. « Je me sentais un peu comme la maman du groupe, à l'époque. Quand la tension était trop forte, quand quelqu'un mentait ou blessait quelqu'un d'autre, cela m'affectait énormément. Le groupe devenait dingue, je le sentais et ça me stressait. Je n'arrivais plus à dormir, j'avais des boutons partout... Bref, un jour où je pleurais à l'église, j'ai senti que je lâchais prise. Comme si Dieu me disait : "Donne-moi ton stress." Et je l'ai senti qui s'éloignait de moi... Ensuite, une paix incroyable m'a envahie. Ça a duré vingt minutes. J'avais l'impression de flotter. »

La séparation de Mathiew et Tina renforça la détermination de Beyoncé : elle obtiendrait coûte que coûte pour Destiny's Child la reconnaissance dont rêvait le quatuor. En 1996, le groupe partit enregistrer quelques maquettes à San Francisco. Et le vent tourna enfin en sa faveur. Les quatre filles envoyèrent leurs maquettes à des dizaines de personnes, toutes celles qui comptaient dans l'industrie musicale. D'wayne Wiggins, un musicien d'Oakland, en Californie, aima ce qu'il entendit et les recruta immédiatement sur son label, Grass Roots Entertainment. Dans une interview parue sur le site web de l'émission *Soul Train*, D'wayne raconte comment il prit la décision cruciale de donner leur chance aux quatre filles. « C'est ce que j'ai vécu de plus grisant au cours de ma vie professionnelle : l'arrivée de Destiny's Child sur mon label et nos premiers pas ensemble. Elles étaient extrêmement motivées, et elles avaient déjà tout compris. De vraies femmes dans des corps d'ados. »

Pour commencer, D'wayne les installa dans une grande maison, à Oakland, tout près de ses studios. Puis il les poussa à écrire de nouveaux morceaux, qu'elles enregistraient dans la foulée. Comme à Atlanta, elles avaient dû faire une croix sur l'école, et des profs particuliers leur donnaient des cours à domicile.

À Oakland, Beyoncé se sentit aussitôt comme un poisson dans l'eau, au grand étonnement de D'wayne. « En studio, je m'occupais des arrangements vocaux, avec Beyoncé au micro. Dès que je lui soumettais une harmonie, elle embrayait et me proposait des tas de mélodies toutes plus belles les unes que les autres. Et en plus, elle dansait et secouait ses cheveux comme une vraie pro en concert. (...) J'étais à la fois leur fan numéro un et leur producteur. J'ai adoré cette famille dès que je l'ai rencontrée. Tina, Mathiew, Solange... Il y a un tel respect, entre eux, une telle confiance... Ça m'a ébahi qu'ils acceptent de me confier le groupe. Je devais à la fois veiller sur les filles, les produire et m'assurer qu'elles apprennent bien leurs cours. »

D'wayne suivait donc leurs études de près, mais en fin de compte, Beyoncé ne passa jamais son bac : le groupe occupait déjà toute son existence. Elle n'aurait jamais le bac, mais quelle importance ? Elle allait bientôt vivre ce dont elle rêvait depuis toujours. Grâce à D'wayne, Destiny's Child avait retrouvé sa crédibilité. En 1997, les quatre filles prirent l'avion pour New York où les attendait Teresa LaBarbera Whites, qui avait demandé à les revoir. Elle travaillait toujours pour Columbia Records, qui comptait à son catalogue des gens comme Bruce Springsteen, Michael Jackson ou Mariah Carey. Beyoncé raconte dans *Soul Survivors* que c'était leur toute dernière chance. Cette fois-ci, elles ne devaient pas louper le coche.

Les choses se présentaient mal. La salle choisie pour l'audition n'était pas assez grande pour contenir les quatre filles et tous leurs instruments. Elles se retrouvèrent face à un défi de taille : chanter *a cappella*. Elles interprétèrent à la perfection une reprise d'*Ain't No Sunshine*, de Bill Withers, puis *Are You Ready ?*, une de leurs chansons. Teresa resta impassible pendant toute leur prestation. Les quatre filles retournèrent à Houston sans savoir quel sort on leur réservait. En fait, Teresa était éblouie, comme elle le raconta bien des années plus tard : « Beyoncé est une artiste complète, à la fois auteur-compositeur, productrice et incroyable bête de scène. Elle peut tout faire. Je la connais depuis qu'elle est gamine et je l'ai vue mûrir, je l'ai vue devenir cette force de la nature, ce mythe que nous connaissons aujourd'hui. Il n'existe rien de plus jouissif que d'assister à un parcours de ce genre. »

Pendant quelques semaines, Beyoncé et ses amies rongèrent leur frein, incapables de penser à autre chose. Elles apprirent la nouvelle dans le salon de coiffure de Tina, qui leur fit une petite blague : elle cacha la réponse de la maison de disques dans une enveloppe ornée du logo d'un petit resto du coin. Quand Beyoncé l'ouvrit, elle pensait y trouver un vulgaire coupon de réduction. Elle lut la lettre sans un mot, en retenant son souffle. « Nous nous sommes mises à hurler de joie en plein milieu du salon, raconte-t-elle dans *Soul Survivors*. Toutes ces dames, sous les sèche-cheveux, nous ont regardées comme si on était dingues. Elles ne comprenaient absolument pas ce qui nous arrivait. Nous nous sommes mises à courir et à sauter partout en brandissant notre contrat pour en faire profiter tout le monde. »

Leur carrière s'envola dès l'instant où elles apposèrent leurs signatures sur la dernière page du contrat. Elles avaient déjà composé des tas de chansons qui ne demandaient qu'à prendre leur essor après des heures de studio. Elles se remirent aussitôt au travail et sortirent leur premier single en juillet 1997 : *Killing Time*, une ballade choisie pour figurer sur la BO du film *Men in Black*, avec Will Smith dans le rôle principal. La Columbia leur attribua une publiciste, Yvette Noel-Schure, qui deviendrait plus tard un élément clé de la Team Beyoncé. Yvette a raconté au magazine *Out* sa rencontre avec Beyoncé, aux studios de la Columbia : « Je me suis retrouvée face à une ado de quatorze ans extrêmement consciencieuse, qui connaissait déjà presque tout du métier. Et tout de suite, je me suis dit : *Ça va être le projet de ma vie. Je vais m'éclater, avec ces filles.* (...) Cette fille vous embarque, c'est ce qui me vient à l'esprit quand je pense à elle, et c'était déjà le cas à l'époque. Quand elle vous parle, elle vous regarde droit dans les yeux... Au début, avec moi, elle était du genre "Oui Madame, bien sûr Madame", mais elle me regardait droit dans les yeux, sans jamais ciller. Elle vous embarque, je vous dis... Et elle avait déjà un côté intrépide, que j'ai perçu aussitôt. Même aujourd'hui, quand on lui parle, c'est pareil. Moi, chaque fois, je lui dis : "T'as pas changé, décidément !" »

La date de sortie de *Destiny's Child*, leur premier album éponyme, fut très vite programmée. Pour compléter son contenu, Teresa demanda à son équipe de dénicher des morceaux ni trop *girlie* ni trop juvéniles qui conviennent à l'image qu'elle voulait donner au quatuor. Mathiew non plus ne tenait pas à ce qu'on considère Destiny's Child comme un groupe pour ados ; du coup, pendant plusieurs mois, ils mentirent sur l'âge des filles en leur attribuant deux ans de plus. En 1998, le magazine *Black Beat* demanda à Beyoncé quel âge elles avaient en réalité. « Nous n'en savons rien... Mais non, je blague ! répliqua celle-ci. En fait, nous sommes des ados. Mais nous ne tenons pas à parler de ça, parce que bizarrement les gens plus âgés cessent de s'intéresser à nous dès qu'ils apprennent notre âge réel. Notre musique est variée, même les adultes peuvent l'aimer, alors nous ne voulons pas qu'on nous colle une étiquette. »

No, No, No, l'un des premiers morceaux qu'elles avaient enregistré, fut choisi pour être le premier single tiré de l'album. Mais la chanson était trop lente, et l'on chargea Wyclef Jean, membre des célèbres Fugees et rappeur respecté, d'en retravailler le son pour le rendre plus nerveux. Début 1998, rebaptisée *No, No, No Part 2*, la chanson se hissa dès sa sortie aux États-Unis à la troisième place des charts, offrant aux filles leur premier disque de platine. Elle atteignit aussi la cinquième place en Grande-Bretagne et la septième au Canada, résultat extrêmement impressionnant pour un groupe inconnu qui se lançait dans un domaine où la concurrence était rude. Beyoncé raconta plus tard une anecdote amusante : elle était en voiture avec Kelly et Solange quand elle avait entendu pour la première fois leur single à la radio. Celle qui conduisait la voiture avait freiné brutalement et les deux filles de Destiny's Child avaient sauté du véhicule et couru tout autour en chantant à pleins poumons. D'abord abasourdie, Solange avait « lâché son sac et ses bouquins pour cavaler avec nous autour de la bagnole. On a vécu un moment génial ».

Le vent avait tourné, la chance leur souriait enfin... Tirés d'affaire financièrement, les parents de Beyoncé se réconcilièrent, et Mathiew revint s'installer dans l'appartement exigu. Tina avait du pain sur la planche, désormais : elle était chargée du look des quatre filles, qui devaient changer de tenue chaque semaine. Mais la maison de disques n'approuvait pas ses choix. « Moi, je les voulais glamour, nous explique-t-elle. Mais les gens de chez Columbia s'y sont opposés très longtemps. “Tina, on devine tout de suite que ces filles débarquent du Texas, qu'ils me disaient. Tu ne pourrais pas renoncer au maquillage, aux coiffures sophistiquées et aux talons hauts ?” Mais moi, j'adore ça, les coiffures sophistiquées et le maquillage ! Nous, les Texanes, nous sommes uniques au monde, et super bien dans notre peau. »

En dehors des problèmes de look, Tina veillait à ce que la célébrité naissante de sa fille ne lui monte pas à la tête. Cette sollicitude toute maternelle allait donner lieu à une amusante confrontation en public : « la Gifle », comme l'appellerait désormais le clan Knowles. Cet incident se déroula dans un magasin de disques, pendant un passage radio de *No, No, No Part 2*. Pour embêter sa mère qui voulait lui dire quelque chose, Beyoncé se mit à chanter sur la musique. Elle raconte la suite dans une émission de CNN : « Tina m'a giflée de toutes ses forces, en hurlant : “Je m'en fous, que ta chanson passe à la radio ! Tu es ma fille et tu me dois le respect !" Et j'ai dû aller les attendre dans la voiture. » Tina a complété le récit dans le magazine *Elle*. « Mon mari arrive et me dit : "Mais enfin, Tina ! Elle est numéro un à la radio !" Et moi j'ai répondu : "Ça m'est complètement égal !" Comme le dit ma mère, "il faut être aussi beau à l'intérieur qu'à l'extérieur". » Avec du recul, Beyoncé reconnaît que Tina a eu raison de l'envoyer promener, ce jour-là : « C'est vraiment arrivé au bon moment. Pour la première fois de ma vie, j'ai compris que je perdais de vue l'essentiel. »

Elle venait de prendre une bonne leçon. L'album de Destiny's Child arriva dans les bacs en février 1998, environ trente-six mois après l'arrivée des filles chez Columbia Records. Et malgré tout le travail consenti pour en arriver là, Beyoncé n'avait que seize ans. « Il nous a fallu deux ans et demi pour sortir cet album, explique-t-elle dans *Black Beat*. Nous avons enregistré trente-trois chansons pour n'en retenir que treize au final (...) Avant, on se demandait toujours pourquoi les choses étaient si longues à se mettre en place. Et puis tout d'un coup, nous avons compris que Dieu savait très bien ce qu'Il faisait. Car contrairement à la plupart des autres groupes, nous avons grandi ensemble et nous nous adorons. Nous sommes comme quatre sœurs... »

Malgré des critiques moyennes, les filles reçurent un accueil plutôt bon dans le milieu du R & B et l'album se vendit à un demi-million d'exemplaires. Un chiffre de vente trop faible pour conquérir le monde, mais plus que suffisant pour inciter Columbia à les conserver à son catalogue.

Pendant plusieurs mois, le quatuor vécut un véritable tourbillon. Il partit en tournée avec Wyclef Jean, se produisit avec Dru Hill, LL Cool J et Run-DMC, et découvrit les voyages à l'étranger et les hôtels de luxe, ainsi qu'une poignée de fans transis qui le surnommaient déjà DC. En août 1998, Whitney Houston demanda aux filles de venir chanter à New York pour son trente-cinquième anniversaire, preuve la plus spectaculaire de leur renommée croissante. Rassemblant toutes leurs économies, elles s'offrirent de nouvelles tenues pour la circonstance et se rendirent à cette soirée. De nombreux invités soulignèrent leur ressemblance avec les Supremes, ce qu'elles reçurent comme un énorme compliment. Elles rencontrèrent par la suite d'autres mégastars, dont la plus grande diva du R & B, Mariah Carey. La rencontre les laissa « sous le choc », avoue Kelly. Les filles l'idolâtraient depuis toujours. « Je pense que la voix de Mariah Carey lui vient de Dieu », déclare Beyoncé. Elle avait à peine huit ans, en 1990, lorsque sort *Vision of Love*, le plus grand succès de Mariah. « En entendant tous ces trilles, je me suis demandé comment elle faisait. Le nombre de notes qu'elle arrivait à caser dans un tout petit bout de chanson, ça me fascinait complètement. Je m'entraînais à faire la même chose... Elle m'a énormément inspirée. »

En 1998 sortit un deuxième single, *Get On the Bus*, avec une contribution du rappeur Timbaland. Le morceau fut repris sur la BO du film *Why Do Fools Fall in Love*, sorti la même année, avec Halle Berry dans le rôle principal. Puis le groupe Boyz II Men, qui connaissait à l'époque un succès phénoménal, demanda à Destiny's Child d'assurer la première partie de sa tournée déjà sold-out, *Evolution*. LaTavia se souvient : « C'était très intense, cette tournée. Surtout pour des gamines en pleine puberté. Nos hormones nous jouaient des tours, nos journées étaient épuisantes... On se couchait tard et on se levait trop tôt. » Peu habituées à rester si longtemps loin de chez elles, elles s'amusaient à changer de chambre, en fonction de l'humeur et des disputes. « Une semaine je partageais la mienne avec Beyoncé, la suivante avec Kelly, la troisième avec LeToya », explique LaTavia. Elle ajoute, concernant leur tempérament : « LeToya, c'était la blagueuse, moi, l'effrontée, Beyoncé la maman et Kelly la sensible. Quand on regardait un film, c'était toujours elle qui pleurait en premier. »

En fait, Kelly était d'une nature si douce qu'elle eut d'abord du mal à supporter la pression, en particulier quand l'incontournable Mathiew ne la trouvait pas à la hauteur. À Atlanta, après l'un de leurs premiers concerts, il lui passa un savon mémorable sous prétexte qu'elle avait raté quelques pas de danse : « Tu étais où, ce soir, Kelly ? Tu as complètement foiré tes chorés ! » Kelly était affolée... La suite, LaTavia la raconte au *Daily Mirror* : « Mathiew ne mâchait pas ses mots et quand on est ado, ce genre de critique peut vous affecter profondément. Nous faisions notre possible pour ne pas craquer. Kelly, la plus sensible d'entre nous, courait parfois se réfugier dans sa chambre, en larmes. »

Les méthodes de Mathew étaient souvent brutales, mais Kelly lui resta loyale malgré tout. « C'est mon héros, a-t-elle déclaré dans le magazine *Vibe*. Il a sacrifié tant de choses pour nous... Rien ne l'obligeait à me prendre dans le groupe. Rien ne l'obligeait à vendre sa maison et ses voitures pour nous. Rien ne l'obligeait à consacrer sa vie à Destiny's Child. »

La Columbia ayant compris que la gloire était au coin de la rue, elle travailla avec le groupe sur l'enregistrement de leur deuxième album, *The Writing's on the Wall*. Il fut bouclé en deux mois à peine. Sur cet album, les invités s'appellent She'kspere, Timbaland et Missy Elliott. Bey participa à l'écriture et à la production de la plupart des morceaux, comme si elle s'épanouissait sous l'intense pression subie pour sortir l'album à temps. Son point de vue plus mûr sur l'existence commençait à transparaître dans son travail : sur cet album, beaucoup de chansons parlent de femmes prenant leur destin en main. Un sujet qu'elle traitera souvent, à l'avenir. Dans *Hey Ladies*, par exemple, elle se demande pourquoi les femmes laissent les hommes leur faire du mal. « Ces chansons énumèrent en détail tout ce qui se passe dans une relation qui déraille », explique-t-elle au moment de la sortie de l'album.

À la demande du magazine *Texas Music*, elle accepta de parler des changements qui les affectaient toutes les quatre entre chaque album : « Nous avons beaucoup grandi entre seize et dix-huit ans, c'est-à-dire entre le premier et le deuxième album. Nous étions des gamines, nous sommes devenues des jeunes femmes. Nous avons mûri, c'est normal, et cela s'entend dans notre musique. » Détail intéressant : sur la pochette du premier album, Beyoncé apparaît tout au bord de la photo, l'air assez peu sûr d'elle, tandis que les trois autres adressent de grands sourires à l'objectif. Sur celle de *The Writing's on the Wall*, elle pose au premier plan et fixe l'objectif, apparemment bien moins timide.

Sorti en juillet 1999, le nouveau CD proposait un mélange *groovy* de R & B et de mélodies audacieuses, ce qui leur valut d'être comparées à En Vogue, un de leurs groupes préférés. « C'était génial qu'on nous relie à elles, se réjouit Beyoncé. Elles avaient de grandes chansons, de superbes chorés. On les regardait pendant des heures, on rêvait d'être à leur place... »

Le succès de *The Writing's on the Wall* fut mondial. L'album démarra à la sixième place du classement des meilleures ventes aux États-Unis, avec 132 000 exemplaires déjà écoulés une semaine après sa sortie. 1999 n'était même pas encore terminé qu'elles en avaient vendu 1 500 000 de plus, récoltant au passage six nominations aux Grammy Awards. Elles en remportèrent deux, pour la meilleure performance R & B par un groupe vocal et pour la meilleure chanson de R & B. En outre, dans la liste des 200 meilleurs albums de la décennie, elles se retrouvèrent en 39e position. En 2000, l'album s'était vendu à 3 800 000 exemplaires, avec une succession de quatre hits singles incluant *Say My Name* et *Bills, Bills, Bills* – sur ces hommes qui vident le compte en banque de leurs épouses et ne mettent jamais d'essence dans la voiture.

Tout allait bien pour elles, mais elles en avaient assez d'entendre partout qu'elles étaient devenues célèbres sans effort et quasiment du jour au lendemain. Dans une interview de l'époque, Beyoncé met les points sur les i : « Il y a une chose que la plupart des gens ignorent : la musique, c'est toute notre vie depuis toujours. À Houston, certaines personnes ont voulu nous dissuader de nous lancer dans cette voie, car aucun habitant de cette ville n'avait jamais connu le succès. Mais nous sommes la preuve vivante que tout le monde peut y prétendre, à condition de persévérer. Et ce n'est qu'un début, vous pouvez me croire. »

Rien ne semblait pouvoir arrêter Beyoncé et ses amies. Et pourtant, elles allaient bientôt affronter des problèmes insurmontables. Qui aurait pu deviner qu'après un temps si court, *The Writing's on the Wall* serait la dernière œuvre de Destiny's Child sous cette forme ?

CHAPITRE QUATRE

La paix se brisa dans le groupe entre fin 1999 et début 2000. Cette période difficile, Beyoncé l'a surnommée « le grand chambardement ». Les problèmes commencèrent deux semaines avant le tournage de la vidéo de *Say My Name*, qui paradoxalement deviendrait le plus gros tube du groupe. Sans prévenir personne, LeToya et LaTavia – qui venaient d'avoir dix-huit ans – adressèrent chacune un courrier à Mathew le 14 décembre pour lui signifier qu'elles ne voulaient plus de lui comme manager. En substance, elles lui auraient écrit ceci : « Je te prie de ne plus négocier aucune affaire en mon nom, à titre individuel ou comme membre de Destiny's Child. Rien ne t'y autorise. » D'après elles, il ne partageait pas équitablement les gains du groupe, et elles étaient persuadées que Beyoncé et Kelly bénéficiaient d'un traitement de faveur. Il y avait une fracture très nette entre les filles qui vivaient sous le toit des Knowles et les deux autres.

Ils tentèrent en vain de résoudre cette querelle à l'amiable. « Nous avons tout essayé, raconte Beyoncé. Nous avons demandé conseil à notre église et à notre pasteur. Nous avons échangé nos places dans les chambres. Mais c'était la guerre entre nous. Nous n'avions plus du tout la même vision du groupe. »

Beyoncé a toujours été très ferme à ce sujet : les quatre membres du groupe recevaient chacune vingt-cinq pour cent des bénéfices. D'ailleurs, LaTavia elle-même a fini par reconnaître que c'était vrai : « Le montant sur les chèques était le même pour toutes les quatre, je ne dis pas le contraire, mais certaines choses étaient injustes. Beyoncé et Kelly avaient des voitures… Et Mathew nous disait tout le temps des trucs absurdes, du genre "Vous devriez être heureuses de recevoir tout ce pognon". »

Le mal était fait. Il fut décidé que LeToya et LaTavia quitteraient le groupe, même si Mathew prétendit ensuite ne pas les avoir virées. Il considérait que si elles ne voulaient plus du manager de Destiny's Child, elles n'avaient qu'à s'en aller. Comme on pouvait s'y attendre, ce rebondissement brutal secoua au plus haut point la jeune Beyoncé. « Nous avons vécu des moments affreux, Kelly et moi. Ça faisait mal, tout ça, et ça nous a beaucoup déprimées. » Bey, la « maman » du groupe, s'était toujours efforcée de maintenir la paix entre les quatre filles. Bouleversée par le départ de ses amies d'enfance, elle s'effondra complètement. « Je suis restée enfermée dans ma chambre pendant deux semaines, raconta-t-elle un an plus tard au magazine *Vibe*. J'avais du mal à respirer. J'ai fait une dépression nerveuse, tout simplement parce que je n'arrivais pas à y croire. C'était si douloureux… »

Il n'y avait pas de temps à perdre : la sortie du nouveau single était imminente, ainsi que le tournage d'une vidéo. Deux nouvelles recrues – l'ancienne choriste Michelle Williams, dix-neuf ans, et Farrah Franklin, dix-huit ans, qui avait dansé dans la vidéo de *Bills, Bills, Bills* – intégrèrent le groupe à la place de LaTavia et LeToya. C'est cette nouvelle formation qu'on voit dans la vidéo de *Say My Name*. Mais l'affaire n'était pas close, loin de là. LeToya et LaTavia déclarèrent qu'elles n'avaient compris leur éjection du groupe que lorsqu'elles virent la vidéo en question, cinq semaines plus tard. Résultat, les deux filles engagèrent une action en justice contre Beyoncé, Kelly et Mathew, pour rupture d'accords de partenariat et d'obligations financières.

« C'est vraiment une sensation bizarre, avoua LeToya sur MTV, quelques semaines à peine après son départ du groupe. On fréquente des gens depuis qu'on a neuf ou dix ans, et puis soudain, plus rien... » LaTavia laissa entendre que le problème couvait depuis un certain temps : « Il y avait un truc pas clair. Des petits détails que nous avions remarqués... On en parlait entre nous et on se disait : "C'est pas juste." Ça n'aurait pas dû se passer comme ça. Il y avait clairement un conflit d'intérêts. » Toujours sur MTV, elle parla de sa déception quand elle avait appris qu'on leur avait déjà trouvé des remplaçantes. « J'étais en voiture quand j'ai entendu la nouvelle. Ça m'a abasourdie... On nous avait dit que rien ne se passerait tant que l'affaire ne serait pas réglée. Et paf, qu'est-ce qu'on apprend ? Que deux autres filles ont déjà pris notre place dans le groupe ! »

Au début, Beyoncé et Kelly refusèrent de s'exprimer à ce sujet, puis elles commencèrent elles aussi à dénigrer leurs ex-collègues. Dans une interview très franche accordée à *Vibe* en février 2000, Beyoncé déclara que LeToya n'avait pas l'oreille musicale, Kelly ajoutant que leur ancienne amie était une rappeuse qui ne savait pas chanter.

Les remarques cinglantes se succèdent dans cette interview. Beyoncé y affirme même que les filles n'avaient plus rien en commun depuis deux ans. « Nous nous aimions comme des sœurs, au début. Nous étions vraiment très proches. Mais deux ans avant leur départ, les choses se sont détériorées entre nous. Nous faisions semblant d'être heureuses pour ne pas décevoir nos fans, qui comptent tant à nos yeux. Nous avions convenu de nous comporter comme si tout allait bien, comme si nous... Comme dans un mariage raté, quoi. Quand on joue le jeu pour protéger les enfants. »

Dans cette même interview, Beyoncé nous apprend qu'elle a envoyé une lettre à LeToya et à LaTavia. En voici un extrait : « J'ai partagé de grands moments avec vous. J'en ai aussi vécu de terribles... Vous n'avez pas chanté la moindre note sur plusieurs chansons de l'album. Est-ce que je vous l'ai reproché ? Je vous ai vues dormir ou papoter au téléphone pendant que je bossais comme une malade en studio. Est-ce que je vous l'ai reproché ? (...) toutes les trois semaines, l'une d'entre vous "piquait une crise", quand ce n'était pas les deux ! Et c'est comme ça depuis deux ans. Franchement, je mérite mieux ! »

Furieuse de se voir qualifier de flemmarde, LeToya se défendit : « Nous ne sommes pas des flemmardes ! Quand il fallait écrire, quand il fallait chanter, on y allait ! Comment ose-t-elle dire qu'on ne travaillait pas ? »

Les insultes volaient de part et d'autre. Kelly en rajouta une couche dans le magazine Q : « Elles étaient très négatives, très jalouses (...) et incapables de faire les voix principales. Nous avons pris des cours de chant parce que nous voulions des harmonies impeccables, mais elles, elles s'en foutaient. » Dans la même interview, Tina Knowles montre elle aussi du doigt LaTavia et LeToya : « Elles arrivaient souvent en retard aux interviews et aux séances photo. Ce n'était pas la philosophie de Destiny's Child. Ce groupe fait les choses avec sérieux. La seule chose qui passe avant DC, c'est Dieu. »

Menacée de poursuites judiciaires, la famille Knowles passa plusieurs mois à tenter de résoudre ce litige. En fin de compte, LaTavia et LeToya acceptèrent de retirer leurs plaintes contre Beyoncé et Kelly, mais pas contre Mathew. Ils optèrent alors pour une solution à l'amiable : les deux ex-membres du groupe obtinrent chacune 850 000 dollars et renoncèrent à tous leurs droits sur Destiny's Child. Beyoncé tenta de donner un tour positif à cette saga désolante, déclarant à *Newsweek* que les ventes de l'album avaient grimpé en flèche après le départ des deux filles « Destiny's Child est un groupe très talentueux, mais il nous manquait quelque chose, un ingrédient indispensable : une bonne controverse. La réussite d'un groupe tient aussi à son histoire, et celle-ci doit être intéressante. La nôtre était terriblement plate jusqu'au départ de LaTavia et LeToya. Je remercie le ciel de nous avoir envoyé ces problèmes. Je suis ravie : grâce à eux, nous vendons encore plus de disques. »

La bagarre faisait rage en coulisses lorsque Christina Aguilera leur proposa d'assurer la première partie de sa tournée prévue au printemps 2000. Enchantées, elles saisirent cette occasion au vol. Un soir, en plein milieu d'un de leurs concerts, Kelly se cassa plusieurs orteils. Par chance, Solange put la remplacer « au pied levé » pendant sa convalescence. Beyoncé se remémore cet épisode pour le magazine *Teen* « Notre loge était si loin de la scène que nous devions courir pour nous changer entre les morceaux. Et ça n'a pas manqué : Kelly a foncé dans un truc qui traînait et qu'elle n'a pas vu dans le noir. On a compris qu'elle avait très très mal quand on l'a entendue hurler. »

Après un bref répit loin des scandales, Destiny's Child traversa de nouveaux remous : Farrah, l'une des deux nouvelles recrues, quitta le groupe à son tour, cinq mois seulement après son arrivée. Les rumeurs allèrent bon train : elle n'avait pas supporté la pression, disait-on. Car désormais, le quatuor squattait le sommet des charts dans le monde entier. Un jour, prétextant une gastro-entérite, Farrah refusa de participer à une émission de MTV filmée à Sacramento. Erreur fatale. Elle était « passée à autre chose », annonça-t-on dans la foulée. « C'était tellement énorme, cette émission... déclara Beyoncé dans Q. Il nous avait fallu neuf ans pour être invitées sur MTV ! Nous avions travaillé si dur pour y arriver... »

Comme LeToya et LaTavia, Farrah se hâta de divulguer à la presse sa propre version de l'histoire : si elle avait quitté le groupe, c'était parce que la mère de Beyoncé voulait qu'elle change de look. « L'horreur. On m'a obligée à me teindre les cheveux en rouge alors qu'ils étaient châtains avec des mèches blondes. » Farrah affirma aussi qu'elle avait dû accepter à contrecœur l'emploi de son premier prénom. « Chez moi, personne ne m'appelle Farrah. On m'appelle par mon deuxième prénom, Destiny. Mais pour entrer dans Destiny's Child, je devais devenir Farrah. » Elle précisa également qu'on lui avait imposé des séances de bronzage pour foncer la couleur de sa peau, Tina lui ayant déclaré qu'elle était plus jolie avec la peau plus noire.

Pire encore, elle confirma les commentaires de LaTavia et LeToya, toutes deux persuadées que Beyoncé et Kelly bénéficiaient d'un régime de faveur au sein du groupe. « Rien n'était jamais équitable. Vous pouvez répéter sans arrêt qu'il n'y a pas de favoritisme, il y en a forcément quand c'est votre propre famille qui tient les rênes. »

Quelque temps plus tard, Michelle, l'autre remplaçante, qualifia les déclarations de sa consœur de « bobards complètement absurdes qu'elle aurait mieux fait de garder pour elle ». À propos du changement de look, elle ajouta, cinglante : « Quand on voyage tous les jours, quand on prend l'avion en première classe, quand on séjourne dans les meilleurs hôtels, on ne râle pas pour une histoire de cheveux ou de prénom. »

Michelle se montra toujours d'une inébranlable loyauté envers Destiny's Child, ce dont Beyoncé lui fut infiniment reconnaissante. Très vite, les trois filles nouèrent des liens très profonds. En outre, la nouvelle connaissait déjà l'industrie musicale, ce qui lui facilita les choses. Elle avait été choriste pour Monica, une jeune chanteuse de R & B assez connue aux États-Unis. Issue d'une famille travaillant dans le milieu médical, Michelle avait d'abord voulu devenir obstétricienne. « J'étais une enfant solitaire, déclare-t-elle dans un entretien accordé au magazine *Cross Rhythms*. J'ai beaucoup souffert en grandissant. Quand on veut absolument se faire accepter, on devient quelqu'un qu'on n'est pas en moins de temps qu'il en faut pour le dire. Les autres se moquaient de moi et me rudoyaient parce que j'étais gentille et bonne élève. Les gamins sont vraiment cruels. J'étais trop maigre, trop peu développée pour mon âge… »

Michelle étudiait encore à l'université de l'Illinois quand elle se rendit à une audition organisée par Destiny's Child, dont elle avait déjà croisé la route au cours d'une tournée avec Monica. Elle passa l'audition avec succès et abandonna aussitôt ses études. La musique allait devenir toute sa vie. « Nous recherchions une fille ayant un petit truc en plus, raconte Beyoncé. Lorsque Michelle est entrée, nous l'avons tout de suite trouvée parfaite. Elle était belle, elle allait à l'église, et surtout elle savait chanter. » Les Knowles accueillirent Michelle comme leur fille, et Beyoncé et Kelly lui firent une place dans leur chambre. Puis, avec l'aide de Tina, elle adopta peu à peu un look de popstar. « C'était la première fois de ma vie qu'on m'épilait la moustache, raconte-t-elle dans *The Observer.* Tina m'a pris la main parce que je crevais de trouille. »

Au début, Michelle suscita l'hostilité du public, pour qui cette petite nouvelle débarquée d'on ne sait où n'avait aucune légitimité. « Quand j'ai rejoint Destiny's Child, les gens m'ont beaucoup critiquée. Je les entendais dire : "Mais pour qui elle se prend, celle-là ?" Heureusement, grâce à Beyoncé et Kelly, je n'ai eu aucun mal à m'intégrer. Pour elles, mon arrivée n'était pas un problème… Nous avons repris les concerts et honoré tous nos engagements. » Très satisfaite de cette nouvelle formule, Beyoncé déclara au magazine *Teen* : « Vocalement, nous n'avons jamais été aussi bonnes. Mais ce n'est pas tout : nous avons retrouvé notre sérénité, notre assurance et notre inspiration. »

Après quelques mois difficiles, le trio avait du pain sur la planche. Pour commencer, il devait absolument retrouver sa stabilité d'autrefois. Beyoncé faisait bonne figure, elle rayonnait devant les caméras, mais beaucoup de gens lui reprochaient le départ de ses consœurs. On la critiquait injustement sur les blogs et dans les médias, on la considérait comme responsable des problèmes et des évictions qui avaient agité le groupe. Et ces commentaires l'affectaient énormément. « Je regrette parfois que ce soit mon père notre manager, déclara-t-elle au magazine *Vibe.* S'il renonçait à ce job, les gens cesseraient de s'en prendre à moi. Le moindre problème dans le groupe, c'est de ma faute. La faute à Beyoncé. Quand quelqu'un quitte le groupe, c'est de ma faute. Quand Kelly se casse des orteils, c'est de ma faute. »

Dans une interview accordée au *Guardian*, elle évoque cette sale période : « Il y avait des sites web haineux à mon égard. Les gens m'accusaient de tout et n'importe quoi ! J'avais à peine dix-sept ans, j'étais toute naïve, une gamine. J'en ai bavé, vous pouvez me croire. Mon père est aussi mon manager, ma mère est aussi la styliste du groupe, alors autant vous dire que Destiny's Child, c'est toute ma vie. Du coup, quand les gens m'accusaient de ces trucs horribles, j'avais l'impression qu'on me piétinait sans pitié. »

Elle venait de vivre « la période la plus sombre de sa carrière », comme elle la qualifia plus tard. Une période de deux ans marquée par une sévère dépression. « Je ne mangeais plus, je ne quittais plus ma chambre… Je me posais des tas de questions, sur l'amitié, sur moi-même, et je me sentais terriblement seule. Ma vie avait radicalement changé. »

Beyoncé avait l'impression que toute son existence était désormais offerte en pâture au public. « C'était dur. Avant, les médias ne s'intéressaient pas à moi en tant que personne. C'était notre musique qui les intéressait. Après ces événements, j'ai eu l'impression qu'ils m'attaquaient. Les gens ne réagissaient plus de la même manière. Plus personne ne respectait mon intimité. »

La fin de son histoire avec Lyndall, son petit ami depuis sept ans, ne fit qu'empirer les choses. Elle n'a jamais raconté ce qui entraîna cette rupture, mais quelques années plus tard Lyndall a avoué qu'il l'avait trompée parce qu'il ne se jugeait pas assez bien pour elle. « Une nuit où Beyoncé n'était pas à Houston, je suis allé dans un bar avec des copains et quand je me suis réveillé, il y avait une autre femme dans mon lit… Beyoncé a été mon grand amour. Je regrette tant de l'avoir perdue… ça ne viendrait à l'idée de personne de tromper une femme aussi belle ! Eh bien je suis cet homme, et cela me hantera à jamais. »

Cette séparation angoissa terriblement Beyoncé. « J'ai eu beaucoup de mal à l'oublier, raconte-t-elle au magazine *Parade*.

Maintenant que j'étais célèbre, j'avais peur de ne plus jamais trouver quelqu'un qui m'aime sincèrement. J'avais peur de me faire de nouveaux amis… »

Heureusement, Tina parvint à lui faire entendre raison : avec sa beauté, son talent et son tempérament, elle n'aurait aucun mal à retrouver l'amour, lui expliqua sa mère. Elle la soutint du mieux qu'elle put, mais la souffrance de sa fille la consternait, comme elle le raconta plus tard à CBS : « Ce fut l'un des pires moments de ma vie. Parce que tout ce qu'on disait d'elle était faux, et qu'elle s'en prenait plein la figure. »

Grâce à l'amour de sa famille, grâce à son soutien inconditionnel, Beyoncé parvint à surmonter cette mauvaise passe et à retrouver sa joie de vivre. En 2000, Destiny's Child décrocha certaines des récompenses les plus importantes de l'industrie musicale, dont celle de l'Artiste de l'année au cours de la prestigieuse cérémonie des Billboard Awards, à Las Vegas, et deux autres trophées au Soul Train Lady des Soul Awards. Le talent naissant de la jeune femme comme auteur-compositeur commençait également à lui valoir une certaine reconnaissance, et une compagnie appelée Hitco Music Publishing la prit sous contrat pour protéger cet aspect de sa créativité et l'aider à le développer. Basée à Atlanta, Hitco avait été fondée par L. A. Reid, personnage extrêmement influent dans le monde de la musique et l'un des futurs juges de la version américaine de *X Factor* aux côtés de Simon Cowell. Très fan de Beyoncé, il l'appelait « l'artiste la plus talentueuse du moment ».

En octobre de cette même année, le groupe sortit son nouveau single, *Independent Women Part 1*, choisi pour ouvrir la BO du blockbuster *Charlie's Angels*, avec Cameron Diaz, Drew Barrymore et Lucy Liu. Il grimpa en flèche dans les charts et occupa la première place du Billboard pendant onze semaines consécutives, ce qui lui valut une mention dans le livre Guinness des records. Numéro un dès sa sortie en Grande-Bretagne, il atteignit également le sommet des charts au Canada et en Nouvelle-Zélande. Cette chanson courageuse parle des femmes qui refusent de se faire entretenir, et Beyoncé expliqua qu'elle l'avait écrite pour répondre aux accusations de ceux qui n'avaient pas compris *Bills, Bills, Bills.* « Des tas de gens ont mal interprété ce morceau. Pour eux, la seule chose qui nous intéressait chez les hommes, c'était le fric. Mais ce n'est pas ça, Destiny's Child. Nous sommes des femmes indépendantes, nous nous débrouillons très bien toutes seules. »

Au début de l'année 2001, elles connurent plusieurs autres réussites remarquables, dont la plus notable fut leur prestation pendant la cérémonie d'investiture du président George Bush à Washington. Leur interprétation des chansons *Independent Women Part 1* et *Jumpin', Jumpin'* et leurs chorégraphies parfaites provoquèrent l'hystérie du public, surtout quand Beyoncé lui hurla : « Je veux tous vous entendre crier *Bush* ! » Quand on lui demanda quelle mouche l'avait piquée, elle préféra garder ses raisons pour elle, jusqu'au jour où elle déclara : « J'ai participé à la cérémonie d'investiture pour toucher tous les gamins présents dans le public, point final. Un jour peut-être, je vous ferai part de mes convictions politiques, mais seulement quand je saurai de quoi je parle. »

Quand les journalistes insistaient, elle avouait être un peu gênée qu'on l'associe à l'administration Bush. « Ils ont vraiment tenu à nous avoir, déclara-t-elle un jour. Et puis c'est notre président, quand même. Il nous a dit que notre influence sur la jeunesse était beaucoup plus forte que la sienne, et il apprécie l'exemple positif que nous lui offrons. »

Tina ne tenait pas non plus à ce que les filles soient cataloguées « prorépublicaines » : « Il n'a jamais été question de soutenir qui que ce soit. Nous avions convenu avec les organisateurs que toutes les pancartes se baisseraient dès que le groupe apparaîtrait ; les filles n'ont accepté que pour faire plaisir aux gamins. » Nous avons découvert depuis une Beyoncé démocrate convaincue et ardent soutien du candidat Obama, ce qui donne encore plus de piquant à cet épisode.

En février, elles chantèrent pendant la cérémonie des Grammy Awards, à laquelle elles participaient pour la première fois. « Nous étions terrifiées, se rappelle Beyoncé. Madonna était assise au premier rang et nous devions descendre des marches en talons aiguilles. On se disait "Oh mon Dieu, faites que nous ne tombions pas ! Faites que nous chantions juste !" Nous étions super nerveuses. Nous avons échangé un regard, main dans la main, puis nous avons respiré à fond et nous avons prié au beau milieu de la scène, trente secondes avant le début de la chanson. Nous avons cassé la baraque. » Vêtues de petits shorts et soutiens-gorge bleus extrêmement sexy dévoilant leurs ventres parfaits, elles interprétèrent un medley habile des chansons *Independent Women Part 1* et *Say My Name*.

Au cours de cette même cérémonie, elles reçurent leur tout premier Grammy : *Say My Name* était arrivé en tête dans les catégories Meilleure chanson de R & B et Meilleure performance sur scène d'un groupe de R & B. Pendant leur discours de remerciement, les trois filles se prirent par la main. Encadrée par les deux autres, Beyoncé déclara, extrêmement émue : « Merci, merci beaucoup ! Nous sommes tellement excitées... Oh bon sang, nous avons gagné un Grammy, mesdames ! Je n'arrive pas à y croire ! »

Le même mois sortit le single *Survivor*, tiré de leur troisième album du même nom. Un morceau qui deviendrait l'un de leurs plus gros succès. Il parlait de tous ces remous que le groupe venait de traverser, et les trois filles reconnurent qu'elles avaient ressenti en l'écrivant une véritable tempête émotionnelle : « Une force incroyable habitait le studio. Pendant l'enregistrement, nous avons compris que ce serait une chanson puissante. Qu'en l'écoutant, les gens deviendraient des guerriers », déclara Beyoncé dans une interview à la télé. Et Michelle ajouta, dans le magazine *Billboard* : « Nous avons prié avant cet enregistrement. L'énergie était tellement forte dans le studio qu'on aurait dit qu'elle chauffait la pièce. Les mots ne peuvent décrire ce que nous ressentions. On pleurait, on sautait de joie... »

La chanson connut un énorme succès dans le monde entier, tout en déclenchant une nouvelle polémique : ses paroles faisaient allusion à la brouille avec LaTavia et LeToya.

You thought that I'd be weak without you – tu as cru que ton absence m'affaiblirait
But I'm stronger – mais je suis plus forte
You thought that I'd be broke without you – tu as cru que ton absence m'appauvrirait
But I'm richer – mais je suis plus riche
You thought that I'd be sad without you – tu as cru que ton absence m'attristerait
I laugh harder – je ris encore plus fort
You thought I wouldn't grow without you – tu as cru que ton absence m'empêcherait d'évoluer
Now I'm wiser – mais j'ai mûri
Thought that I'd be helpless without you – tu as cru que je serais désemparée sans toi
But I'm smarter – mais je me débrouille encore mieux
You thought that I'd be stressed without you – tu as cru que ton absence m'angoisserait
But I'm chillin' – mais je m'éclate comme une folle
You thought I wouldn't sell without you – tu as cru que je ne vendrais plus un disque
Sold nine million – mais j'en ai vendu neuf millions.

Ce texte cinglant décrivait en détail les problèmes traversés quelques mois plus tôt. S'estimant injustement attaquées, LeToya et LaTavia transgressèrent l'accord auquel elles étaient parvenues avec le groupe : elles portèrent plainte en février 2002 pour obtenir des dommages et intérêts. Représentant Destiny's Child, l'avocat Tom Fulkerson qualifia cette plainte de « ridicule », et déclara dans le *Houston Chronicle* : « Les plaignantes n'ont semble-t-il rien de mieux à faire de leur temps que d'inventer de nouvelles raisons de poursuivre le groupe en justice. C'est déplorable. Nous étions parvenus à un accord, nous avions refermé définitivement ce dossier, et nous revoici au point de départ. »

Ce rebondissement rouvrit d'anciennes blessures chez Beyoncé : « Ça me fait de la peine. Je ne veux pas de drame, je ne veux pas la guerre. Moi, la seule chose qui m'intéresse, c'est le studio, ma musique, nos vidéos, la scène. Je ne veux faire de mal à personne, je ne veux offenser personne. Je suis trop contente d'en être arrivée là. Malheureusement, le succès a un coût… »

L'avocat Warren M. Fitzgerald Jr, qui plaidait pour LeToya et LaTavia, en rajouta une couche : « Nous demandons une injonction d'interdiction pour mettre un terme aux commentaires violant l'accord entre les deux parties ainsi qu'à la diffusion de cette chanson. » L'affaire se régla encore une fois à l'amiable, avec une déclaration commune des deux parties en juillet 2002 : « LeToya Luckett et LaTavia Roberson, anciennes membres de Destiny's Child, ainsi que Music World Entertainment, Mathew Knowles, Beyoncé Knowles, Kelendria Rowland et T. Michelle Williams (…) ont résolu à l'amiable tous les différends les opposant (…) LeToya et LaTavia considèrent que justice a été rendue. »

Survivor valut donc un procès au trio, mais elles obtinrent aussi, grâce à cette chanson, leur second Grammy consécutif dans la catégorie Meilleure performance sur scène d'un groupe de R & B. Et sa vidéo confirma les talents de styliste de Tina.

Les trois filles s'envolèrent pour le Mexique, où devait se dérouler le tournage. Catastrophe, leurs tenues disparurent en route. Tina ne paniqua pas ; jamais à bout de ressources, elle fonça dans un magasin de surplus de l'armée et y acheta quelques vestes militaires, des petits tops, des shorts et des bandanas. Et elle façonna pour les filles un look sexy en diable qui convenait parfaitement au thème énergique de la vidéo et à la jungle lui servant de décor. Wyclef Jean, leur ami rappeur, demanda plus tard à Beyoncé qui leur avait trouvé ce look dément. « Ma mère », répondit-elle. « Ne laisse personne d'autre s'occuper de votre look », répliqua-t-il.

Au départ, Tina avait pris en charge la confection des tenues des filles pour faire des économies. Elle avait fait ses preuves, depuis. Son travail valait celui d'une pro accomplie. Dans le groupe, personne ne cherche jamais à la remplacer par un ou une styliste plus expérimenté(e). En Afrique du Sud, deux ans après l'incident du Mexique, Beyoncé accepta de participer à un concert contre le sida. Tina se rendit compte au tout dernier moment que la tenue de sa fille pour le concert du Cap ne convenait pas à l'occasion. Elle se rua dans les allées d'un marché de tissus du coin, acheta un bout d'étoffe, et, à l'instinct, découpa une robe dedans, Beyoncé complétant cette tenue par un foulard bariolé qui retenait ses cheveux. « Le résultat était magnifique, raconte Tina à *Ebony*. Nous avons gardé cette robe en souvenir et nous avons même une photo de Beyoncé la portant aux côtés de monsieur Mandela. Je me suis épatée moi-même, cette fois-là. »

L'album *Survivor* emporta tout sur son passage. Numéro un aux États-Unis, en Grande-Bretagne, en Hollande, en Belgique, en Allemagne et au Canada. Rien qu'aux États-Unis, il se vendit à 4 millions d'exemplaires ; il fut donc quatre fois disque de platine. Il pulvérisa un record de vente, devenant « l'album d'un groupe féminin le plus vendu de l'histoire à une semaine de sa sortie ». En Grande-Bretagne, on n'avait pas vu un groupe de filles américain accéder à la première place des charts depuis Diana Ross et les Supremes, vingt-quatre ans plus tôt. Du coup, tout le monde comparait Beyoncé à Diana Ross, l'une des idoles de sa jeunesse. Il y avait un revers à la médaille, cependant. « Elle est merveilleuse et glamour, donc tant mieux si je lui ressemble, expliqua Beyoncé à *CosmoGirl*. Mais les gens ne disent pas cela par gentillesse, vous savez. Ils ne voient en moi qu'une diva capricieuse qui passe son temps à virer les autres filles, comme elle a pu être perçue à l'époque. »

On raconte qu'un DJ serait à l'origine du titre de l'album : il aurait comparé les changements dans le groupe à une émission de télé-réalité baptisée *Survivor* et les filles auraient repris cette idée. Comme c'était la première fois qu'elles travaillaient en studio sous forme de trio, elles s'appliquèrent énormément pour obtenir le son dont elles rêvaient. « Dès le début de l'enregistrement, raconte Kelly, nous nous sommes données à fond. Le résultat, c'est *Survivor.* » Confirmant son talent d'auteur-compositeur, Beyoncé a écrit et produit presque toutes les chansons du CD. Un peu contre son gré, d'ailleurs. « Je voulais écrire trois chansons, pas plus, expliqua-t-elle à MTV. Mais la maison de disques a fait le forcing : "Allez, encore une… et une autre… et une autre…" Ce n'était pas prévu. Je n'ai jamais dit que je me chargerais de tout. »

L'album comporte quinze chansons qui toutes expriment la grande maturité de leur auteur. Beyoncé y aborde des sujets tels que la violence et la maltraitance au sein de la famille. Dans ce CD, le côté féministe du groupe prend une nouvelle dimension. Mathew raconte qu'il avait prévu cette évolution dès le départ. « Nous savions comment les choses allaient se passer quand nous avons formé le groupe, a-t-il raconté à *Texas Monthly*. Nous avions réfléchi au public que nous devions viser, à l'image que nous devions lui renvoyer, aux thèmes de nos chansons. *Independent Women* et *Survivor* parlent de femmes prenant leur destin en main. Ces morceaux ne sont pas le fruit du hasard. Notre public, ce sont ces femmes. »

Le single suivant, *Bootylicious*, sortit en mai 2001. Cette chanson au titre accrocheur devint elle aussi un énorme tube. Beyoncé raconte qu'elle l'a écrite en avion : « On était en route pour Londres, et on s'ennuyait à mourir. Il fallait absolument que je fasse quelque chose. Je venais d'écouter une chanson géniale de Stevie Nicks quand le mot *Bootylicious*[1] m'est venu à l'esprit. Comme ça, tout d'un coup. J'ai d'abord hésité à en parler à Kelly et Michelle ; j'avais peur de leur réaction. »

Ses deux amies adorèrent sa nouvelle trouvaille. En studio, elles ajoutèrent au morceau le riff de guitare d'*Edge of Seventeen*, la chanson de Stevie Nicks qui avait inspiré Beyoncé. La

1. Contraction des mots *Booty* (fesses) et *Delicious* (délicieux, exquis).

rockeuse fait d'ailleurs une courte apparition dans la vidéo de *Bootylicious* – ainsi que Solange, la sœur de Beyoncé. Ce clip sexy est construit autour des trois minutes de *booty shake* du groupe à peine vêtu, *booty shake* qui deviendrait un jour la signature visuelle de Beyoncé. À sa sortie, la chanson et son message sous-jacent suscitèrent de nombreuses interrogations, en ces temps où les limites de la sexualité féminine étaient sans cesse repoussées. Il ne fallait pourtant y voir aucune intention cachée, insista Beyoncé. « *Bootylicious* parle de confiance en soi, c'est tout. Jamais nous n'avons prétendu qu'il faut absolument avoir de grosses fesses. La chanson parle d'une attitude, elle parle de se sentir bien dans sa peau même si on ne ressemble pas aux filles de la télé. Être menue n'est pas obligatoire, les carrosseries qui en imposent sont tout aussi sexy. »

Poussant plus loin ses explications, Beyoncé révéla que cette chanson était aussi sa réponse aux gens qui affirmaient qu'elle avait pris du poids. Autant célébrer et se moquer de ce constat, n'est-ce pas ? *Bootylicious* suscita donc bien des commentaires, et le mot lui-même a marqué son époque : il est devenu si courant qu'il a fait son entrée en 2008 dans l'*Oxford English Dictionary* : « *Bootylicious* : sexuellement attirant, séduisant, bien roulé. » À la longue, pourtant, Beyoncé s'en lassa « Je le trouve débile, ce mot. Je vais vous avouer quelque chose : je le déteste. Partout où je vais, les gens disent "booty-ceci", "booty-cela", et ça m'énerve au plus haut point. »

CHAPITRE CINQ

Beyoncé travaillait plus dur que jamais, mais elle retournait à Houston dès que l'occasion se présentait. Elle s'efforçait de passer au moins deux jours par mois chez elle et elle en profitait alors pour « faire des choses normales » : des courses en ville, par exemple. Acheter du dentifrice, des barres chocolatées... « Je vais au Wal-Mart sans maquillage, en jeans et T-shirt, et, dans la boutique de ma mère, je me balade pieds nus », raconta-t-elle dans *Elle*. Revenir à la maison, c'était pour elle le seul moyen de retrouver sa jeunesse perdue. « J'aime toujours les montagnes russes, j'aime toujours papoter au téléphone, j'aime toujours faire l'idiote. J'adore quand les gens font des bêtises parce que je peux me laisser aller comme eux. »

Elle était célèbre, certes, et elle avait gagné énormément d'argent en très peu de temps, mais cette enfance qu'elle n'avait pas vécue lui manquait. « J'ai eu un prof particulier. Quel ennui ! Pom pom girl, je ne sais pas ce que c'est, je ne jouais pas avec les autres gamins, etc. Donc dès que je le peux, je m'amuse. Depuis que j'ai quinze ans, je vis comme une jeune femme de vingt-cinq ou trente ans qui subirait une énorme pression. J'ai beaucoup d'employés sous mes ordres, de nombreuses décisions à prendre. Tout cela m'a obligée à grandir un peu trop vite. »

Quand elle revenait « s'éclater » à Houston, elle profitait à fond des petits plats maison de Tina : « Ma mère, c'est la meilleure cuisinière du monde. Personne ne prépare les plats créoles aussi bien qu'elle – gombo, jambalaya, recettes afro-américaines… À la maison, je me laisse aller, je redeviens un bébé, et c'est ma maman qui me fait la cuisine. » Elle adorait aussi retrouver ses vieux copains le soir dans son resto favori, le *This Is It*. Nulle en cuisine – elle ne s'en cache pas –, elle se goinfrait parfois de pain de maïs, de cheeseburgers et de poulet frit. Elle aimait tant le poulet frit que la chaîne de fast-food Popeyes lui décerna un jour le titre de « cliente d'honneur ». Elle reconnut ce plaisir coupable au cours d'un entretien avec Oprah Winfrey : « Partout où j'allais, on m'achetait du poulet de chez Popeyes. Ils ont fini par en entendre parler et ils m'ont accordé une carte de membre à vie. Avec elle, je peux commander tout ce que je veux à volonté. Je ne l'ai jamais utilisée. Ça me gêne un peu… » Elle aime tant le poulet de cette chaîne de restauration rapide qu'elle en fit servir à son mariage, quelques années plus tard.

Très fière de ses racines texanes, Beyoncé retournait donc dès qu'elle le pouvait à Houston, l'endroit au monde où elle se sentait le plus à l'aise : « Je me détends, à la maison. Les hôtels, au bout d'un moment, j'en ai ras le bol. » À Houston, Kelly et elle adoraient revivre les expéditions de leur jeunesse au centre commercial du coin, avec ses trois cents boutiques et ses énormes magasins Macy's et Saks Fifth Avenue. « Parfois, c'est un peu dingue, parce que les gens nous reconnaissent, mais ils nous laissent tranquilles, en général, raconte Kelly dans un magazine. En plus, j'aime bien qu'on me reconnaisse ; c'est mieux que l'inverse. »

Ces retours à la maison comptaient énormément pour les filles de Destiny's Child, qui en profitaient pour se recueillir dans l'église de leur enfance. Il leur arrivait de prendre l'avion le samedi soir pour assister à St John au service du dimanche, puis elles repartaient juste après. « Dans cette église, je me sens chez moi, a déclaré Kelly. J'adore cet endroit. Quand je ne sais pas quoi faire, je vais à St John et je demande conseil à

Dieu. » Beyoncé assistait à la messe le plus souvent possible, dès qu'elle avait un peu de temps libre : « Ça m'empêche de devenir folle… » Interrogé par *The Observer*, Rudy Rasmus, le pasteur des filles à l'époque, ajoute : « C'est vraiment un endroit unique. Quand nous avons lancé notre église, en 1992, nous étions neuf fidèles. Aujourd'hui, notre communauté en compte 4 600. C'est beaucoup, c'est presque une petite ville. Les filles ont grandi ici… et personne ne fait attention à elles. Ici, les gens les laissent tranquilles. »

En 2001, un journaliste de *Vibe* aperçut Beyoncé dans cette église ; elle pleurait en silence sur un banc, et Kelly sanglotait quelques rangs devant elle. Elles pleuraient de joie, pas de désespoir, précisa Beyoncé après coup. Elles pleuraient de joie en pensant à la chance qu'elles avaient. Cette église compte tant aux yeux de Beyoncé qu'au fil des ans, elle lui a versé un demi-million de dollars de dons.

Les filles passaient presque tout leur temps loin de chez elles et toutes leurs affaires tenaient dans une valise : de quoi détraquer complètement leur vie amoureuse. Les rares fois où elles sortaient, elles n'arrivaient pas à communiquer avec le sexe opposé. « On reste assises dans notre coin, complètement déprimées, raconte à l'époque Beyoncé. On a l'air si malheureuses, on s'ennuie tellement que personne ne vient jamais nous parler. En plus, nos gardes du corps s'interposeraient. »

Elle en plaisantait, dans l'ensemble, mais une chose est sûre : sa carrière ne lui laissait pas le temps d'avoir une vie sociale. « J'arrive dans une ville, j'y travaille pendant une journée, puis je repars ailleurs. Comment voulez-vous que je me fasse des amis ? » a-t-elle confié au *Telegraph Magazine*. L'adolescente devenait une femme enfin prête pour une relation sérieuse, mais son travail occupait tout son temps. « J'aimerais bien avoir un petit ami, déclare-t-elle à l'époque. Si je pouvais rencontrer un garçon qui tolère la vie que je mène, ce serait génial. Parce que pour l'instant, ma carrière passe avant tout le reste. » Malheureusement, tous les types qui tentaient de la séduire lui déplaisaient au plus haut point : « Je suis exigeante, moi. Or, la plupart des mecs sont très lourds. Ils nous récitent les paroles de nos chansons en pensant que ça va nous plaire. C'est nul. » Au magazine *CosmoGirl*, qui lui avait demandé ce qu'elle recherchait chez un homme, elle répondit : « Quelqu'un qui suive sa propre route. Riche ou pas riche, ça m'est égal. Un étudiant, pourquoi pas. »

Lorsqu'elle prononça ces mots, elle ignorait encore que le destin allait bientôt frapper un grand coup dans sa vie. Cette histoire commence à la fin de l'été 2000, au cours d'une séance photo organisée par le magazine *Vanity Fair*. Étaient présents à cette séance : David Bowie, Gwen Stefani, Stevie Wonder et Joni Mitchell… ainsi qu'un artiste et producteur de hip-hop new-yorkais, Jay-Z, de son vrai nom Shawn Corey Carter. Jay-Z et Beyoncé s'étaient déjà croisés l'été précédent : Bey, dix-huit ans à l'époque, avait chanté sur *I Got That*, le single d'Amil, un groupe de rap produit par Jay-Z. On la voit sur la vidéo de ce single, tournée par Jay-Z en personne.

Lorsqu'ils se revirent un an après au cours de cette séance photo, ce fut le coup de foudre, un coup de foudre qu'elle n'avait pas vu venir. Ils échangèrent leurs numéros de téléphone, mais Bey ne se faisait aucune illusion : tous deux croulaient littéralement sous le travail. Et puis Jay-Z vivait à Fort Lee, dans le New Jersey, à quelque 2 500 kilomètres de Houston. N'empêche qu'elle était au septième ciel : enfin un homme qui semblait vraiment la comprendre ! Ils commencèrent à s'appeler dès qu'ils avaient un moment de libre, et très vite leurs conversations devinrent quotidiennes.

Ces appels longue distance conditionnèrent la suite de leur histoire. « Nous étions juste amis, au début, a confié Beyoncé à Oprah Winfrey quelques années plus tard. Nous avons attendu un an et demi avant notre premier rendez-vous amoureux. Nous nous sommes téléphoné presque tous les jours pendant un an et demi, et ces appels nous ont permis d'établir les bases de notre future relation. » Pour le magazine *Glamour*, elle ajoute :

« J'avais dix-huit ans quand je l'ai rencontré, et dix-neuf ans quand nous avons commencé à sortir ensemble. Nous n'étions pas pressés. Personne ne me demandait de me marier à cet âge. »

Beyoncé et Jay-Z s'arrangeaient maintenant pour se voir aussi souvent que leurs agendas respectifs le leur permettaient. Ils appréciaient les dîners tranquilles, le cinéma, les moments passés à faire de la musique ensemble chez Jay-Z. Tout cela restait plutôt innocent, et le rappeur reconnaît qu'il dut travailler très dur pour parvenir à séduire sa belle. « Je me suis donné du mal, vous savez… a-t-il raconté à *Vanity Fair* bien des années plus tard. Il fallait éblouir la demoiselle, avec du vin, de bons repas… »

Beyoncé était probablement vierge quand elle a enfin cédé aux avances de Jay-Z. D'ailleurs elle-même le laisse entendre dans une interview parue en 2008 dans le *Daily Telegraph* : son histoire avec Lyndall, le seul autre garçon qu'elle ait aimé avant Jay-Z, n'avait jamais été aussi loin. « J'étais trop jeune pour voir en Lyndall un vrai petit ami ; nous n'avons jamais vécu ensemble, et nous n'avons pas, enfin vous comprenez… Depuis, je n'ai eu qu'un autre amour dans ma vie : Jay-Z. » Lyndall confirma dans le *Sun* les propos de Beyoncé : ils n'avaient jamais couché ensemble parce qu'il la savait très croyante et qu'il ne voulait pas lui mettre la pression. « Ce n'était pas évident. Le courant passait très fort entre nous. Mais je respectais Beyoncé, et je savais qu'il était important pour elle d'attendre le bon moment. »

Les avances galantes de Jay-Z finirent par payer, et Beyoncé tomba pour de bon amoureuse de lui. Mais tous deux décidèrent de cacher leur histoire naissante, notamment en évitant les photographes quand ils étaient ensemble. Beyoncé avait appris à ses dépens, pendant la mauvaise passe de Destiny's Child, que les spéculations sans fin de la presse pouvaient s'avérer destructrices, et elle refusait d'offrir sa vie privée en pâture au public. En outre, les tabloïds s'étaient délectés de ses commentaires sur son célibat et son envie de rencontrer quelqu'un. Elle s'en mordait encore les doigts. « Ils ont voulu faire de moi la femme la plus malheureuse du monde : *Beyoncé se sent seule. Trouvons-lui vite un petit ami !* J'ai donc décidé que je ne parlerais plus de ma vie privée, histoire de me faciliter l'existence. Je sais que les gens se font des tas d'idées, je sais qu'ils se posent des questions. Je respecte ça, je le comprends, parce que moi aussi, je me pose parfois des questions sur les autres. Mais je ressens le besoin de posséder quelque chose qui ne soit rien qu'à moi. »

Jay-Z redoutait autant qu'elle la réaction des médias, sans doute parce qu'il savait que son passé tumultueux ferait de lui une cible facile. Originaire d'un quartier défavorisé de Brooklyn, il est né en décembre 1969 dans une cité difficile où les crimes violents étaient légion. Il a donc douze ans de plus que Beyoncé. Avec ses trois frères et sœurs, il a grandi chez sa mère après le départ de leur père, Adnes Reeves. Quand celui-ci abandonna le foyer, Jay-Z avait onze ans. Les temps étaient durs, mais Gloria, la maman, travaillait comme une dingue pour subvenir aux besoins de la famille. « Ma mère gérait la situation en jonglant entre les factures, a-t-il raconté à *Vanity Fair*. Parfois, elle payait l'électricité, parfois le téléphone, parfois on nous coupait le gaz. Nous ne mourions pas de faim, nous avions toujours à manger, tout allait bien. Mais il y a certaines choses qui font mal quand on va à l'école. On préférerait ne pas avoir à porter tout le temps les mêmes vêtements, les mêmes baskets crasseuses. »

Le départ de son père semble l'avoir profondément marqué. Dans une interview émouvante accordée à *O*, le magazine d'Oprah Winfrey, il déclare : « Tous les enfants considèrent leur père comme un superhéros. Et quand on vénère quelqu'un à ce point, quand on l'a mis sur un piédestal et qu'il vous laisse tomber, on fait tout ensuite pour ne plus jamais revivre la même souffrance. »

Suite à cette séparation, il dérailla méchamment, allant jusqu'à tirer sur son frère Eric parce que celui-ci lui avait soi-disant volé sa bague. Dans *You Must Love Me*, il décrit ce moment terrible où il a appuyé sur la gâchette : *J'ai vu le mal dans ton regard, j'étais perdu, je planais comme si j'avais fumé de l'herbe, alors j'ai fermé mes yeux de gosse et j'ai tiré.*

Son frère reçut une balle dans l'épaule ; il survécut, mais Jay-Z dut attendre une trentaine d'années avant de parvenir à s'exprimer sur ce sujet. Il expliqua pourquoi il avait agi ainsi à Oprah : « Mon frère prenait de la dope, et il volait parfois des trucs à la maison. Moi, j'étais le plus jeune, mais je voulais protéger tout le monde. »

Mais il savait qu'il avait mal agi : « Ce que j'ai vécu, c'était horrible. J'étais un petit garçon, un enfant. J'étais terrifié. (...) J'ai cru que j'allais finir ma vie en prison. Que je la passerais derrière des barreaux. » Dans cette même interview au *Guardian*, il nous brosse un aperçu de la dure réalité des cités à l'époque. « Il y avait des armes partout. On en voyait tous les jours. Et des échanges de coups de feu. » On lui a tiré dessus à trois reprises, mais il s'en est sorti indemne à chaque fois. « Un peu comme si un ange rebelle veillait sur ma famille. »

Après cette première prise de contact avec les armes et la violence, Jay-Z plongea très vite dans le monde tout aussi glauque des drogues dures. « Je dealais de la drogue. Du crack, parce qu'on ne pouvait pas y échapper, raconte-t-il dans *Vanity Fair*. Il n'y avait aucun endroit où s'isoler, où reprendre son souffle. Dans les couloirs ça grouillait de toxicos, les trottoirs étaient jonchés d'ampoules de crack... Ça sentait le crack dans tout l'immeuble, cette odeur immonde... Chaque fois que j'y repense, cette odeur me revient aussi à l'esprit. »

Il a reconnu avoir vendu du crack quand il avait treize ans, mais prétend n'en avoir jamais consommé lui-même. Gloria, sa mère, savait qu'il en dealait. « Toutes les mamans étaient au courant. C'était normal, à l'époque. Je ne lui reproche rien. »

En 2003, encouragé par Gloria, il se réconcilia avec son père et lui acheta un appartement. « J'ai pu lui déballer tout ce que j'avais sur le cœur, déclare Jay-Z dans *Rolling Stone*. Tout ce que je ressentais. Rien de larmoyant, pas de cris, pas de drame, pas d'exagération. Des propos mesurés, entre deux hommes adultes. N'empêche que c'était dur. Je ne l'ai pas épargné. Ça l'a drôlement secoué. » Le père et le fils parvinrent à rétablir la communication, mais peu de temps après, le soir où Jay-Z lança son night-club – baptisé le « 40/40 » – à New York, son père s'enivra à mort. « Il était complètement parti, raconte le rappeur à *GQ*. Il n'était plus lui-même. » Ils n'avaient pas eu des rapports faciles, mais sa disparition causa beaucoup de chagrin à son fils. « L'avoir retrouvé et le perdre de cette façon brutale, c'était vraiment ce qui pouvait m'arriver de pire. »

Après une jeunesse difficile, Jay-Z trouva en lui la force de se tirer de ce bourbier. Son salut lui vint du hip-hop, une passion née le jour où Gloria lui offrit un radiocassette parce qu'elle en avait assez qu'il écoute de la musique à la maison jusqu'au milieu de la nuit en tapant en rythme sur la table de la cuisine. Après avoir appris tout seul une forme de rap improvisé appelé *freestyle*, dont les paroles s'imposent spontanément, il se mit à composer de vrais morceaux. Il devint connu dans la cité sous le nom de Jazzy – en hommage à Jaz-O, son mentor, autre rappeur célèbre. Plus tard, Jazzy devint Jay-Z, sobriquet qui depuis lui colle à la peau. Certains le surnomment aussi Hova, comme dans Jehovah, parce qu'ils le considèrent comme le « dieu du rap ».

Aussi débrouillard que talentueux, Jay-Z commença à construire son empire en vendant des CD à l'arrière de sa voiture. En 1995, il créa son propre label de disques, Roc-A-Fella, avec Damon Dash et Kareem Burke. Après la sortie de *Reasonable Doubt*, son premier album, il collabora avec quelques stars du rap comme the Notorious B.I.G., un ancien camarade d'école, qui connut une mort tragique à Los Angeles en 1997, abattu de plusieurs balles dans la poitrine. La nouvelle de son décès accabla Jay-Z. « J'ai du mal à vous exprimer le chagrin que j'ai ressenti en apprenant cette nouvelle, déclara-t-il au magazine *Vibe*. C'est pire que de perdre un proche par overdose, parce que quand on prend de la drogue, on connaît les risques. Mais là, on parle de musique… »

Suite à ce meurtre non résolu, il songea à quitter la scène du rap, puis comprit que ce serait une attitude égoïste ; par respect pour B.I.G, il décida de rester dans le circuit. Après des années de persévérance, l'album *Vol 2… Hard Knock Life* et son tube *Hard Knock Life (Ghetto Theme)* valut à Jay-Z le statut de superstar, avec son sample tiré d'une comédie musicale de Broadway, *Annie*. Sortie en 1998, la chanson *Hard Knock Life (Ghetto Theme)* fut son premier succès à l'étranger, grimpant même jusqu'à la deuxième place des charts en Grande-Bretagne. Parallèlement, le compte en banque de la famille Carter s'étoffa substantiellement lorsque Jay-Z et Damon Dash créèrent Rocawear, leur ligne de vêtements. Très vite, elle leur rapporta 700 millions de dollars par an.

Enregistré en 2001 avec son ami Kanye West à la production, *The Blueprint* est généralement considéré comme le chef-d'œuvre de Jay-Z. Sorti le jour même des attentats du 11 Septembre, cet album se vendit à un demi-million d'exemplaires dès la première semaine, et se retrouva numéro un des ventes aux États-Unis. Mais Jay-Z traversait une passe difficile : il était en attente de jugement pour deux délits, possession d'une arme à feu et tentative de voie de fait. Pour le premier, il a toujours clamé son innocence, et les charges furent abandonnées. En octobre de la même année, accusé d'avoir poignardé Lance Rivera, un cadre de l'industrie musicale, il fut condamné à trois mois de probation après avoir plaidé coupable. Il revient sur cette affaire dans *Decoded*, son autobiographie parue en 2010 : une copie pirate de son dernier album avait fuité un mois avant la date de sortie. Persuadé que Lance Rivera était responsable de cette fuite, il l'avait approché pendant une fête au *Kit Kat Klub*, un cabaret de New York. La confrontation fut terrible. « Rivera est devenu dingue quand il m'a vu débarquer, écrit Jay-Z. C'est bizarre, ce qui s'est passé. Je suis allé au bar (…) en état de choc (…) Quand je me suis approché de lui à nouveau, j'étais dans une rage noire. » Il ajoute qu'il avait décidé de plaider coupable après avoir assisté au procès de son ami Puff Daddy, accusé d'usage illicite d'armes à feu. Puff Daddy avait été acquitté. Jay-Z conclut avec humour le récit de cet épisode : « Détail hilarant, si j'ose dire : la doudoune Rocawear que je portais quand ils m'ont traîné devant les caméras a disparu des magasins à la vitesse de l'éclair trois semaines avant Noël. »

Comme celle de Beyoncé, la vie amoureuse de Jay-Z ne fut pas vraiment satisfaisante avant leur rencontre. Il comptait à son tableau de chasse l'actrice Rosario Dawson, les chanteuses Missy Elliott, Lil' Kim et Aaliyah – décédée depuis –, et la star du R & B Blu Cantrell. Il a reconnu dans *Rolling Stone* que la séparation de ses parents avait beaucoup affecté ses histoires d'amour ultérieures. « Quand j'étais présent physiquement auprès de ma petite amie, je ne l'étais pas dans ma tête. Comme ça, quand cette putain de relation se terminerait, ben tant pis, rien à foutre. Je ne me laissais jamais aller. J'étais toujours sur mes gardes, toujours. Toujours méfiant. » Ainsi, aucune femme n'avait pu lui briser le cœur. « Jamais de la vie. Jamais. »

Après sa rencontre avec Beyoncé, il comprit très vite qu'elle était la femme de ses rêves. Quand ils commencèrent à sortir ensemble, ils ne mirent au courant que leur famille et leurs amis les plus proches. Aux yeux du public, Beyoncé était célibataire et vivait encore chez ses parents, qui lui interdisaient bien entendu toute relation amoureuse. Tina a réfuté ces accusations : « Vous en connaissez beaucoup, vous, des mères qui ne veulent pas que leur fille sorte avec un garçon ? Je suis comme toutes les autres : je veux que mes enfants soient heureux, et pas qu'ils se sentent seuls. Quant au père de Beyoncé, il ne lui a jamais interdit d'avoir un petit ami. Il n'a pas ce pouvoir. »

Les parents de Beyoncé ont très mal vécu le fait qu'on les accuse d'être des « esclavagistes » obligeant les filles de Destiny's Child à travailler trop dur et leur refusant toute vie sociale. « Elles ont dix-neuf ans et vingt ans, maintenant, fit un jour remarquer Tina. Si elles veulent se rendre à une fête, nous ne pouvons plus le leur interdire. Elles peuvent faire absolument ce qu'elles veulent. Nous ne les téléguidons pas à distance. Vous voulez savoir pourquoi elles travaillent si dur ? Parce qu'elles savent très bien que c'est ce qu'il faut qu'elles fassent si elles veulent réussir. »

En septembre 2001, rien n'aurait pu empêcher les filles de Destiny's Child de s'envoler pour New York. Elles allaient se produire devant Michael Jackson, leur idole, au cours d'une fête organisée pour son anniversaire et son retour sur scène après plus de dix ans d'absence. Les autres invités s'appelaient Whitney Houston, Britney Spears, Liza Minnelli, Ray Charles… « Je me suis tournée vers la droite, raconte Beyoncé, décrivant sa rencontre avec le roi de la pop. Il était là, tout près. J'ai baissé mon micro et je me suis mise à hurler de joie. Le public s'est demandé ce qui m'arrivait ! Complètement éblouies, nous l'avons serré dans nos bras. » Tout aussi subjuguée, Kelly ajoute : « Nous ne voulions pas le laisser partir ! »

CHAPITRE SIX

Quelques semaines plus tard, le groupe se lança dans sa première tournée : quarante-deux dates à travers les États-Unis et le Canada, avec la participation de MTV. Beyoncé s'exprima sur cette chaîne avant le coup d'envoi des concerts : « C'est notre première tournée en tête d'affiche, et n'avons pas lésiné sur les décors, expliqua-t-elle. Il y aura des effets pyrotechniques et plein de chorégraphies. Et bien sûr, nous changerons plusieurs fois de tenues, comme nous le faisons toujours. Des estrades s'élèveront vers le plafond, aussi. Pour la première fois, nous allons offrir à notre public un spectacle vraiment élaboré. »

C'était la première fois de leur vie que les filles passaient leurs journées dans un bus de tournée. Ébahies, elles découvrirent qu'il était équipé d'une douche – « l'eau est carrément bouillante ! » et de couchettes qu'on pouvait redresser complètement. Après les concerts – et les soirs de relâche –, elles s'installaient confortablement dans leur bus, pelotonnées les unes contre les autres, et visionnaient des films en mangeant de la pizza et des doritos. *Forest Gump* était l'un de leurs films préférés. Cette longue période loin de chez elles les priva de plusieurs messes du dimanche à l'église, mais elles transformèrent l'arrière du bus en une petite chapelle improvisée où elles récitaient leurs prières et lisaient leurs bibles ensemble.

Comme n'importe quel groupe lancé dans une tournée aussi longue, les filles avaient chacune des exigences spécifiques que les organisateurs des concerts devaient respecter. Un jour, les médias obtinrent une copie de la liste de ces desiderata : elles voulaient trouver dans leurs loges six bouteilles de thé glacé, un assortiment de boissons gazeuses, de chips et de sauces, une corbeille de fruits et un plateau de charcuterie sans porc. Il leur fallait aussi des citrons, du miel et du gingembre frais – « très important, le gingembre » –, en cas de fatigue vocale, ainsi que de l'eau de source, des fleurs fraîches, un choix de savons et de serviettes, des thés aux fruits, des bougies parfumées à la fraise, deux psychés et – absolument indispensable – de la vraie vaisselle et de vrais couverts plutôt que des assiettes et des tasses en plastique.

Elles ne réclamaient jamais de boissons alcoolisées, en revanche. Pendant toute cette période de leur vie, elles évitèrent soigneusement l'alcool. Réagissant aux témoignages qui les avaient décrites en train de boire cul sec des coupes de champagne dans une fête, Beyoncé répliqua : « Je ne bois pas », puis Kelly : « Nous sommes des exemples pour la jeunesse, alors nous nous surveillons. Et pas seulement quand nous sommes invitées à une fête », et Michelle ajouta : « Nous sommes toujours mineures, ne l'oubliez pas ».

Après le fun et les exploits techniques de la tournée, elles participèrent à un concert beaucoup plus sobre, en octobre, dans le cadre d'un spectacle caritatif organisé à New York par Sir Paul McCartney suite aux attentats terroristes du 11 septembre 2001. Avec ce concert qui se déroula au Madison Square Garden, Paul McCartney avait voulu rendre hommage aux courageux pompiers et policiers de la ville. Les filles interprétèrent *Emotion*, une chanson des Bee Gees reprise sur l'album *Survivor*, et un medley gospel déchirant, *Walk With Me*.

L'onde de choc provoquée par ces attentats fut telle que Destiny's Child décida d'annuler sa tournée européenne programmée cet automne-là. Comme beaucoup d'autres artistes américains, dont

Janet Jackson, les filles estimaient que la menace terroriste qui pesait sur les vols intercontinentaux était réelle. Dans un communiqué, Beyoncé déclare : « Nous adorons nous produire pour nos fans britanniques et européens, nous les aimons profondément, mais nous avons dû prendre une décision extrêmement difficile : celle de repousser ces concerts à des dates ultérieures. Nous nous sommes décidées après mûre réflexion. Vous savez comme nous ce qui se passe en ce moment. Nous allons programmer au plus vite de nouvelles dates pour ces concerts annulés, et nous y ajouterons encore plus de contenu. Nous prions pour la fin rapide des hostilités et pour le retour de la paix. »

Ce trou brutal et malencontreux dans l'agenda de Beyoncé lui permit de s'essayer à une nouvelle activité : la comédie. Pour commencer, elle accepta un rôle dans une adaptation télévisée de *Carmen* produite par MTV. Dans ce « Hip Hopera », version afro-américaine du célèbre opéra du même nom, elle interprète le personnage de Carmen aux côtés de son ami Wyclef Jean et des rappeurs Mos Def et Jermaine Dupri. « En gros, c'est l'histoire d'une femme manipulatrice, sexy et scandaleuse qui détruit la vie d'un homme. Comme je suis l'exact opposé de Carmen, j'ai pris beaucoup de plaisir à l'interpréter. Je me suis amusée comme une folle ! » Ce rôle la fit évoluer, raconte-t-elle. « J'ai beaucoup mûri, grâce à *Carmen*, a-t-elle expliqué au magazine *Essence*. J'étais loin de chez moi, loin de tout. J'avais un nouveau travail, et je devais me faire des amis dans une ville inconnue. Cette expérience, c'est mon école, en quelque sorte. »

Elle ajoutait ainsi une nouvelle corde à son arc. Dans une interview accordée à NBC, elle déclara fièrement : « J'ai ça dans le sang. Je peux tout faire : danser, chanter et jouer la comédie, et aussi écrire et produire. C'est très rare, figurez-vous. Il y en a qui pensent que je suis célèbre parce que je porte des fringues sexy, bla-bla-bla... Ils se trompent ; je suis célèbre parce que j'ai du talent. Et tout le monde en conviendra un jour. »

Grâce à son talent de musicienne et à son jeu d'actrice, elle obtint très vite la reconnaissance qu'elle recherchait. Elle était tellement populaire que tout le monde se l'arrachait. « L'expression "It girl" est tout à fait galvaudée, sauf quand on l'emploie pour qualifier Beyoncé, peut-on lire dans le magazine *Essence* à peu près à la même époque. Cette fille a tout pour elle : elle chante divinement bien, c'est une songwriter douée, une vraie bête de scène, elle est sexy et culottée, et en plus, elle reste modeste. » Les contrats affluaient en masse – y compris pour les campagnes de pub de multinationales comme L'Oréal Paris. On lui fit également une proposition inhabituelle à laquelle elle ne put résister : le lancement des poupées officielles de Destiny's Child. La marque de jouets Hasbro conçut trois figurines à l'image des filles dans des tenues bleues à paillettes. Après avoir accepté leur mise sur le marché, Beyoncé déclara : « La plupart des fillettes rêvent d'avoir un jour une poupée à leur image. Aujourd'hui, l'un de nos rêves s'est réalisé. »

Beyoncé réalisa très vite un autre de ses rêves : elle fit ses débuts au cinéma dans le film *Austin Powers dans Goldmember*, où elle donne la réplique à Mike Myers. Dans le magazine *W*, elle raconte que sa première audition lui fit l'effet d'une convocation dans le bureau du principal. « J'étais persuadée que je n'avais pas la moindre chance de décrocher le rôle. Je tremblais comme une feuille… Ils m'ont demandé si un film comique, ça pouvait m'intéresser, et moi j'ai répondu : "Ben je ne sais pas si je peux être drôle…" Après coup, j'ai pensé : T'es bête, ou quoi ? *Mais qu'est-ce qui t'a pris de dire ça ?* »

Beyoncé interprète dans le film le rôle de Foxxy Cleopatra, une femme qui « joue du flingue, botte les fesses des méchants et se marre tout le temps », d'après ses propres termes. Elle y arbore une impressionnante coupe afro dont elle rigole encore : « Le matin, c'était toute une histoire, les préparatifs du tournage ! J'ai dû porter toutes sortes d'afros : des grandes, des petites, avec des chapeaux, des foulards, etc. » Fidèle à l'esprit de son personnage bizarre, elle provoqua une certaine agitation en arrivant à la première coiffée comme Foxxy Cleopatra et vêtue d'une minuscule robe Roberto Cavalli dorée. Elle était sensationnelle, sans doute parce qu'on lui avait imposé un régime très strict avant le tournage, le revers de la médaille du métier d'actrice. « J'adore manger, déclara-t-elle au magazine *W*, et je ne m'aime pas maigrichonne. À vingt ans, on ne devrait pas avoir à surveiller ce qu'on mange. À vingt ans ! Mais c'est un sacrifice auquel je dois consentir si je veux faire du cinéma. »

Sir Michael Caine, l'un de ses partenaires dans le film, lui ouvrit les yeux sur le métier. « Il est ultra-connu. Rien ne l'oblige à être gentil... mais il m'a filé des tas de tuyaux que je n'aurais jamais osé lui demander... » Beyoncé fut aussi très impressionnée par l'affabilité du célèbre acteur. « Il était sympa avec tout le monde. La plupart des vedettes sont toujours sympas entre elles, c'est vrai, mais celles qui le sont vraiment le sont aussi avec les figurants et les membres de l'équipe. Lui, par exemple... Je veux lui ressembler ! »

Elle avait pris un risque en acceptant un rôle dans *Austin Powers 3* : celui de mettre à mal sa crédibilité. « Je redoutais un peu la réaction de mes fans, parce que les chanteurs qui se mettent à faire du cinéma s'en prennent souvent plein la figure, expliqua-t-elle à *Film Monthly*. Mais moi, le genre "Bon, ça y est, je vends plein de disques, donc maintenant je vais jouer dans des films", ce n'est pas mon truc. On m'a contactée, j'ai décroché le rôle, c'était super. Ensuite je me suis donnée à fond pour satisfaire le public. »

Beyoncé se faisait du souci pour rien : sorti en 2002, le film reçut un très bon accueil de la critique. « Quelle présence, cette mademoiselle Knowles ! » put-on lire dans le *New York Times*. Résultat surprenant, ce premier rôle au cinéma lui valut une nomination aux Teen Choice Awards dans la catégorie Meilleur espoir féminin ; mais ce fut Hilary Duff qui remporta le trophée cette nuit-là. Bey avait également fait un tabac pendant le tournage. « On est tous tombés amoureux d'elle, déclara Mike Myers, son partenaire à l'écran. Quand son dernier jour de tournage est arrivé, tout le monde a été très triste de la voir partir... elle est sympa, et drôle, et loufoque... elle est *bootylicious* ! »

Elle avait attrapé le virus du cinéma, et elle accepta très vite un rôle dans *The Fighting Temptations*, face à Cuba Gooding Jr. Elle y interprète Lilly, jeune mère célibataire et chanteuse de jazz recrutée pour aider une chorale d'église à remporter un concours de gospel. Dans ce film, pas de look ultrasophistiqué, Beyoncé est au naturel. « Pour mon deuxième rôle au cinéma, je voulais jouer une fille toute simple. Lily porte des vêtements quelconques et, comme elle ne va pas souvent chez le coiffeur, j'ai refusé qu'on me lisse les cheveux. Je tenais à me montrer sous un jour différent. » Soulignant la vague similarité entre l'intrigue et sa propre histoire, elle ajoute : « J'ai grandi dans le salon de coiffure de ma mère ; j'écoutais les conversations des clientes en passant le balai. Il y avait des mères célibataires, d'autres non, mais toutes ces femmes étaient fortes, positives. J'ai adoré ces moments-là. Certaines de mes chansons viennent de là, comme *Independent Women*. Et je crois que j'ai pu apporter au film mon expérience de ce milieu. »

Dans ce long métrage, Beyoncé échange avec Cuba Gooding Jr son premier baiser à l'écran. « Nous avons passé toute une nuit sur ce baiser, raconta Cuba en riant. Elle était un peu nerveuse, c'est vrai, mais elle avait déjà embrassé d'autres mecs. Elle est jeune, elle s'en remettra. Par contre, moi qui suis marié, je raffole de ce genre de scène. Quelle fille merveilleuse... » Beyoncé ne prit pas les choses aussi bien. « La scène de baiser m'a mise très mal à l'aise », déclara-t-elle à *Associated Press*. Se sentait-elle capable d'interpréter une scène encore plus osée devant la caméra ? Quand on lui posa la question, elle prit une mine horrifiée : « Jamais ! Je le sais, maintenant ! »

Depuis quelques mois, Beyoncé se dépensait sans compter. Elle était complètement épuisée, comme tout le monde avait fini par le remarquer sur le lieu de tournage. Un jour, elle faillit même s'évanouir. D'après un témoin de la scène, elle aurait déclaré : « Je suis vraiment crevée... Parfois, je dors sans me démaquiller parce que je ne veux pas passer du temps au maquillage le lendemain. Il faut que je prenne une décision à propos de ce film. Si ça continue, je vais craquer, et je ne veux surtout pas que cela m'arrive. » Plus tard, elle modéra ces propos, déclarant à *Entertainment Weekly* : « La presse a exagéré, comme toujours. J'étais fatiguée, c'est vrai, mais tout s'est très bien passé. J'ai rencontré des gens géniaux. »

Sa charge de travail devenait un vrai problème. Elle ne savait pas dire non aux multiples propositions qui lui parvenaient sans arrêt. « Je vais vous dire pourquoi c'est dur : parce que tout m'intéresse. La pub pour L'Oréal, tel ou tel film, un nouvel album pour Destiny's Child... Je dis oui à tout, et ensuite je dois tenir mes engagements, et je ne me repose jamais. Je veux faire trop de choses à la fois. »

Invitée dans l'émission d'Ellen DeGeneres, elle a avoué qu'elle avait le plus grand mal à se mettre sur « pause ». « Se détendre, je ne sais pas ce que c'est, déclare-t-elle. Je ne supporte pas les massages, par exemple. Je n'arrive à me relaxer vraiment que quand je suis dans un bateau, parce que là je n'ai plus d'excuses. Je suis coincée. Obligée de me reposer. »

Tina se faisait de plus en plus de souci pour sa fille, qu'elle sentait proche du burnout : « Beyoncé m'inquiète beaucoup. Les gens lui demandent trop de choses, il la sollicite sans arrêt... Je prie pour qu'elle arrive à gérer tout ça. Elle adore ce qu'elle fait, elle adore le showbiz, mais ce milieu est usant. J'ai déjà vu des gens craquer pour moins que ça, ou finir sur les rotules, ou simplement se laisser couler. »

Beyoncé fêta ses vingt et un ans à Atlanta, pendant le tournage de *The Fighting Temptations*. Hitco, sa maison d'édition, organisa pour elle une énorme fête costumée.

L'événement se déroula au *Cascade*, une grande salle de roller et de patinage. Parmi les invités qui se rendirent à Atlanta pour participer à la fête se trouvaient Kelly, Michelle, Jay-Z et la famille de Beyoncé. Le thème de la soirée était tiré des scènes de roller dans *Goldmember*, et Beyoncé vit arriver un gâteau en forme de chaussure de roller géante. « Je voulais un anniversaire qui sorte de l'ordinaire, et j'étais un peu jalouse des acteurs qui avaient fait du roller dans le film, ce qui n'avait pas été mon cas. Je ne suis pas très douée, mais j'adore ça. Génial, cette fête ! J'ai fait du patin à roulettes toute la nuit ! »

Une fois le tournage bouclé, on lui proposa des rôles dans des dizaines d'autres films, mais elle avait compris qu'elle devait négocier avec prudence ce pan de sa carrière. Elle décida de se concentrer à nouveau sur la musique. « J'ai reçu des tas de scénarios où l'on me proposait le rôle principal, déclara-t-elle. Je les ai refusés, parce que j'avais peur de subir à nouveau toute cette pression. »

De retour dans le confortable giron du groupe, elle remporta en février un troisième Grammy Awards avec Destiny's Child – pour le single *Survivor*, cette fois. C'était une remarquable réussite, mais la tenue qu'elle avait choisie ce soir-là faillit lui gâcher le plaisir. Car elle avait commis une impardonnable faute de goût. Comme toujours, elle portait l'une des flamboyantes créations de Tina : un corsage pourpre translucide sur un soutien-gorge crème du plus mauvais effet et une jupe violette virevoltante. D'aucuns la comparèrent méchamment à un personnage d'*Aladin*, le film de Walt Disney. Ce qui n'était pas l'effet recherché, bien entendu.

Les filles de Destiny's Child reprirent la route au printemps 2002 pour une énorme tournée mondiale comprenant les concerts annulés en Europe l'année précédente. Solange, qui avait dansé avec elles pendant dix-huit mois, décrocha un rôle clé dans le dispositif : elle était chargée de chauffer la salle avant l'entrée en scène du groupe. « Le public reprenait *Bootylicious* avec moi », se rappelle-t-elle.

Au cours de cette tournée, Beyoncé découvrit certaines des cultures les plus exotiques de la planète. La sérénité des Thaïlandais la frappa particulièrement : « J'ai beaucoup aimé Phuket, avec tous ces gens à vélo ou sur leurs éléphants qui barbotaient dans l'eau, s'est-elle extasiée dans une interview pour *Film Monthly*. Et ce climat humide… J'étais tout le temps pieds nus. Là-bas, personne ne me connaît. Personne ne faisait attention à moi. » Elle découvrit aussi l'Australie pour son plus grand plaisir. « Quand nous allions à la plage, personne ne nous embêtait. Je suis tombée amoureuse de Brisbane : une ville magnifique, avec des gens extravagants… »

Grâce aux cinq musiciens, aux dix danseurs et aux innombrables effets pyrotechniques, le spectacle était inoubliable. Les filles interprétaient leurs plus grands tubes ainsi qu'un émouvant morceau de gospel, et quand *Bootylicious* se transformait en *Beat It*, célèbre morceau de Michael Jackson, elles arboraient soudain un unique gant à paillettes. Naturellement, elles attendaient les rappels pour chanter *Survivor*, si bien que partout dans le monde, à la fin du concert, les gens rentraient chez eux un grand sourire aux lèvres.

La fin de cette tournée marqua un tournant énorme dans leur vie. Sur le papier, elles restaient membres de Destiny's Child, mais toutes les trois songeaient déjà à entreprendre une carrière solo. Beyoncé fut la première à sortir un single sous son nom : *Work It Out*, tiré de la bande originale de *Goldmember*. En 2002, Kelly chanta sur *Dilemma*, le single du rappeur Nelly, et sortit dans la foulée son premier album solo, *Simply Deep*. Le premier album de Michelle, *Heart to Yours*, sortit pendant l'été. Beaucoup de gens étaient maintenant persuadés que le trio allait se séparer parce que chacune voulait voler de ses propres ailes. Michelle réfuta sèchement cette rumeur. « Personne n'a l'intention de quitter Destiny's Child, précisa-t-elle dans *Texas Music*. C'est n'importe quoi, ces histoires. Beyoncé n'a rien décidé, pour sa carrière solo. Personne ne quitte personne. »

Mais quand elles annoncèrent que Destiny's Child s'accordait une pause de trois ans, tout le monde comprit que l'avenir du groupe était menacé. Les choses se précisèrent quand Beyoncé fonça en studio à Miami pour commencer l'enregistrement de son mythique premier album, *Dangerously in Love*. Pendant qu'elle s'y consacrait corps et âme, son talent d'artiste à part entière lui valut la reconnaissance de ses pairs : la Société américaine des auteurs, compositeurs et éditeurs de musique lui décerna le titre d'auteur-compositeur de l'année 2002, pour ses chansons *Independent Women Part 1*, *Jumpin' Jumpin* et *Survivor*. Elle était la première Afro-Américaine à décrocher ce trophée. « Ils m'ont fait un immense honneur, déclara-t-elle au cours d'une interview accordée à une chaîne de télé britannique. Je suis seulement la deuxième femme auteur-compositeur à remporter ce titre, ce qui est parfaitement ridicule, car j'ai plein de consœurs qui le méritent. Nous sommes moins bien considérées que les hommes, c'est évident, mais je suis quand même très heureuse qu'on m'ait laissé ma chance et ravie d'avoir pu ouvrir cette porte aux autres artistes de mon sexe. »

Beyoncé avait entrepris une ascension fulgurante vers les sommets de la musique pop quand l'une des multinationales les plus puissantes au monde lui proposa un contrat : remplaçant Britney Spears, elle devint le nouveau visage de Pepsi pour deux spots télé et une énorme campagne de pub sur le web et à la radio. « Je suis enchantée de rejoindre le club des artistes fabuleux qui ont participé à tous ces grands moments Pepsi », déclara-t-elle. Sa collaboration avec Pepsi allait durer des années et s'avérer extrêmement lucrative, malgré des critiques de plus en plus sévères liées à l'obésité croissante des jeunes Américains.

Elle continuait à voir Jay-Z en secret. En août 2002, quand ils enregistrèrent *03 Bonnie & Clyde*, le nouveau single de Jay-Z, le bruit se répandit qu'ils sortaient ensemble. Au début de la chanson, Jay-Z s'exclame : « Tu es prête, B ? On va les avoir ! », et dans la vidéo, tous deux jouent les amoureux en cavale. « Tout ce dont j'ai besoin dans cette vie de péché, c'est de moi et de ma petite amie », déclare Jay-Z dans le refrain. Et Beyoncé chante en retour : « Prêts à foncer jusqu'à la fin, juste moi et mon petit copain. » Les rédacteurs des rubriques showbiz faillirent s'étrangler quand ils découvrirent dans les paroles que le couple se qualifiait de « nouveaux Bobby et Whitney », en référence à Bobby Brown et à sa femme de l'époque Whitney Houston.

Les journalistes qui trouvèrent le courage de leur poser des questions sur leur liaison supposée n'obtinrent aucune réponse satisfaisante. « Je n'aime pas parler de ça, déclara Beyoncé à *Entertainment Tonight* en novembre de cette année-là. Je comprends votre intérêt, mais c'est trop personnel. » Quand Howard Stern tenta de pousser Jay-Z dans ses retranchements pendant sa célèbre émission de radio, celui-ci refusa de reconnaître qu'il sortait avec Beyoncé. Interrogé dans *Playboy*, il répondit : « Nous sommes de bons potes, c'est tout. De grands copains. Il n'y a rien d'aussi intime entre nous, je vous assure. Du moins pas encore. » Quand le journaliste lui demanda s'il en avait envie, il le reconnut volontiers : « Elle est superbe. N'importe qui la voudrait comme petite amie. Un jour, peut-être... »

Pendant des mois, ils ne réagirent à aucune de ces rumeurs. Un jour, le bruit courut qu'ils avaient rompu. Ces deux artistes n'avaient jamais confirmé leur liaison, mais on les annonçait déjà séparés ! Dans l'émission de hip hop *106 & Park*, tout le monde remarqua la tension qui régnait entre eux. Quand Beyoncé et Solange, qui se lançait dans la musique, rejoignirent sur le plateau Jay-Z et les deux animateurs, le rappeur et sa supposée petite amie s'ignorèrent royalement, alors qu'il accueillit Solange d'un baiser sur la joue. En avril 2003, certains prétendirent que c'était la proximité croissante entre Beyoncé et 50 Cent, un autre rappeur, qui avait provoqué la rupture. D'après le *Sun*, la jeune femme sortait maintenant avec l'ancien dealer de crack, de son vrai Curtis Jackson. Rien n'était vrai, bien sûr.

Puis les choses se corsèrent lorsque Beyoncé prétendit être célibataire au cours d'une interview accordée le même mois au magazine *Elle*. Elle ne pourrait tomber amoureuse que d'un homme possédant les mêmes qualités que Mathew, affirma-t-elle. « Mon père est un homme doux, mais il peut être intransigeant quand le besoin s'en fait sentir. L'homme de ma vie devra lui ressembler. Du coup, je vais avoir du mal à le trouver. C'est la faute de mon père si je suis exigeante à ce point. » Quand le magazine chercha à lui tirer les vers du nez à propos de sa relation supposée avec Jay-Z, elle répliqua fermement : « Je n'aborderai pas ce sujet. » Elle admit pourtant qu'il leur arrivait de traîner ensemble. « Si quelqu'un nous voit, et alors ? Tirez-en toutes les conclusions que vous voulez, ça m'est complètement égal. » Puis, quand le magazine lui demanda – un peu sottement – à quand remontait son dernier baiser, elle refusa de répondre.

Confrontés aux rumeurs contradictoires qui s'étalaient dans les médias, ses fans ne savaient plus sur quel pied danser. Leur perplexité atteignit des sommets lorsque la nouvelle de soi-disant fiançailles se répandit sur le web comme une traînée de poudre. Comme d'habitude, il n'y eut ni confirmation ni réfutation officielle de la part des deux intéressés, à la fois amusés et exaspérés par ce potin. Quand on lui demanda sans prendre de pincettes si quelqu'un allait bientôt l'amener devant l'autel, Bey répondit mystérieusement : « Beyoncé n'a pas de fiancé. Pas encore. » Mais ce ne serait pas la dernière fois qu'une telle rumeur la poursuivrait.

En mai 2003, elle réalisa l'un de ses plus vieux rêves : elle partagea la scène avec Whitney Houston, l'idole de son enfance. Les deux femmes chantèrent ensemble au cours d'un spectacle mis sur pied par la chaîne musicale VH1. Intitulé *Duos de Divas*, il fut retransmis en direct à la télé depuis l'hôtel-casino MGM Grand de Las Vegas. Pendant le spectacle, Beyoncé interpréta *Dangerously in Love 2*, et Whitney chanta avec Bobby Brown, son mari de l'époque. Puis elles rejoignirent pour le final les autres stars de R & B invitées dans l'émission et rendirent un hommage vibrant à Stevie Wonder. Avec Chaka Khan, Mary J. Blige, Queen Latifah, Ashanti, Jewel et d'autres, elles chantèrent *Higher Ground*, l'un des classiques de ce grand musicien. Beyoncé considère ce moment comme l'un des meilleurs de sa carrière. Quelques années plus tard, la nouvelle du décès de Whitney la dévasterait – on devinait déjà en 2003 les prémices des problèmes qui lui coûteraient la vie. Pendant le séjour de Bobby et Whitney à Vegas, la chanteuse avait été vue se rendant à une consultation médicale avec le nez en sang. Et s'il fallait en croire Fox News, les deux époux s'étaient violemment disputés à l'hôtel.

Le mois suivant, Beyoncé sortit enfin son premier album, *Dangerously in Love*, après des mois passés à le peaufiner. Pour célébrer l'événement, Columbia Records organisa une somptueuse soirée de lancement au Sky Bar de l'hôtel Mondrian, dans West Hollywood, soirée au cours de laquelle Solange fêta ses dix-sept ans. Des quarante-trois chansons qu'elle avait enregistrées pour l'album, Beyoncé n'en avait gardé que quinze. Aussi étrange que cela puisse paraître aujourd'hui, les dirigeants de la Columbia doutaient beaucoup du potentiel de l'album, au point qu'ils avaient failli en annuler la sortie. « Quand je l'ai fait écouter à ma maison de disques, ils m'ont dit qu'il n'y avait pas un seul tube dessus », raconte Beyoncé. En plaisantant, elle ajoute : « D'une certaine façon, ils avaient raison. Il y en avait cinq. » L'album se vendit à 11 millions d'exemplaires dans le monde, et le *New York Daily News* qualifia Beyoncé de « star accomplie et voluptueuse (...) issue d'un groupe de filles destiné aux ados ». L'album fut disque de platine trois semaines à peine après sa sortie, et se retrouva numéro un des charts en Grande-Bretagne, au Canada, aux Pays-Bas, en Allemagne, en Grèce et aux Philippines.

Dans la vidéo making-of, Beyoncé parle de ce qu'elle a voulu exprimer dans l'album. Elle y fait notamment allusion à son histoire avec Jay-Z : « Tomber amoureux de quelqu'un, cela peut être dangereux. La jeune fille que j'étais est devenue une jeune femme, et ce titre, *Dangerously in Love*, je l'ai choisi pour exprimer toutes les étapes de l'amour... Voilà, vous savez maintenant de quoi parle ce disque. » Puis elle s'adresse directement à ses fans, et elle ajoute effrontément : « Je l'ai fait rien que pour vous. Le jour où vous tomberez amoureux, j'espère que vous serez en train d'écouter ce disque – et que vous l'écouterez aussi quand vous ferez des bébés. » Elle précise également qu'avec cet album, elle veut montrer une facette plus douce de sa personnalité : « Il y avait une telle énergie dans les chansons que j'ai écrites pour Destiny's Child… C'est une très bonne chose, bien sûr, mais parfois les gens oublient que je suis aussi un être humain, déclare-t-elle à l'époque à *Associated Press*. Les gens savent que je suis forte, mais je voulais aussi qu'ils sachent que je peux tomber amoureuse, que je peux souffrir et que je peux avoir besoin de quelqu'un. Bref, je traverse tout ce que traversent les autres femmes. »

Mathew supervisa toutes les chansons de l'album, sauf une : une piste intitulée *Daddy*, planquée tout à la fin du disque, dont Beyoncé lui avait caché l'écriture. « Je ne l'ai pas écrite pour l'album, a-t-elle avoué à MTV. Je ne voulais pas l'inclure, au départ. Je l'ai faite rien que pour lui. Il en est resté sans voix. Il ne savait pas quoi dire ou comment réagir, parce que c'est une chanson très chargée émotionnellement. » Dans *Daddy*, Beyoncé parle de son envie de trouver un homme qui ressemble à son père.

I want my unborn son to be like my daddy – Je veux que mon futur fils ressemble à mon papa
I want my husband to be like my daddy – Je veux que mon mari ressemble à mon papa
There is no one else like my daddy – Personne n'arrive à la cheville de mon papa
And I thank you for loving me – Et je te dis merci parce que tu m'aimes.

Pour écrire ce morceau, elle s'était inspirée du couple que formaient ses parents : « Mon père et ma mère sont ensemble depuis plus de vingt ans, déclara-t-elle. Ils ont traversé des moments difficiles, je le sais. Mon père a toujours soutenu sa femme, sa famille… Il nous a toujours soutenues, Kelly, Solange et moi. Cette loyauté, cette force qu'il possède, ce sont les qualités que je veux trouver chez tous ceux qui m'entourent. »

Angie Beyincé, la cousine de Beyoncé, avait pris une part active dans l'écriture et la production de *Dangerously in Love* ; quant à Jay-Z, il était le coauteur de cinq des quinze morceaux.

À ce propos, les paroles de la chanson *Signs* semblent faire directement allusion aux sentiments de Beyoncé pour le rappeur :

In December every sign has its own mode – En décembre les signes font ce qu'ils veulent
I was in love with a Sagittarius… – J'étais amoureuse d'un Sagittaire
The affection of a Virgo – La tendresse d'une Vierge
Which sign matches good with mine ? – Quel signe est le bon pour moi ?

Les fans les plus observateurs firent remarquer que Jay-Z – né un 4 décembre – était Sagittaire, et Beyoncé du signe de la Vierge. Interrogée sur cette chanson, la chanteuse répondit timidement : « Les gens peuvent s'imaginer ce qu'ils veulent. C'est toute la beauté de la musique. »

L'implication de Jay-Z dans le travail de son amie leur causa quelques désagréments. Mathew et lui ne s'entendaient pas, c'était de notoriété publique, et leurs rapports tendus mettaient Beyoncé dans une position extrêmement difficile. À propos de Jay-Z, Mathew déclara l'année suivante : « Je ne l'aime pas du tout. Nous ne sommes pas amis. Et je ne tiens pas spécialement à le fréquenter. » À une autre occasion, quand on lui demanda ce qu'il pensait du potentiel de son futur gendre, il déclara sèchement : « Question suivante. »

Mathew avait peur que Jay-Z lui « vole » sa fille, voire qu'il reprenne en main la carrière de Beyoncé, en déduisirent certains commentateurs. D'autant plus qu'en 2003 Jay-Z annonça qu'il arrêtait la musique pour se consacrer exclusivement au business de l'industrie musicale. Il pesait maintenant presque 300 millions de dollars. *The Black Album*, son huitième disque, serait donc le dernier, et il organisa une fête d'adieu au Madison Square Garden, à New York. Mais il avait parlé trop vite. En 2004, il vendit son label Roc-A-Fella, accepta la direction du label Def Jam et opéra un revirement radical. Plus tard, il avoua regretter sa décision de prendre une « retraite anticipée » ; il avait honte chaque fois qu'il y repensait. « J'ai trop tiré sur cette ficelle. Maintenant, quand je parle de prendre ma retraite, les gens m'envoient balader. » Il se promit alors de laisser le destin décider de la suite de sa carrière.

En tant que président de Def Jam, Jay-Z recruta à cette époque l'une des artistes majeures du label : une certaine Rihanna. À la demande du rappeur, cette ado originaire de la Barbade vint passer une audition à New York. « Je tremblais comme une feuille, se souvient Rihanna. Je venais d'apercevoir Jay-Z dans le hall de l'hôtel ! C'était la première fois que je rencontrais quelqu'un d'aussi célèbre, et cette célébrité était aussi le patron du label que je convoitais. C'était dingue ! » Sa prestation impressionna tellement Jay-Z et son collègue L. A. Reid qu'ils lui proposèrent aussitôt un contrat d'enregistrement. « Nous n'avons conclu l'affaire qu'à 4 h 30 du matin, raconte-t-elle. Chaque fois que je signais une feuille, je souriais bêtement. » Son potentiel avait époustouflé Jay-Z, à qui cela n'arrivait pas souvent. « Le jour même, je lui ai fait signer un contrat, se souvient-il. Il ne m'a pas fallu deux minutes pour comprendre que j'avais une star sous les yeux. » Le succès n'arriva pas du jour au lendemain, cependant ; au début, Rihanna fut qualifiée de « clone caribéen de Beyoncé en moins douée ». Pendant deux ans, elle se démena en vain pour entrer dans les charts, puis le vent tourna enfin en sa faveur à la sortie du single *Umbrella*, devenu depuis un hymne du R & B.

La rencontre avec Jay-Z a énormément compté dans sa vie. Elle le considère comme son mentor, et leur amitié ne s'est jamais démentie. Et il lui a longtemps apporté de précieux conseils dans les moments difficiles.

CHAPITRE SEPT

En acceptant la direction de Def Jam, Jay-Z était devenu extrêmement puissant. Mathew n'en digérait que plus mal le rôle décisif de son « gendre » dans la conception de *Dangerously in Love*. Mais personne, pas même lui, ne pouvait nier que *Crazy in Love*, premier single enivrant tiré de l'album de sa fille, avait pris une tout autre dimension dès l'instant où Jay-Z avait eu l'idée d'y intégrer un soupçon de rap. Monstrueusement accrocheur, ce single devenu le tube de l'été reçut partout dans le monde des critiques dithyrambiques. Le magazine *Rolling Stone* le qualifia de « bouillonnant d'énergie », et le *NME* de « vrai coup de génie soul-funk ». Beyoncé nous raconte dans *Vanity Fair* comment cette idée géniale leur est venue : arrivé en studio quelques minutes plus tôt, Jay-Z s'était soudain mis à déclamer quelques vers. « Il est assis, je vois bouger ses lèvres, et puis tout d'un coup, il commence à rapper… Il était trois heures du matin ! Il devait être crevé. Moi, je l'étais, en tout cas. Je ne sais pas où il a trouvé l'énergie de nous pondre ce texte. »

Certains suggérèrent que les paroles de *Crazy in Love* découlaient directement de ses sentiments pour Jay-Z. « En fait, la chanson raconte les prémices d'une relation, quand on est encore conscient de ce qu'on fait, expliqua Beyoncé. Le moment où on se dit encore : *Bon sang, on va me prendre pour une cinglée…*, sauf qu'on s'en fout déjà parce qu'on est raide dingue de lui ; le moment où l'amour nous fait vibrer des pieds à la tête. » Pourtant, elle refusait toujours de confirmer son histoire avec Jay-Z. « Bon, OK je ne suis plus complètement célibataire, déclara-t-elle à *Rolling Stone.* Vous vous dites : *Mais pourquoi raconte-t-elle sans arrêt qu'ils sont amis et rien de plus ?* Je ne raconte rien du tout. Je n'en parle pas, point. Je veux protéger ma vie privée. »

Jay-Z non plus ne faisait rien pour clarifier la situation : « Est-ce que je sors avec elle ? Peut-être bien que oui, peut-être bien que non. Écoutez le disque. Il contient peut-être une part de vérité… Ou pas. »

Beyoncé connut la même semaine une double consécration : le single *Crazy in Love* et l'album *Dangerously in Love* entrèrent en même temps à la première place de leur classement respectif. Aux États-Unis et en Grande-Bretagne, Bey était la première femme à s'illustrer ainsi. Par ailleurs, *Crazy in Love* lui permit de toucher un public réticent jusqu'alors : elle exerçait maintenant une véritable fascination sur les fans de R & B, ceux-là mêmes qui huaient les prestations de Destiny's Child pendant les festivals hip-hop. Les apports de Jay-Z y étaient pour beaucoup, elle le savait très bien. Sur MTV, elle déclara : « Je lui suis très reconnaissante. Il m'a beaucoup aidée sur cet album, dans l'écriture des chansons et… En fait, avant l'ajout du hip-hop dans *Crazy in Love*, certaines personnes n'arrivaient pas à accepter le morceau tel quel. Jay-Z lui a apporté exactement ce qui lui manquait. »

Leur collaboration marchait dans les deux sens, comme le reconnaît bien volontiers Jay-Z. « Nous avons échangé nos publics, résuma-t-il dans *Vanity Fair.* Ses disques font toujours un tabac au Top 40, et grâce à sa présence *03 Bonnie & Clyde* a pu atteindre le sommet des charts. Moi, je lui ai apporté un nouvel angle d'attaque, et la crédibilité qui lui manquait auprès des jeunes des cités. »

Croulant sous les louanges, *Crazy in Love* resta au sommet des charts pendant huit semaines consécutives aux États-Unis et arriva en tête dans trois catégories à la cérémonie des MTV Video Music Awards. L'événement eut lieu en 2003 au Radio City Music Hall de New York ; il entra dans la légende quand Madonna et Britney Spears échangèrent sur scène un baiser fougueux. Leur coup d'éclat mit Beyoncé en mauvaise posture : on lui prêta des principes antigays et une aversion imaginaire pour les baisers entre filles. « Je ne juge personne en fonction de son orientation sexuelle, et je n'ai pas l'intention de m'y mettre, posta-t-elle sur son site web. J'ai beaucoup de fans gays ou lesbiennes, et je les aime autant que mes fans hétéros. »

Ce coup porté à sa réputation la bouleversa. Dans un entretien accordé au magazine *HX*, elle aborde à nouveau le sujet : « C'est blessant, que l'on puisse croire ça de moi. J'ai en effet déclaré que j'avais des principes dans une interview pour *Elle* ; mais j'y parlais des mecs, de la façon dont j'envisage la vie à deux. » Beyoncé révéla alors qu'elle se sentait personnellement concernée par le problème du sida : son oncle homo venait de mourir de cette maladie. « C'était le meilleur ami de ma mère. Il m'amenait à l'école, il aidait ma mère à me fabriquer des vêtements… Je le considérais un peu comme ma nounou. »

Au cours de cette fameuse cérémonie des MTV Music Awards, Beyoncé interpréta *Crazy in Love* sur scène avec Jay-Z. Quand elle se mit à arpenter la scène de sa démarche de mannequin, vêtue d'un tout petit short doré particulièrement sexy, le public en resta bouche bée. Dans le clip de *Crazy in Love*, elle ondule sensuellement dans un minishort en jean. Visiblement, elle avait décidé que sa carrière solo irait de pair avec cette nouvelle image hyper sexy. Elle avait travaillé dur pour obtenir cette silhouette parfaite, allant jusqu'à renoncer à ses plats préférés. Pour conserver sa forme olympique, elle courait maintenant dix kilomètres par jour. « J'ai laissé tomber les hamburgers, les aliments frits, tous ces trucs, annonça-t-elle dans le *Sun*. Mes papilles gustatives ont évolué et j'adore essayer de nouveaux plats. Je mange beaucoup de grillades, et cinq collations légères réparties dans la journée plutôt que deux repas trop lourds. »

Beyoncé venait d'un milieu très croyant, où certains commençaient à trouver qu'elle allait peut-être un peu trop loin dans la provocation. Pour ses détracteurs, la vidéo de *Crazy in Love* était trop suggestive. « Les chorégraphies de cette vidéo s'inspirent d'une danse traditionnelle africaine, et je n'y vois rien de provocateur, répondit-elle pour sa défense. C'est le show qui veut ça. Je suis persuadée que Dieu le prend très bien. » Elle ajouta qu'elle ne ferait jamais rien qui puisse offenser le Seigneur, par exemple porter un petit short sexy à l'église…

Bey savait qu'il y avait des limites à ne pas franchir. David LaChapelle, un photographe très connu, l'apprit un jour à ses dépens : elle repartit furieuse d'une séance photo avec lui parce qu'il avait eu le culot de lui demander de poser nue. « Ils tentent tous de me convaincre d'ôter mes vêtements. Si j'accepte d'exhiber un téton devant l'un d'eux, ce sera la gloire assurée pour l'heureux élu. Alors ils tentent le coup, ils essayent… Si j'avais reçu un dollar chaque fois qu'on m'a dit qu'il fallait que j'ôte mon short pour me retrouver en couv' d'un magazine, ma fortune serait faite. »

En juillet 2003, la fièvre suscitée par *Crazy in Love* n'était pas encore retombée quand Beyoncé se produisit à Hyde Park devant cent mille Londoniens enthousiastes. Elle participait à *Party in the Park*, spectacle annuel de collecte des fonds pour les œuvres de bienfaisance de la famille royale. Dans la loge des VIP, elle put échanger quelques mots avec le prince Charles, qui lui apprit que ses fils William et Harry étaient tous deux très fans de sa musique. On rapporte qu'il lui aurait dit : « Ils ont tous les deux votre album, et je crois que le grand fantasme un peu sur vous. » D'habitude imperturbable, Bey piqua un fard en apprenant cette nouvelle. William avait un an de moins que Beyoncé et sortait depuis peu avec Kate Middleton, sa future épouse. « Je suis devenue rouge comme une pivoine, raconte Beyoncé. Je n'arrivais pas à en croire mes oreilles. William va sûrement passer un savon à son père dès qu'il saura ce qu'il m'a dit. Mais je suis très flattée ! Le prince William est si beau… » Suite à ce commentaire de Charles, les médias surexcités racontèrent que Beyoncé elle-même avait invité William à l'un de ses concerts programmés l'automne suivant à Londres.

Le jeune prince avait un sacré concurrent sur les bras en la personne de Jay-Z. Le débat enflammé « Ensemble ou pas ensemble ? » reprit de plus belle lorsque celui-ci entraîna Beyoncé sur la Riviera française au mois d'août de cette même année. Un témoin présent à l'*Eden Roc*, l'hôtel de Cannes où ils séjournaient, déclare : « Ils ne cherchaient pas du tout à se cacher. » En septembre, on les vit assister côte à côte à la Fashion Week de New York. Comme d'habitude, tous deux refusèrent de confirmer leur liaison. Beyoncé avait de très bonnes raisons de vouloir garder son homme auprès d'elle : Blu Cantrell, une ex de Jay-Z, venait d'évoquer son gros faible pour lui sur un DVD consacré à son deuxième album, *Bittersweet* : « C'est vraiment un amour, ce mec ! Une vraie crème. On ne sort plus ensemble, mais j'ai toujours le béguin pour lui. » Quand on lui demanda comment elle réagirait si Jay lui faisait à nouveau des avances, Blu répondit : « Il a encore toutes ses chances, si vous voyez ce que je veux dire ! » Beyoncé conserva un silence très digne, mais on raconte qu'elle refusa de se rendre à la cérémonie des MOBO Awards à Londres cette année-là parce que c'était Blu qui présentait la cérémonie.

L'animosité entre les deux femmes passa à la vitesse supérieure lorsque Blu attaqua directement Beyoncé. L'objet du litige : *Baby Boy* – avec Sean Paul –, deuxième single extrait de *Dangerously in Love*. D'après Blu, qui s'en ouvrit au *Glasgow Daily Record*, cette chanson ressemblait étrangement à *Breathe*, un de ses morceaux : « Beyoncé a beaucoup de talent, elle est superbe et j'adore ce qu'elle fait, mais cette chanson ressemble étrangement à la mienne, paroles et musique. Si elle est si douée que ça, pourquoi copier quelqu'un d'autre ? (...) Si vous voulez mon avis, c'est du vol, mais je ne ressens aucune animosité à son égard. Je suis quelqu'un de très positif. N'empêche que ça me déçoit un peu. Avec sa notoriété, elle ne devrait pas faire ce genre de choses. » Encore une fois très digne face à cette critique acerbe, Beyoncé ne chercha même pas à riposter. Elle n'en avait pas besoin, d'ailleurs : les chiffres de vente de leurs albums réciproques en disaient long sur la préférence du public.

En septembre, pour le vingt-deuxième anniversaire de sa dulcinée, Jay-Z organisa au 40/40, son club de New York, une fête costumée sur le thème de *Pretty Woman*, film que Beyoncé adorait. Le rappeur lui proposa plusieurs tenues pour la soirée, et elle se décida pour une longue robe d'un rose soutenu au décolleté plongeant. Ce qu'elle ignorait, c'est que tous ses proches l'attendaient, bien planqués dans une salle privée. Quand elle y entra, tout le monde hurla : « Surprise ! »

Le lendemain, on aperçut le couple, pas du tout marqué par les festivités de la veille, dans les gradins d'un match de tennis de l'US Open. Puis Beyoncé se remit au travail : elle s'envola pour Rome où elle était attendue sur le tournage d'une pub pour Pepsi. Elle y retrouva Britney Spears, qu'elle avait remplacée comme égérie de la marque, ainsi que la chanteuse Pink et Enrique Iglesias. La campagne *Dare for More* met en scène trois femmes gladiateurs aux tenues minimalistes dans un amphithéâtre romain. Censées se battre au corps à corps devant l'empereur César – interprété par Enrique –, les trois rivales préfèrent chanter *We Will Rock You*. « J'ai beaucoup de chance de pouvoir côtoyer de tels artistes, déclara Beyoncé à propos de ce tournage. C'était fantastique, et puis quel bonheur de s'envoler pour Rome, l'une des plus belles villes du monde… » Ce spot de pub ayant coûté aussi cher qu'un film de cinéma, on lui organisa une première mondiale somptueuse à la National Gallery de Londres. C'était l'automne, il faisait froid, et Beyoncé arriva en manteau de fourrure, un choix que Pink ne se priva pas de critiquer : « Personnellement, je n'en porte jamais. N'attendez aucun commentaire de ma part, les gens font ce qu'ils veulent, mais tout le monde sait ce que j'en pense. La fourrure… Même la toucher, ça me dégoûte. C'est mal. » Trois ans plus tard, elle attaqua à nouveau sa consœur, toujours aussi acerbe : « J'espère que les animaux qu'elle porte vont lui mordre le cul. C'est une pratique horriblement cruelle. Elle est célèbre, elle devrait réfléchir au message qu'elle envoie en portant de la fourrure. Les gens vont se dire que c'est cool, mais ce n'est pas vrai. »

En novembre 2003, Beyoncé se lança dans sa première tournée solo. Après six dates en Grande-Bretagne, elle enchaîna avec l'Irlande et les Pays-Bas. Les débuts furent difficiles : le premier soir, son manager de tournée tomba de scène, se blessant sévèrement au dos. La tournée ne se transforma en machine bien huilée qu'à partir du troisième concert. La séquence d'ouverture de ces shows était particulièrement spectaculaire : Beyoncé descendait du plafond la tête en bas, suspendue dans un harnais. Elle parla de cette trouvaille risquée au *Guardian* : « C'est complètement dingue, je sais… C'est mon idée, en fait. J'ai vu ça dans un spectacle de Broadway et j'ai trouvé ça cool. Et voilà, je le fais tous les soirs, mais ce n'est plus cool du tout. J'évite de manger avant le moment fatidique, par exemple. C'était super la première fois, ça l'est de moins en moins… »

Pour le plus grand bonheur des fans de Destiny's Child, le spectacle incluait un medley de tous leurs tubes : *No, No, No Part 2*, *Independent Women Part 1*, *Survivor*, *Bootylicious*… Quant aux chorégraphies, plus énergiques et impressionnantes les unes que les autres, Beyoncé les répétait huit heures par jour avant les concerts : « Il y a une choré par chanson, j'y tiens, mais ça demande beaucoup de travail. » En ce sens, cette première tournée peut être considérée comme un avant-goût de ce que Beyoncé offrirait à son public quelques années plus tard : une expérience totale, devenue la référence absolue dans le monde du spectacle. L'industrie musicale considère aujourd'hui cette perfectionniste acharnée comme l'artiste la plus dévouée à son public. Elle s'en explique dans une interview accordée à ABC News : « Mes fans veulent voir du grand spectacle. Ils veulent du rêve, du fantasme. Pendant deux heures, ils s'imaginent à ma place. Sur scène, je deviens quelqu'un d'autre, quelqu'un qui peut leur offrir ce qu'ils veulent. »

Son plus grand fan sur cette tournée n'était autre que Jay-Z, qui s'arrangeait pour la rejoindre dès qu'il en avait l'occasion. D'après le magazine *Ebony*, tous deux passaient parfois des heures à jouer aux cartes dans la loge de Beyoncé avant le début des concerts. Une confortable routine s'était installée entre eux, et ils ne cherchaient plus à se cacher.

Après cette série de concerts à guichets fermés, Beyoncé s'autorisa une pause bien méritée. Jay-Z et elle passèrent Nouvel An à Saint-Christophe, une île paradisiaque des Caraïbes. Sur une photo, on voit Bey sauter dans la mer depuis un énorme yacht, sous les yeux de Jay-Z qui la filme avec une caméra vidéo. Interviewée dans *Rolling Stone* après ce séjour au soleil, elle glousse : « Je crois qu'il y a un truc qui cloche chez moi... C'est débile, hein ? Tous les ans, je saute d'un bateau, je ne peux pas m'en empêcher. C'est devenu un rituel... ça me permet de tourner la page de l'année qui vient de s'écouler pour repartir à zéro après les vacances. Un peu comme quand on est baptisé... »

De retour sur le sol américain, on les surprend, visiblement très amoureux, dans le public d'un match de base-ball à New York. Fin janvier 2004, le secret le plus mal gardé de la planète vole en éclats : Jay-Z reconnaît enfin ouvertement ses sentiments pour Beyoncé. L'événement se passe dans un club new-yorkais, pendant le pot de départ de Lyor Cohen, le patron d'une maison de disques. Lui arrachant le micro des mains, Jay-Z lui dit : « Tu es et tu resteras l'un de mes meilleurs amis... avec cette femme à côté de moi, cette femme que j'aime et que je vais épouser très bientôt ! »

Cette déclaration qui lui ressemblait si peu provoqua une stupéfaction générale. « Personne ne s'y attendait ! déclara un témoin de la scène. Tout le monde s'est mis à pousser des cris de joie et à les acclamer. Beyoncé le regardait tellement amoureusement... Ce fut un moment merveilleux ! »

Pour le mariage, Jay-Z avait parlé trop vite : quatre années s'écoulèrent encore avant cet événement tant attendu. Mais les barrières étaient tombées, les deux amoureux assumaient leur histoire, et Beyoncé aida Jay-Z à s'installer dans le penthouse qu'il venait d'acquérir pour 7 millions de dollars. Le rappeur passait d'une garçonnière du New Jersey à ce qui se faisait de mieux dans le logement haut de gamme. Situé à Tribeca, un quartier branché de New York, cet appartement de 750 m^2 occupe le septième étage d'un entrepôt en briques construit en 1929 et dispose d'une terrasse de 300 m^2 idéale pour les fêtes. Quelques mois plus tard, Beyoncé plaça comme son homme de l'argent dans l'immobilier : elle acheta non pas un, mais deux appartements au One Beacon Court, dans la tour Bloomberg, un gratte-ciel de l'Upper East Side, quartier huppé de Manhattan. Elle se réserva l'un de ces appartements, et attribua l'autre aux membres de sa famille. Fenêtres montant du sol au plafond, sols de granit et de marbre, terrasses sublimes, vues à couper le souffle sur la ville, ces appartements bénéficient d'un service de majordome vingt-quatre heures sur vingt-quatre. Beyoncé s'était fait un petit nid bien à elle, mais elle passait le gros de son temps chez Jay-Z et on voyait souvent les deux tourtereaux prendre un café à Tribeca ou déjeuner à la terrasse de l'un des innombrables restos du quartier.

Mais la célébrité n'a pas que des avantages : on la reconnaissait maintenant partout où elle allait, même dans les toilettes pour dames. « Je ne peux plus m'y rendre, avoua-t-elle à *Glamour.* Je m'y sens prise au piège. Toutes ces femmes qui me regardent pendant que je me lave les mains… Je me dis *Oh mon Dieu, vivement que je sorte d'ici…* »

Beyoncé et Jay-Z s'efforçaient de vivre comme tout le monde, préférant se balader seuls dans la rue plutôt qu'entourés d'une horde de gardes du corps. Mais quand elle sortait sans lui, elle emmenait toujours son fidèle Big Shorty, un colosse de 180 kilos qui travaillait depuis huit ans à son service. Elle avait fini par s'attacher à lui. « Parfois, l'attention qu'on me porte me fait peur, mais Big Shorty veille sur moi. C'est mon garde du corps », déclara-t-elle au *Sun.* En 2004, le bruit courut qu'il avait cassé un orteil à sa patronne en lui marchant lourdement sur le pied. Cette rumeur la chagrinait tant qu'elle prit aussitôt sa défense : « Je lis dans tous les journaux qu'il m'aurait cassé un orteil. Ça fait beaucoup rire les gens, j'ai l'impression. Il y a même des sites web anti-Shorty. Mais je vous assure que c'est faux. C'est une invention pure et simple, Shorty ne m'a cassé aucun orteil. » Puis quelqu'un prétendit qu'ils s'étaient retrouvés coincés tous les deux dans un ascenseur, et la presse en fit ses choux gras. Kelly démentit cette information, puis ajouta : « Le problème, c'est que les gens imaginent toujours qu'il n'y a pas de fumée sans feu… » Malheureusement pour Shorty, Mathew le vira en 2007, estimant qu'il était devenu « trop vieux et trop obèse » pour protéger sa fille.

CHAPITRE HUIT

2004 fut encore une année frénétique pour Beyoncé. Le 1er février, elle vécut l'une des nuits les plus importantes de sa carrière : elle chanta l'hymne national en ouverture du Super Bowl, qui se déroulait à Houston cette année-là. Son interprétation brillante de *The Star Spangled Banner* donna le coup d'envoi de la soirée, qui vit l'équipe des New England Patriots vaincre celle des Carolina Panthers. Ce Super Bowl fut également marqué par l'affaire du sein de Janet Jackson exhibé par inadvertance… 130 millions de téléspectateurs assistèrent rien qu'aux États-Unis à l'édition de cette année-là, et un milliard en tout à travers le monde. Beyoncé raconta ensuite sur CBS ce qu'elle avait ressenti ce soir-là : « J'étais morte de trouille. Mon cœur cognait dans ma poitrine parce que je vivais l'un de mes rêves. Depuis que je suis gamine, tous les ans, je disais à ma mère qu'un jour ce serait mon tour. Chaque fois que je voyais quelqu'un chanter cet hymne, je m'imaginais à sa place. Et Tina me répondait : "C'est ça, ma puce. C'est ça." »

La performance de Whitney Houston en ouverture du Super Bowl de 1991 l'a particulièrement marquée. « Je l'ai trouvée carrément géniale, ce soir-là. Elle s'en est sortie haut la main. C'était énorme, on ressentait toutes ses émotions… » Pour sa propre prestation, Beyoncé décida de porter un tailleur blanc, comme Whitney ce jour-là. Pour une fois, elle se passerait de ses tenues sexy. « Je voulais être un peu plus glamour que d'habitude. "Allons-y pour un tailleur", m'a dit ma mère. C'est elle qui l'a conçu, et je l'adore. Il est sophistiqué, élégant… Exactement ce que je voulais. Elle a fait du bon boulot. »

Cette participation au Super Bowl représentait en elle-même un véritable aboutissement, dont la plupart des popstars se seraient contentées jusqu'à la fin de leurs jours. Mais Beyoncé devait maintenant se préparer à la quarante-sixième cérémonie des Grammy Awards, programmée la semaine suivante. Elle était nominée dans six catégories. « Je viens de passer un mois complètement dingue ! déclara-t-elle, toujours sur CBS. Mon premier album solo, nominé six fois… C'est inespéré ! Je suis extrêmement fière. J'ai travaillé dur sur cet album, sur l'écriture, la production… Vous n'allez pas en croire vos yeux. Je vous réserve quelques surprises. »

Ce n'était pas des mots en l'air : quand le grand soir arriva, Bey et Prince ouvrirent la cérémonie avec un duo à couper le souffle. Vêtue d'une robe Roberto Cavalli d'un rose éclatant, Beyoncé subjugua littéralement le public du Los Angeles' Staples Center. Les deux stars interprétèrent un medley habile de leurs plus grands succès, parmi lesquels *Purple Rain*, *Crazy in Love* et *Let's Go Crazy*. « Je n'arrive toujours pas à y croire… s'extasia-t-elle ensuite. Nous avons répété pendant quatre jours pour nous habituer l'un à l'autre. »

Un peu plus tard dans la soirée, elle chanta dans un cadre géant une version envoûtante de *Dangerously in Love 2* en robe Dolce & Gabbana turquoise et argent. Dix-sept choristes et danseurs la rejoignirent sur scène pour compléter cette peinture vivante, et la chanson se termina avec l'arrivée d'une colombe qui se posa gracieusement sur sa main tendue. Et bien entendu, elle arriva en tête dans cinq des six catégories pour lesquelles elle avait été nominée : Meilleur album de R & B contemporain pour *Dangerously in Love 2*, Meilleure performance R & B en duo pour *The Closer I Get to You* avec le chanteur soul Luther Vandross, Meilleure chanson de R & B pour *Crazy in Love*, et Meilleure collaboration – avec Jay-Z – pour cette même chanson ; une moisson de cinq Grammy Awards égalant le record établi par Lauryn Hill en 1999, Alicia Keys en 2002 et Norah Jones en 2003. Quand elle vint chercher son cinquième Grammy, elle bredouilla, submergée par l'émotion : « Wow, c'est incroyable... J'étais déjà heureuse de me produire devant vous... C'est un immense honneur. » Plus tard, en coulisses, elle fêta ses Grammy avec ses proches. « Quand je suis retournée dans ma loge, toute ma famille était là. Ils ont fait un de ces boucans ! On a crié, hurlé... » Cerise sur le gâteau de cette nuit mémorable, elle se rendit à la fête organisée pour l'occasion par Sony Music dans un restaurant de Beverly Hills vêtue d'une éblouissante robe dorée Armani assortie aux cinq Grammy étincelants qu'elle serrait contre elle.

Comme autrefois, les trophées s'empilaient – mais des trophées nettement plus prestigieux que ceux des concours de son enfance. En ce mois de février, l'une des périodes les plus gratifiantes de sa vie, Beyoncé remporta également un Brit Awards très convoité dans la catégorie Meilleure chanteuse internationale. Recevant la statuette des mains du rappeur LL Cool J, elle remercia ses fans britanniques : « Vous êtes magnifiques ! J'adore votre pays. Je m'y sens vraiment chez moi. » Au moment de citer certains membres de sa gigantesque équipe, elle eut un trou de mémoire : « Merci à tous... Vous êtes si nombreux, pardonnez-moi... Vos noms m'échappent, tout d'un coup. » Au cours de la cérémonie, qui se déroulait à l'Earls Court de Londres, elle mit le feu à la salle avec une interprétation enflammée de *Crazy in Love*, entre deux Cadillac retournées sur le toit.

Cette année-là, il n'y eut aucun temps mort dans son programme. En mars, elle se lança dans sa première tournée nord-américaine, en compagnie de la chanteuse de soul Alicia Keys et de la rappeuse Missy Elliott. « Les tournées, c'est ce que j'aime le plus au monde, expliqua-t-elle pendant les ultimes préparatifs de ce *Ladies First Tour* qui devait durer cinq semaines. J'adore écrire et composer, mais je dois interpréter mes chansons devant un public pour savoir vraiment ce qu'elles valent. » Les trois chanteuses avaient prévu sept changements de tenues par concert, toutes signées Dolce & Gabbana. « Ce sera très glamour, très âge d'or d'Hollywood. Je trouve en grande partie mon inspiration dans les vieux films et les comédies musicales. Ajoutez-y une touche de danse classique et de jazz, et vous aurez le résultat... Avec une bonne dose de hip-hop, bien sûr ! Mes fans vont découvrir des tas de choses différentes. » Le fait de partager l'affiche avec deux autres chanteuses la soulageait un peu. « J'ai toujours le trac quand je dois monter seule sur scène, parce que dès que je fais une erreur, les gens s'en rendent forcément compte. » Beyoncé vola pourtant la vedette aux deux autres stars, en particulier lorsque Jay-Z la rejoignit sur scène comme un ouragan au Madison Square Garden pour une version enlevée de *Crazy in Love*. Le bruit courut que les trois femmes ne s'entendaient pas, mais Alicia remit les pendules à l'heure : « Dès que des femmes travaillent ensemble, les gens s'imaginent qu'elles vont se crêper le chignon. Il n'y a aucun problème entre nous, et il n'y en aura jamais. »

À la fin de la tournée, en avril, Beyoncé et Jay-Z retournèrent à Londres comme têtes d'affiche du *Prince's Trust Urban Music Festival*. Jay-Z fit la connaissance du prince Charles pendant les répétitions et le trouva « sympa, très sympa ». Charles ne se montra pas aussi élogieux ; plus tard, il laissa entendre que la musique urbaine, ce n'était pas sa tasse de thé, même s'il « en aimait certaines chansons ». Cette opinion plutôt tranchée ne découragea pas Jay-Z qui accrocha sur l'un des murs de son luxueux bureau new-yorkais une photo de lui en compagnie du prince Charles. Le bruit courut à l'époque que celui-ci avait invité le couple à venir dîner avec lui à Buckingham Palace, mais que leur agenda ne leur avait pas permis d'accepter cette surprenante invitation.

Alors qu'ils se trouvaient encore dans la capitale britannique, un animateur de radio chercha à leur tirer les vers du nez sur ce projet de mariage dont tout le monde parlait depuis la déclaration enflammée de Jay-Z. En plein direct, il demanda au rappeur s'il avait une annonce à faire. « Non, pas d'annonce. Allez, on arrête ! » s'exclama Jay-Z, très agacé.

Pour les fans de Destiny's Child, l'été 2004 s'annonçait bien : après trois ans de pause, le groupe annonça qu'il s'était remis au travail. De retour en studio, les trois filles préparaient leur quatrième album, *Destiny Fulfilled.* Kelly annonça la nouvelle en juillet, pour faire taire les plus pessimistes. « "Vous ne ferez plus jamais rien ensemble", bla-bla-bla, ricana-t-elle, imitant les sceptiques. Voilà ce que je dis à tous ceux qui pensent ça : "Fermez-la ! On bosse sur notre prochain album !" »

Certains avaient pu douter de l'envie de Beyoncé de reprendre sa place dans le groupe après le lancement de sa carrière solo. Or, elle n'hésita pas une seconde. « Je n'ai eu aucun mal à prendre cette décision, expliqua-t-elle au *New York Times.* Je vais retrouver mes meilleures amies et passer du bon temps avec elles. Que demander de mieux ? Il n'y a rien de plus agréable à chanter que les harmonies à trois voix. » L'excitation redoubla dans le public lorsque Mathew laissa entendre au *Los Angeles Times* que Solange se joindrait sans doute au trio. « Si j'en crois ce que j'ai entendu, ça me paraît une excellente idée », déclara-t-il sur MTV. Solange pouvait y prétendre, sans le moindre doute : elle avait brillamment remplacé Kelly quand celle-ci s'était cassé des orteils, sans parler des nombreuses premières parties qu'elle avait assurées pour le groupe.

Beyoncé démentit aussitôt toute participation de sa sœur au nouveau projet. L'emprise de Mathew sur Destiny's Child diminuait inexorablement. « C'est une rumeur, et, comme la plupart des rumeurs, elle est fausse, affirma Beyoncé. Solange ne va pas intégrer Destiny's Child. Elle travaille sur son propre album, et je suis très fière d'elle. » Solange ne vendait pas autant de disques que son aînée, mais elle menait sa barque comme elle l'entendait, qu'il s'agisse de sa carrière de comédienne ou de musicienne. *Solo Star*, son premier album, sorti fin 2002, n'avait pas rencontré le succès espéré, mais elle n'avait pas dit son dernier mot.

Le retour de Destiny's Child s'annonçait semé d'embûches. Beaucoup de choses avaient changé, en trois ans. Dans un entretien accordé à CBS, Beyoncé évoqua avec franchise les difficultés qui les attendaient : « Nous avons beaucoup mûri. Les trois jeunes filles que vous avez connues sont devenues des adultes qui ne partagent plus forcément les mêmes idées. C'est ce qui fait l'intérêt de ce projet, d'ailleurs. J'ai hâte de voir ce qui va se passer. Et puis quand on travaille seul, on souffre parfois de cette solitude. Nous sommes impatientes de nous retrouver. »

Kelly était sur la même longueur d'onde : « Nous nous sommes à peine vues pendant trois ans, et nous avons des tas de choses à nous raconter. Je pense que tout ce que nous avons vécu chacune de notre côté va enrichir ce nouvel album. Dès qu'il sera terminé, nous repartirons en tournée. J'attends ça avec impatience ! J'ai du mal à vous décrire ce que je ressens. De l'amour, l'envie de travailler dur, une faim dévorante. »

Très peu de temps après ces annonces, le bruit se répandit que le groupe allait se dissoudre pour de bon dès la sortie du nouvel album. Les filles commencèrent par nier, jusqu'au jour où MTV leur demanda ce qu'elles feraient après *Destiny Fulfilled*. « Nous n'en avons aucune idée, répondit Beyoncé avec sincérité. Ce qui est sûr, c'est que nous resterons amies. Chacune de nous veut le bonheur des deux autres. »

Tous ces points d'interrogation entachaient l'avenir du groupe. De nombreux commentateurs estimaient qu'il ne retrouverait jamais sa gloire passée. À titre d'exemple, ils citaient le chanteur Justin Timberlake. Justin avait déclaré qu'il ne « pouvait pas réintégrer N-Sync après avoir goûté au plaisir du succès en solo. » Ses propos avaient fait l'effet d'une bombe. Rodney Jerkins lui-même, l'un des producteurs recrutés pour le nouvel album, émit des doutes sur l'avenir de Destiny's Child : « Ça ne marchera jamais ! Beyoncé a cassé la baraque en solo. Vous croyez qu'elle va arriver à s'intégrer à nouveau dans un groupe ? » Les trois filles refusèrent d'écouter les commentaires désobligeants de leurs détracteurs ; elles voulaient absolument tenir la promesse qu'elles avaient faite trois ans plus tôt à leurs fans.

À New York, entre les séances d'enregistrement, Beyoncé trouva le temps de reprendre son activité de comédienne dans un remake de *La Panthère rose* où elle donnait la réplique à Steve Martin. « La nuit, je suis en studio avec Destiny's Child, et je passe la journée sur le lieu de tournage », raconta-t-elle à un journaliste de MTV. Dans ce film, elle joue le rôle de Xania, une popstar accusée dans une affaire de meurtre, face à Steve Martin qui interprète l'inspecteur Clouzot. Enchanté d'avoir Beyoncé comme partenaire, l'acteur déclara qu'il la trouvait « belle à regarder et délicieuse à serrer dans ses bras. (…) Elle est un peu timide, mais comme souvent quand on est bourré de talent. Ça va ensemble, pour ainsi dire. Et puis elle n'était pas dans son environnement. Il n'y avait pas la foule qui grouille d'habitude autour d'elle. Elle a fait preuve d'un grand professionnalisme. C'est une fille adorable. »

Interviewée sur le lieu de tournage, Beyoncé admit qu'elle trouvait plus difficile de jouer la comédie que de chanter, mais qu'elle relevait volontiers le défi. « Je stresse un peu, je le reconnais. Mais c'est aussi une expérience très enrichissante. La vie, quoi. » Elle exprima aussi le désir de faire plus de cinéma à l'avenir : « J'aime être entourée de grands acteurs, parce que j'apprends beaucoup en leur compagnie. Et j'ai encore des tas de choses à apprendre, si je veux décrocher plus de rôles. Pour moi, l'idéal, ce serait un film par an… »

En août, elle s'accorda un petit congé et retourna dans sa ville natale, à Houston, le temps d'un événement très spécial : la *babyshower*[1] de Solange. Âgée de dix-sept ans à peine, celle-ci avait épousé en mars son amour de collège, un certain Daniel

---

1. Fête prénatale, coutume très répandue aux États-Unis.

Smith, joueur de football américain. La cérémonie s'était déroulée aux Bahamas, dans un décor exotique, et Beyoncé avait fait glousser tous les invités en faisant remarquer pendant son discours de demoiselle d'honneur qu'elle, par contre, elle était toujours célibataire. « Elle a blagué sur le fait que sa petite sœur avait convolé avant elle, raconta un témoin au magazine *People*. Tout le monde a éclaté de rire, y compris Jay-Z. La mère de Beyoncé, qui était assise à côté de lui, lui a tapoté le bras, genre "Ce sera bientôt ton tour, mon ami". »

S'il faut en croire certains ragots, Jay-Z et Beyoncé dormirent dans des villas différentes pendant les noces de Solange ; mais on les vit également se promener main dans la main sur une plage, rayonnants de bonheur. Plus tard, Beyoncé avoua qu'en observant sa sœur devant l'autel, ses propres sentiments sur le mariage avaient évolué. « Après le mariage de Solange, j'ai commencé à réfléchir ce que je voulais pour le mien. »

En août, donc, trois cents amis et membres de la famille participèrent à la *babyshower* célébrant l'arrivée imminente du bébé de Solange et Daniel. Le petit Daniel « Julez » Smith – premier neveu de Beyoncé et premier petit-fils du couple Knowles – naquit quelques semaines plus tard, « dodu et en bonne santé », d'après l'un des proches de Solange. Beyoncé était restée aux côtés de sa sœur pendant tout l'accouchement, mais elle s'en mordait les doigts. Elle avait supplié Solange de ne pas l'obliger à assister à ça, persuadée d'en ressortir « complètement traumatisée ». « Elle a réussi à me convaincre de rester… Mais j'avais raison ! Ça me terrorise », avoua-t-elle au *Daily Telegraph*.

Tata Bey et oncle Jay tombèrent immédiatement sous le charme du petit Julez, et une relation très forte s'instaura entre eux. Dès qu'il fut assez grand pour rester assis sans bouger, ils l'emmenèrent régulièrement assister aux matchs de basket des Knicks. Voir Solange devenir mère eut un réel impact sur l'aînée des deux sœurs, qui déclara au *Harper's Bazaar* : « Elle m'est apparue sous un jour très différent… En l'observant avec son fils, j'ai appris la patience, et aussi la franchise. Grâce à elle, notre famille compte un nouvel être humain magnifique. Mon neveu est un gamin incroyable. Il est intelligent, inventif et fort. Comme ma sœur, en somme. » Beyoncé jouait souvent les baby-sitters pour Julez, mais avoir un enfant à elle lui semblait encore un peu trop compliqué. « C'est un bon gamin, le petit mec le plus mignon que j'aie jamais vu de ma vie… Je l'aime à mourir, mais hier, à cause de lui, j'ai dû me lever à quatre heures du matin. Au lieu de dormir, je l'ai observé, j'ai joué avec lui, on a fait des tours de poussette… Et je me suis dit *: Mais comment fait ma sœur ?* »

Le mariage de Solange ne dura pas, hélas ; elle n'avait que dix-neuf ans quand Daniel et elle divorcèrent. Elle revient sur cet échec sentimental dans une interview accordée au *Evening Standard* : « Nous étions des ados impulsifs et cinglés, mais je rêvais de stabilité, je crois. Quand mes parents ont appris que leur fille cadette voulait se marier à dix-sept ans et avoir un enfant tout de suite, ils se sont fait du souci pour elle et ils ont eu la trouille. Mais bon, comme je travaillais depuis mes treize ans, ils n'avaient plus leur mot à dire. »

Ce mois d'août allait s'avérer hautement symbolique pour une autre raison. Beyoncé et Jay-Z refusaient toujours de parler de leur histoire – « nous ne jouons pas avec nos sentiments » –, mais ils baissèrent leur garde pendant la remise des MTV Video Music Awards, au cours d'une soirée que l'on considère maintenant comme leur « coming out ». Vêtus de tenues blanc et or assorties, ils foulèrent le tapis rouge comme le vrai couple qu'ils étaient, en se prodiguant des marques d'affection totalement inattendues de leur part. Ils entrèrent dans la salle en se tenant par la taille, puis se chuchotèrent des mots doux et gloussèrent pendant toute la cérémonie, heureux de pouvoir enfin se comporter comme un couple normal sous l'œil des caméras. Sept ans plus tard, ils choisirent cette même cérémonie des MTV Video Music Awards pour révéler au monde que Beyoncé attendait leur premier enfant.

En septembre, comme d'habitude, Jay-Z se mit en quatre pour offrir à Beyoncé un anniversaire mémorable, dépensant au passage quelque 300 000 dollars. Lieu des festivités : l'hôtel Soho House, à New York ; dress-code : le blanc. Malheureusement, les choses ne se passèrent pas tout à fait comme prévu. Alors que Bey s'éclatait pour ses vingt-trois ans sur le toit-terrasse de l'hôtel, la police fit irruption et mit un terme à la soirée : quelques habitants du coin s'étaient plaints du boucan. Scandalisés par cette décision radicale, les invités – une centaine environ, donc Kelly, Michelle, Solange et le top model Naomi Campbell – se replièrent en discothèque où ils dansèrent jusqu'au petit matin. Pour Beyoncé, la nuit fut d'autant plus mémorable que c'était la première fois qu'elle passait son anniversaire en tant que petite amie officielle de Jay-Z. Tous ceux qui la connaissaient remarquèrent à quel point cela lui faisait plaisir.

CHAPITRE NEUF

En septembre 2004, Beyoncé et Tina annoncèrent le lancement de leur ligne de vêtements, House of Deréon. Le slogan qu'elles choisirent – *Couture. Kick. Soul* – reflétait trois générations de femmes de leur famille : Agnèz, la mère de Tina, incarnait l'âme (*soul*) de la marque, Tina l'esprit couture et Beyoncé l'énergie (*kick*). Quant au mot *Deréon*, il s'agit du nom de jeune fille d'Agnèz, la grand-mère. Pour Tina, c'était une évolution parfaitement logique : depuis ses débuts de styliste, quand elle fabriquait les tenues de Destiny's Child à partir de tissus bon marché, elle avait largement fait ses preuves. Elle se confia au *Houston Chronicle* : « Depuis toujours, je transforme les gens en améliorant leur apparence. Je les habille, je les coiffe, je les maquille… House of Deréon, c'est un rêve qui devient réalité. Nous allons faire tout ce qu'il faut pour. »

Ce nouveau projet excitait beaucoup Beyoncé, elle-même fashionista passionnée : « J'adore les vêtements des années 1970, c'est-à-dire ceux de Tina à mon âge ; mais j'aime aussi ceux que portait ma grand-mère dans les années 1940, et qui étaient si élégants. Nous allons associer certains éléments hérités de ma grand-mère – la dentelle perlée, les couleurs vives, les beaux tissus –, les fringues des années 1970 et les vêtements de ma génération. »

House of Deréon était aussi une réponse à ceux qui cherchaient à s'inspirer du style de Beyoncé : « Depuis quelques années, mes fans me demandent où ils peuvent trouver les vêtements que je porte. Il était donc tout naturel pour nous de créer cette ligne de vêtements. Et nous voulions le faire ensemble, moi et Tina, parce que cela va nous permettre de passer plus de temps ensemble et de mettre en commun nos idées dans le respect des goûts de l'autre. »

Agnèz, la grand-mère, avait été couturière en Louisiane, une couturière très appréciée pour ses coupes innovantes et les ornements qu'elle ajoutait aux tissus utilisés : broderies, appliqués, dentelle et perles. Tina avait très souvent copié ce style quand elle créait ses tenues pour Destiny's Child. La même démarche caractérisait House of Deréon.

Pour faire connaître la collection avant l'ouverture des boutiques, Beyoncé commença par en porter quelques pièces pendant une année environ. Elle en parlait comme d'un mélange de vintage et de création contemporaine : « Vous trouverez chez nous de la fourrure avec du jean, du classique avec de l'urbain, etc. » La première collection comportait des jeans, des T-shirts, des robes habillées, des pulls, des vestes près du corps. « J'ai des goûts plutôt éclectiques, a reconnu la chanteuse. C'est normal, quand on va partout dans le monde… D'ailleurs, je remercie le ciel de m'accorder ce privilège. »

Lorsqu'on lui demanda en quoi sa marque était unique, Tina répondit : « La coupe. C'est la coupe. Beyoncé est tout en courbes et nos vêtements en jean créent ou accentuent les jolies rondeurs. »

Constatant que la marque disparaissait des étagères à la vitesse de l'éclair, Beyoncé et Solange s'associèrent pour lancer Deréon, une collection junior moins chère. Les ventes n'étant pas au rendez-vous, les sœurs ont discrètement abandonné le projet en 2012. Beyoncé, qui réussit presque tout ce qu'elle entreprend, a vécu avec Deréon un échec qui lui reste probablement en travers de la gorge. Et comme elle exerce un contrôle croissant sur tous les aspects de sa vie, les incidents de parcours finissent généralement sous le tapis de la famille Knowles. Ce fut le cas pour Déréon : en se taisant, Bey n'a eu pas à s'expliquer, ni à subir les questions désobligeantes de la presse. C'est elle qui décide quand elle parle et de quoi elle parle.

Elle compléta son incursion initiale dans le monde de la mode par la sortie d'un parfum, *True Star*, créé à son image par Tommy Hilfiger. Moyennant 250 000 dollars, elle accepta, en plus de sa collaboration avec Tommy, de figurer dans un voluptueux spot de lancement. On l'y voit fredonnant *Wishing On a Star*, alanguie sur un divan. « Le job le plus facile de ma vie, a-t-elle avoué au *New York Post*. J'ai passé ma journée allongée sur un canapé. » En même temps que le spot, la chanson trouva le chemin des bacs sous forme d'EP collector. Mais Beyoncé lançant un parfum, c'était tout de même un paradoxe : on la sait allergique aux substances chimiques utilisées en parfumerie. Comme pour les autres parfums qu'elle sortirait ultérieurement, elle fit appel à des experts qui veillèrent à retirer de *True Star* toutes les substances en question. La plupart des célébrités ne portent pas les parfums dont elles vantent les mérites, et n'acceptent ce genre de projet qu'à contrecœur, pour regonfler leurs comptes en banque. Beyoncé ne mange pas de ce pain-là ; si les marques se battent pour utiliser son image, c'est parce qu'elles savent qu'elle va s'impliquer à fond, sincèrement, rendant le produit encore plus désirable. La création de ce parfum la passionnait vraiment et elle n'avait pas l'intention de laisser quiconque la prendre en défaut. « Je suis ravie, déclara-t-elle à *People*. Ce projet me captive, et me flatte énormément. On me consacre un parfum. Vous en connaissez beaucoup, des femmes qui ont cette chance ? Et des femmes noires, en plus ? Ce parfum est tellement chic, tellement intemporel, tellement beau… »

À la fin de l'année 2004, elle se tourna à nouveau vers la musique : le quatrième et dernier album de Destiny's Child était prêt. Cette sortie suscitait quelques inquiétudes chez les commentateurs, mais les séances d'enregistrement s'étaient si bien passées que Rodney Jerkins – le producteur un peu réticent au début du projet – voulut rassurer les sceptiques : « Quand je suis arrivé, j'ai vu trois filles heureuses de se retrouver ensemble en studio. Elles s'aiment comme des sœurs, et c'est ce qui fait la force de ce groupe. Elles ont tissé des liens indestructibles. » Mathew évoqua lui aussi la facilité avec laquelle elles avaient retrouvé leurs marques : « Kelly a vécu avec nous jusqu'à ses vingt et un ans. Avec Beyoncé, elles s'adorent. Et Michelle est un don du ciel. Elles s'aiment du fond du cœur. Ce groupe est unique, je vous dis. Quand Michelle, Beyoncé et Kelly sont ensemble, c'est magique. Et très beau, aussi. »

Beyoncé ne tarissait pas d'éloges quand on lui demandait de parler de ses consœurs. « Nous sommes amies, nous nous apprécions énormément, et nous chantons bien ensemble. Nous avons grandi toutes ensemble ; c'est un exemple dont pourraient s'inspirer d'autres groupes, les groupes de filles, surtout… Mais c'est très bien aussi, les projets solo. C'est très bien de grandir et de vivre sa vie. Les choses ne sont pas toujours comme les médias les décrivent. Les femmes peuvent travailler ensemble, elles peuvent faire des affaires ensemble, elles peuvent mettre leur intelligence en commun. Elles ne se jettent pas sans arrêt des vacheries à la figure. »

De quoi parlait *Destiny Fulfilled* ? De quelques femmes recherchant une forme d'engagement chez les hommes qu'elles fréquentaient – thème illustré dans la vraie vie par les fiançailles de Kelly et de Roy Williams, un footballeur des Dallas Cowboys. La dernière piste de l'album, très simplement nommée *Love*, était d'ailleurs la préférée de Kelly : « C'est si beau, l'amour… »

Pour éviter que l'on accuse Beyoncé de vouloir monopoliser le projet, les filles s'étaient réparti les chansons. Le *Guardian* discerna donc en *Destiny Fulfilled* un album démocratique. Pour *Vibe*, sa production léchée et ses superbes mélodies contribuaient à la « divine satisfaction » que procurait son écoute, comme si les filles chantaient pour Dieu. Cet accueil les enchanta, mais elles n'avaient pas cherché à faire de *Destiny Fulfilled* une machine de guerre partant à l'assaut des charts. Elles le considéraient plutôt comme un cadeau d'adieu entre elles et pour les fans. « Nous avons créé cet album pour nous, pas pour qu'il se vende à un million d'exemplaires dès sa sortie... Les chiffres de vente n'ont aucune importance. Ce qui compte, ce sont les retrouvailles de trois amies qui brûlaient d'envie d'enregistrer un autre disque ensemble. C'était notre destin. »

L'album se comporta bien dans les charts. Il se retrouva directement à la deuxième place du Billboard 200, et se vendit au total à 8 millions d'exemplaires dans le monde. Le single *Lose My Breath* devint un tube planétaire, numéro un dans la plupart des pays d'Europe, numéro deux en Grande-Bretagne et numéro trois aux États-Unis. Trois autres singles se succédèrent ensuite – *Soldier*, *Girl* and *Cater 2 U*. Mais la sortie du troisième fut annulée en Grande-Bretagne, car aucune radio ne souhaitait le diffuser. C'était le quatrième single tiré de l'album, sans doute celui de trop pour le marché britannique. En revanche, *Cater 2 U* trouva son public aux États-Unis, le cœur de cible de Destiny's Child : il atteignit la quatorzième place du Billboard et obtint deux nominations aux Grammy Awards. Une réussite entachée par les allégations du chanteur Rickey Allen, qui prétendit être l'auteur de *Cater 2 U*. Le contentieux se régla à huis clos.

Les fans ne le savaient pas encore, mais *Cater 2 U* était l'ultime cadeau que les trois filles leur adressaient avant la dissolution du groupe. L'enregistrement de l'album n'avait pas encore commencé qu'elles avaient déjà décidé de passer à autre chose. « Si nous avons baptisé cet album *Destiny Fulfilled* – "destin accompli" –, c'était pour une bonne raison », avoua Beyoncé quelque temps plus tard. « Nous savions déjà que serait le dernier, et nous l'avions accepté, ajouta Kelly. On ne pouvait pas continuer comme ça parce qu'on commence à se faire vieilles, mais on voulait terminer en beauté. On va offrir un grand album à nos fans et une tournée fabuleuse pour marquer le coup. Et surtout, on sera toujours là les unes pour les autres.

On a même dit pour rigoler qu'on essaierait d'avoir nos bébés le même jour. »

En février 2005, pendant la soixante-dix-septième cérémonie des Oscars, Beyoncé eut l'immense honneur d'interpréter trois chansons extraites de films nominés cette année-là : *Believe* (du dessin animé *Le Pôle express*), *Vois sur ton chemin* (extrait des *Choristes* qu'elle interpréta en français !) et *Learn to Be Lonely* (tiré du remake de 2004 du *Fantôme de l'Opéra*). Cette nuit revêtait donc une importance capitale à ses yeux. Sur le tapis rouge, à l'entrée du Kodak Theatre d'Hollywood, elle déclara : « J'ai vraiment beaucoup de chance… mais j'ai du mal à réaliser que je suis ici. C'est surréaliste, ce qui m'arrive. Je sais que c'est une première, que personne n'a jamais interprété trois chansons au cours d'une même soirée des Oscars. Et c'est à moi qu'on l'a proposé ! Je ne mérite pas un tel honneur. Je suis terrifiée, et je le resterai tant que je ne m'avancerai pas sur la scène. Mais c'est grâce à ce trac que le spectacle sera bon. » Elle avait raison d'être terrifiée, comme elle le découvrit un peu plus tard : en plein milieu de *Learn to Be Lonely*, elle faillit perdre l'un de ses escarpins pendant qu'elle descendait un immense escalier. « Non seulement ma chaussure ne tenait plus à mon pied, mais je n'avais pas mon oreillette, raconte-t-elle en grimaçant. Donc, la chanson commence, et je me dis : *Oh mon Dieu, ma chaussure ! Et mon oreillette, elle est où ? Je vais me casser la figure dans l'escalier !* » Elle était en retard de deux secondes et ne savait plus si elle chantait en mesure. Quand elle arriva au pied de l'escalier, ce fut le désastre : « L'escarpin fautif s'est pris dans le tulle de mon ourlet. Je chantais dressée sur la pointe de mon nu, en essayant de conserver mon équilibre… C'était l'horreur ! »

Les millions de téléspectateurs qui la virent chanter ce soir-là ne remarquèrent absolument rien, ce qui en dit long sur la classe de cette artiste hors du commun. Une artiste de plus en plus demandée : au printemps de cette année-là, Destiny's Child accepta de se produire dans le sud de la France à l'occasion d'une bar-mitsva, une fête de trois jours organisée par le milliardaire britannique Philip Green en l'honneur de son fils. Deux cents invités débarquèrent en jet privé pour participer aux agapes. Mais quand Beyoncé apprit que le groupe avait soi-disant reçu 7,4 millions en échange de sa prestation, elle ne put s'empêcher de ricaner : « 7 millions de dollars pour ça ? C'est ridicule ! » Et elle ajouta qu'elle trouvait inconvenant de parler d'argent.

Avril marqua le début d'un événement majeur dans l'histoire de Destiny's Child : leur ultime tournée. Intitulée *Destiny Fulfilled... And Lovin' It*, elle commença avec une date à Hiroshima, au Japon. Puis le groupe fit escale dans plus de soixante-dix villes, en Australie, en Asie, en Europe et en Amérique du Nord. Ce fut l'une des tournées les plus lucratives de tous les temps pour un groupe féminin, avec une logistique colossale impliquant une petite armée de danseurs, de cuistots, d'éclairagistes, de machinistes, etc., tous entassés dans treize bus. La tournée était sponsorisée par McDonald's, un choix que les contempteurs du groupe critiquèrent vertement : Quoi ? Les filles de Destiny's Child soutenaient ce géant de la *junk food* ? Scandale ! « Ce qui est génial, avec McDonald's, c'est que leur menu est très varié. Leurs salades sont délicieuses », répliqua Beyoncé sans se démonter.

Chaque soir, le public avait droit à un medley des plus grands succès du groupe, ponctué de morceaux que ses membres avaient sortis en solo, en particulier ceux de Beyoncé. Agitant leurs postérieurs sur une scène qui pouvait pivoter à 360 degrés – à l'époque, c'était une nouveauté dans l'industrie musicale –, les filles s'exhibaient dans des tenues toutes plus scintillantes les unes que les autres. Elles vivaient cette tournée comme un nouveau départ, un immense défilé de mode à la gloire de House of Deréon et de ses vêtements de luxe. Et d'autres stylistes renommés leur proposaient maintenant leurs créations les plus sexy. Le look bricolé maison, c'était bel et bien terminé. « Quand elles ont débuté, personne n'aurait songé à leur proposer des vêtements ou un budget dressing », rappelle Phillip Bloch, célèbre gourou de la mode chargé du look de Beyoncé dans les pubs Pepsi. Désormais, des gens comme Elie Saab ou Roberto Cavalli se mettaient entièrement à leur disposition.

Tina restait bien entendu la styliste attitrée des filles. Écoutons Michelle, qui la couvre de louanges : « Miss Tina a su gagner notre confiance. Je me sens toujours bien dans les vêtements qu'elle me propose. » Mais comme le fait remarquer Beyoncé : « Nous avons perdu l'habitude de porter des tenues assorties. Chacune de nous veut des vêtements qui reflètent sa personnalité, mais l'ensemble doit conserver une certaine harmonie. » Tina avait inclus dans ce nouveau look audacieux toute une série de costumes inspirés de *Dreamgirls*, une comédie musicale de Broadway dont l'adaptation était en cours de tournage à Hollywood et dont Beyoncé avait accepté l'un des rôles principaux. Son rôle le plus important depuis ses débuts dans le cinéma : celui d'un personnage évoquant Diana Ross, la célèbre chanteuse des Supremes.

Tout au début de la tournée, l'une des tenues de Beyoncé donna des sueurs froides à tout le staff. Tina, qui se remettait d'une opération au genou, avait pris l'avion pour les rejoindre. En arrivant, elle découvrit avec horreur que l'une des robes de sa fille était très abîmée. Après avoir exploré Tokyo en voiture pour dénicher un tissu qui puisse convenir, elle passa deux jours et deux nuits à confectionner une nouvelle robe. Elle n'obtint pas le résultat qu'elle espérait : « Dès que Beyoncé l'a essayé, j'ai détesté ce machin ! » Le spectacle allait commencer, et elle éclata en sanglots. « Je ne craque jamais, d'habitude, mais là, j'étais épuisée, bouleversée... Beyoncé m'a regardée et m'a dit : "Maman, tu es triste, je le sais, mais tu dois te reprendre. Nous avons un spectacle à assurer." Elle est toujours comme ça, Bey. Si calme... »

Tina raconte une autre anecdote : à Dubai, Beyoncé eut la mauvaise idée de jeter une serviette imbibée de sueur dans le public, provoquant un véritable pugilat : toutes les filles la voulaient. « Écoutez-moi ! leur lança-t-elle, impassible. Nous sommes venus ici pour passer un bon moment avec vous et les gens qui se battent, nous n'aimons pas ça ! »

Pendant cette tournée, Tina fit partie des meubles, pour ainsi dire. En revanche, Mathew resta invisible. D'après le *National Enquirer*, il s'était brouillé avec sa fille, qui s'apprêtait à le virer. C'était LE sujet du moment dans le monde du showbiz. Quand *Essence* l'interrogea sur cette rumeur, Beyoncé répondit : « Mon père est toujours notre manager. Mais nous sommes des grandes filles, maintenant. La dernière fois qu'il est parti en tournée avec nous, nous n'avions que dix-sept ans. » Un peu plus tard, le père et la fille rompirent toute relation. On peut donc supposer que lorsque Beyoncé avait fait cette déclaration, leurs rapports étaient déjà tendus à l'extrême.

Barcelone, le 11 juin, dernière date européenne de *Destiny Fulfilled*... On est en plein milieu de la tournée, et l'atmosphère est étouffante. La nouvelle fait l'effet d'une bombe.

Après avoir hésité pendant des jours, les filles prennent leur courage à deux mains et annoncent au public de Barcelone qu'en septembre, Destiny's Child va mettre un terme à sa carrière. Juste après le dernier concert de la tournée, à Vancouver. Kelly s'adresse à la foule : « C'est la dernière fois que vous nous voyez sur scène au sein de Destiny's Child. Nous avions à peine neuf ans quand nous avons commencé à travailler ensemble, et nous enchaînons les concerts depuis nos quatorze ans.

« Après d'interminables discussions, après avoir longuement sondé nos âmes, nous avons décidé de profiter de cette dernière tournée pour quitter Destiny's Child en beauté, unies par l'amitié, débordant de reconnaissance les unes envers les autres et d'une gratitude sans borne pour notre musique et nos fans. Après toutes ces merveilleuses années à travailler ensemble, nous avons compris qu'il était temps pour nous de mener sans interférence nos carrières solo et nos objectifs personnels. »

Devant les seize mille spectateurs incrédules, elle ajoute : « Quoi qu'il arrive, nous nous aimerons toujours comme des sœurs, comme les grandes amies que nous sommes, et nous nous soutiendrons comme artistes. Nous voulons remercier tous nos fans pour leur incroyable amour et leur indéfectible soutien, et chacune de nous espère vous revoir sur le chemin qu'elle devra emprunter pour accomplir notre destin. »

Bizarrement, la branche britannique de leur maison de disques démentit aussitôt leur annonce dans un communiqué de presse : « Elles ne se séparent pas, mais ne sortiront leur prochain album que dans quelques années, probablement. » Les fans qui crurent à ce gros bobard déchantèrent très vite : quelques semaines plus tard, les filles répétèrent qu'il n'était pas question pour elles de revenir sur leur décision. Au grand étonnement de Beyoncé, la nouvelle de leur séparation fit les gros titres et passa en boucle à la télé. « Interrompre les programmes pour ça, c'est dingue… Après notre annonce, j'ai pris quelques jours de vacances, et quand je suis revenue, Kelly et Michelle m'ont dit que ça passait même sur CNN ! »

Il leur restait encore trente dates à assurer, et elles savaient que la dernière serait difficile. « Nous allons avoir besoin d'une montagne de Kleenex, déclara Kelly. Ça va être très dur. » À l'évidence, la décision de mettre un terme à Destiny's Child après quatorze ans de carrière n'avait pas été prise à la légère, et toutes trois caressaient l'idée d'une possible reformation dans un avenir indéterminé. « Qui sait si un jour nous n'aurons pas envie de retenter quelque chose… hasarda Kelly. On ne sait jamais, je peux me réveiller un matin, appeler les filles et leur dire : "Hé ! Ça vous dirait un nouvel album de Destiny's Child ?" Nous ne savons pas ce que l'avenir nous réserve. »

Beyoncé cloua le bec à tous ceux qui prétendaient qu'une brouille majeure était à l'origine de leur décision : « Aucune de nous n'a cherché à torpiller le groupe pour se consacrer à sa carrière solo ; nous nous entendons toujours très bien, nous nous aimons toujours et nous ne nous crêpons jamais le chignon. Nous arrivons à la fin d'un chapitre de notre vie, voilà tout. Le groupe Destiny's Child existe depuis quatorze ans, et il a accompli son destin. » Elle s'adressa aussi à la presse : « Nous n'aimons pas le terme de *séparation*. Dites plutôt que nous refermons un chapitre de notre vie. »

Les filles venaient de passer plusieurs mois ensemble sur la route, et elles appréhendaient un peu la vie qui les attendait après Destiny's Child. « Le plus dur, ça va être de travailler seule à nouveau, prédit Beyoncé dans le magazine *Faze*. En tournée, à l'hôtel, quand je me sentirai seule, épuisée ou triste, je ne pourrai pas aller frapper à la porte d'à côté, je ne pourrai pas dire : "Qu'est-ce que tu fais ? Qu'est-ce que tu regardes ? Je peux venir ?" »

Pendant leurs tout derniers concerts, le groupe rendit hommage aux mille huit cent trente-trois victimes de l'ouragan Katrina, qui avait détruit La Nouvelle-Orléans à la fin du mois d'août. Michelle leur dédia un gospel plein de force, et Kelly et Beyoncé, très affectées par cette tragédie, créèrent un organisme de charité, épaulées par Mathew, Tina et Solange : la fondation Survivor, chargée de fournir un hébergement temporaire aux victimes de La Nouvelle-Orléans et aux évacués de la tempête au Texas. Beyoncé fit un don de 250 000 dollars à la cause et Jay-Z versa un million de dollars à la Croix-Rouge. Une nouvelle facette de leur personnalité se profilait peu à peu : leur philanthropie, qui deviendrait de plus en plus manifeste au fil des ans.

Le dernier concert de Destiny's Child eut lieu le 10 septembre au General Motors Place de Vancouver. Les larmes coulèrent à flots dans le stade dès les premiers chœurs de cet événement si chargé émotionnellement. Sur scène, Kelly fut la première à craquer, pendant son solo sur *Bad Habit*. « Tous ces fans alignés au premier rang… c'était très émouvant », reconnut-elle après coup. Normalement imperturbable sur scène, Beyoncé s'effondra pendant *Dangerously in Love 2*. Modifiant les paroles du morceau pour cette occasion, elle chanta « Kelly, je t'aime » et « Michelle, je t'aime ». À la fin de la chanson, sa voix se brisa et elle se cacha les yeux. Et puis, tout à la fin, les danseurs de la troupe offrirent d'énormes bouquets au trio et tout le monde s'étreignit longuement.

Au moment de saluer le public, Kelly bredouilla, en larmes : « Je vous aime… vous êtes mes anges… je vous aime tant… » Reprenant ses esprits, Beyoncé s'adressa à son tour à la foule : « Nous ne voulons pas sombrer dans le sentimentalisme, mais… vous êtes tellement… Nous avons fondé Destiny's Child quand nous avions neuf ans. Personne ne nous a forcées à le faire. Ce groupe, c'est le fruit de l'amour. »

Quelques semaines après la séparation, le groupe sortit en geste d'adieu un best of de ses plus grands succès. Intitulé *#1's*, il comprenait les chansons les plus connues de Destiny's Child, ainsi que trois inédits, dont *Stand Up for Love*, qui sortit également en single. La chanson n'entra même pas dans le classement des cent meilleures ventes de singles aux États-Unis et ne connut aucun succès en Grande-Bretagne. Comme si les fans du groupe étaient déjà passés à autre chose, leur faim de nouveauté émoussée par le dépit. La compilation proprement dite se comporta beaucoup mieux : elle entra directement à la première place du classement des albums et décrocha la sixième place en Grande-Bretagne. Il s'en vendit 3,5 millions d'exemplaires en tout dans le monde. Ensuite, les filles se réunirent brièvement sous une pluie battante pour inaugurer leur étoile sur le Walk of Fame d'Hollywood, aboutissement bien mérité de leur incroyable règne.

L'album *#1's* marquait la fin d'un règne, mais préparait judicieusement le terrain au tournant radical qu'allait prendre la carrière de Beyoncé. Un autre des inédits de l'album, *Check On It*, fut choisi pour la BO du remake de *La Panthère rose*, qui arriva sur les écrans en février 2006 après des mois de report. *La Panthère rose* fit un tabac dans les salles, mais reçut un très mauvais accueil de la critique et se retrouva nominé deux fois aux Golden Raspberry Awards, en particulier dans la catégorie Pire remake de l'année. Pour *The Observer*, le film était « moche et pas drôle », tandis que le *Daily Telegraph* le trouvait « éteint et sans joie ». Des critiques si dures qu'elles auraient pu dégoûter à vie Beyoncé du cinéma. Mais elle se contenta de faire part de son étonnement à la presse et répéta qu'elle avait adoré donner la réplique à Steve Martin et Kevin Kline : « Je n'avais pas l'impression de travailler. J'ai rigolé pendant tout le tournage et je suis heureuse d'avoir accepté ce rôle. »

Elle était en plein tournage de *Dreamgirls*, pour un rôle bien plus consistant et bien meilleur que tous ceux qu'elle avait interprétés jusqu'alors. « J'en ai rêvé, de ce rôle, déclara-t-elle à MTV. J'ai du mal à trouver mes mots, je suis tellement excitée… J'incarne enfin un personnage complexe, drôle et dramatique à la fois, je l'incarne dans sa jeunesse et plus âgée aussi… Vous ferez le voyage avec cette femme, vous la verrez grandir, et c'est vraiment émouvant. C'est parfait. C'est un vrai rôle. Je peux enfin jouer la comédie, chose que je n'avais pas faite jusqu'alors… enfin pas vraiment, il me semble. »

À l'origine, *Dreamgirls* est une comédie musicale de Broadway. Beyoncé avait quinze ans lorsqu'elle en entendit parler pour la première fois. Depuis, grâce à son chorégraphe et à ses danseurs – « obsédés par cette fille », d'après elle –, elle avait intégré toutes les subtilités du personnage de Deena Jones. Quand on lui suggéra de se rendre à l'audition pour ce rôle, elle s'exclama : « Oh mon Dieu ! Je dois absolument faire ce film ! » Elle arriva à l'audition déguisée en Deena Jones, avec dans sa besace toute une série de pas de danse appris pour l'occasion. Whitney Houston se présenta à la même audition, mais Beyoncé conquit les producteurs et décrocha le rôle. Le tournage se déroula à Los Angeles, New York, Détroit et Miami. Bey n'eut aucun mal à entrer dans la peau de son personnage, comme elle l'explique à ABC News : « Pendant le tournage, j'ai voué un véritable culte à Diana Ross. J'ai collé sa photo sur le frigo de ma caravane, partout sur les murs, dans la loge, la caravane du maquillage… il n'y avait pas un mur sans photo de Diana Ross. » Pour s'imprégner de sa personnalité, elle alla jusqu'à visionner quinze fois un film avec Diana Ross dans le rôle principal, obtenant au final le résultat qu'elle espérait : « Quand je regarde *Dreamgirls*, ce n'est pas moi que je vois. »

L'autre grand rôle féminin du film, celui d'Effie White, fut confié à Jennifer Hudson, une ancienne concurrente de l'émission *American Idol*. Les deux femmes donnent la réplique à Eddie Murphy et Jamie Foxx, celui-ci ayant d'abord décliné plusieurs fois le rôle qu'on lui proposait jusqu'à ce qu'il découvre la présence d'Eddie Murphy et de Beyoncé au casting. Doté d'un budget de 80 millions de dollars, c'est le film le plus cher de l'histoire du cinéma ne comprenant que des acteurs afro-américains.

Deena, la chanteuse qu'interprète Beyoncé, est une jeune femme timide qui devient une immense star dès qu'elle remplace à la tête des Dreamettes le personnage interprété par Jennifer Hudson, Effie White. Car Effie est un peu trop grosse au goût des producteurs, qui l'écartent sans états d'âme. L'intrigue tournant autour de cette question de surpoids, Jennifer dut prendre 9 kilos pour le rôle, et Beyoncé se lança dans un régime draconien à base d'eau, de poivre de Cayenne et de sirop d'érable, pour maigrir le plus vite possible. « J'en ai bavé, raconta-t-elle aux journalistes. J'avais toutes les vitamines indispensables pour tenir le coup, mais je me sentais horriblement faible. » Quand elle put enfin rompre le jeûne, elle commit quelques abus malencontreux : « Pendant la fête de fin de tournage, je me suis empiffrée de petits fours à m'en rendre malade. Ensuite, j'ai avalé tous les trucs frits qui me tombaient sous la dent. Un des meilleurs moments de ma vie… »

Une intense rivalité opposant les deux héroïnes du film, quelques imbéciles en conclurent que Beyoncé et Jennifer ne s'entendaient pas non plus quand les caméras s'éteignaient, et que la première était forcément très jalouse du rôle plus intéressant de la seconde. « C'est vraiment regrettable, ces gens qui racontent que je suis jalouse de Jennifer, déclara Beyoncé pendant la promotion du film. Ça m'attriste profondément.

C'est d'un mesquin… Pour eux, je ne supporte pas qu'on me fasse de l'ombre, je ne suis pas assez modeste pour ça. Eh bien ils se trompent. Je savais dès le départ que mon personnage ne serait pas la star du film. Deena n'a pas à se battre. La tragédie, la souffrance à l'écran, c'est Jennifer qui les incarne. Je le savais et je n'ai aucun problème avec ça. »

Meurtrie par les comparaisons incessantes entre leurs deux interprétations, elle se défend : « Je suis connue dans le monde entier. Je n'ai pas accepté ce film pour devenir plus célèbre encore. Je n'ai pas envie d'être plus célèbre… En fait, cette idée me fait peur. J'ai déjà neuf Grammy Awards à mon actif, ce qui veut dire que je n'ai plus rien à prouver comme chanteuse. Je n'ai pas non plus accepté ce rôle pour l'argent : j'ai gagné quatre fois moins d'argent avec ce film que ce que j'empoche d'habitude. Si j'ai voulu le faire, c'est pour prouver aux gens que je suis bonne actrice et que je peux jouer des rôles de composition. »

Assez méchamment, le *New York Post* avait insinué qu'à côté de Jennifer dans le rôle d'Effie, Beyoncé faisait figure de « jolie figurante ». Invitée dans l'émission *Watch What Happens Live*, Jennifer décida de faire taire les ragots une bonne fois pour toutes : « Il n'y a jamais eu la moindre anicroche entre nous. C'est mon amie pour la vie. Je l'adore, et on s'est toujours bien entendues. Toujours. »

Dans le rôle de Deena, Beyoncé échange un baiser passionné avec le sex-symbol Jamie Foxx, qui trouva le moyen d'en rire : Jay-Z allait sûrement lui taper dessus, déclara-t-il. Après son premier baiser de cinéma plutôt maladroit dans *The Fighting Temptations*, Beyoncé avait pris beaucoup d'assurance dans les scènes torrides. « Je n'ai ressenti aucune gêne, si c'est ce que vous voulez savoir, raconte-t-elle. J'ai trouvé ça un peu bizarre, mais comme ça faisait partie du rôle… Je devais le faire, pas le choix. J'ai joué cette scène comme n'importe quelle autre et ensuite, nous sommes passés à la suivante. »

Mais Deena est victime des violences psychologiques que lui fait subir Curtis, et Beyoncé trouva le tournage de certaines scènes émotionnellement épuisant. Pendant la campagne de promo du film, elle déclara avec franchise avoir vécu « beaucoup de journées très noires ». « Ce fut une sorte de thérapie. Pour arriver à sortir toutes ces choses, pour qu'elles semblent vraies à l'écran, j'ai dû ramener à la surface mes souvenirs les plus pénibles. J'étais extrêmement émotive. Tous les soirs, je pleurais en arrivant chez moi, et ça durait un bon moment. Et tous les matins, je me levais avec les yeux gonflés. » Épuisante émotionnellement, cette expérience lui coûta aussi beaucoup de son temps. « J'ai consacré six mois pleins à ce film. Je n'ai jamais passé six mois d'affilée sur l'enregistrement d'un disque, ou six mois en tournée, ou sur un autre tournage, ou sur quoi que ce soit, d'ailleurs. D'habitude, je fais des tas de choses en parallèle. Ce tournage a représenté un gros sacrifice. Financièrement, j'ai touché à peine le quart de ce que j'ai eu sur le film précédent… Mais j'aurais interprété ce personnage même pour rien. »

CHAPITRE DIX

Quelques jours à peine après avoir bouclé ses scènes dans *Dreamgirls*, Beyoncé commença à travailler sur son deuxième album solo, *B'Day*. Elle fonça en studio à New York et enregistra dix nouveaux morceaux d'une traite, en seulement trois semaines. Elle voulait terminer cet album « avant que Deena ne s'éloigne ». Le film l'avait profondément marquée, et la question de l'autonomie des femmes affleurait dans cette nouvelle œuvre. « J'ai fait cet album pour me retrouver, déclara-t-elle à ABC News. Pour me débarrasser des émotions de Deena. » Au cours d'un entretien intitulé *Encore for the Fans* et inclus en bonus sur *B'Day*, elle fait directement référence à la situation de son personnage : « Deena m'a beaucoup inspirée. Dans mes nouvelles chansons, je dis tout ce que j'aurais voulu qu'elle dise dans le film. »

Alimentant la polémique, elle n'avait pas prévenu Mathew qu'elle travaillait sur son deuxième album. Elle semblait maintenant prête à admettre qu'elle avait des problèmes avec son père. « Il nous a fallu un moment pour trouver un terrain d'entente, glissa-t-elle prudemment au magazine *Giant*. À dix-huit ans, quand j'ai commencé à prendre mes affaires en main, ça l'a beaucoup secoué. Et il y a eu des frictions entre nous. Quand je refusais une proposition, il me l'imposait quand même. » Parfois, il leur arrivait même de se bagarrer, reconnut-elle. Son père avait mis presque deux ans à comprendre qu'elle était adulte – elle avait alors vingt ans. Quand elle ne voulait pas céder, il ne pouvait plus l'y obliger. « Ce n'est pas évident, de travailler avec son père, s'épanche-t-elle dans une autre interview. On se prend la tête constamment, on se dispute… »

Quand *Blender* lui demanda la raison pour laquelle elle n'avait pas souhaité impliquer Mathiew dans son nouveau projet, elle répondit : « Mathieu n'est pas le seul que je n'ai pas mis au courant. Je n'ai prévenu personne, en fait. Mon père et Columbia Records m'auraient imposé une deadline, et je ne voulais pas de deadline. »

Son succès comme actrice semble avoir pesé dans la dégradation de leurs relations. Mathew admettait volontiers que cet aspect de la carrière de sa fille l'inquiétait. « J'ai encore du mal à la regarder au cinéma, avoua-t-il sur une station de radio américaine. Je ne sais pas pourquoi… Je suis tellement habitué à la considérer comme une pure chanteuse que quand je la vois sur le grand écran, je… Pour moi, c'est un autre monde. Moi, ce qui m'intéresse, c'est la musique. »

Mathew et la maison de disques furent donc tenus à l'écart du processus de fabrication de *B'Day* ; mais Beyoncé avait mis quelques personnes dans le secret, contrairement à ce qu'elle affirme : comme pour *Dangerously in Love*, l'album précédent, elle recruta ses musiciens préférés et sa cousine Angie à l'écriture et à la production. Et bien sûr, Jay-Z apporta sa touche sur plusieurs morceaux. « Quand on a le numéro de Jay-Z, je ne vois pas l'intérêt d'appeler quelqu'un d'autre, fit remarquer Beyoncé à *Blender*. Jay-Z, c'est le meilleur. Grâce à lui, je n'écoute plus les rythmes de la même façon. Avant, je voulais des rythmes pop, mais c'est terminé. Mes goûts se sont affinés, depuis Jay. »

En septembre, le jour des vingt-cinq ans de Beyoncé, *B'Day* entra directement à la première place du classement des albums. Il se vendit à un demi-million d'exemplaires en sept jours, éclipsant les 317 000 exemplaires de *Dangerously in Love* écoulés sur la même durée ; mais c'était encore bien en deçà des 663 000 ventes du *Survivor* de Destiny's Child, ou du million d'exemplaires de son album de 2013 écoulés en cinq jours à peine. *B'Day* n'en restait pas moins un énorme succès

Beyoncé fêta son anniversaire au 40/40, le club de Jay-Z. Une soirée mémorable, encore une fois : le cadeau du rappeur à sa belle, une Rolls-Royce décapotable de 1959 – au prix avoisinant le million de dollars, s'il fallait en croire la rumeur – la laissa sans voix. Et Tina avait préparé dans les cuisines du club son célèbre gumbo aux fruits de mer, qu'elle servit à tous leurs proches, famille et amis.

B'Day rencontra également son public à l'étranger : grimpant jusqu'à la troisième place des charts britanniques, il figura dans le Top dix partout ailleurs en Europe. Sur *Déjà vu*, le premier single, Jay-Z déclame quelques vers de rap, comme souvent. Sortie avant l'album, cette chanson se retrouva numéro un en Grand-Bretagne. C'était le deuxième single solo de Beyoncé à connaître ce sort. La chanteuse faillit se rendre en Grande-Bretagne pour la promo de ce morceau, mais la Columbia annula son voyage : les services secrets venaient de découvrir l'existence d'un nouveau complot terroriste visant les vols long-courriers nord-américains. Aux États-Unis, *Déjà vu* atteignit la quatrième place du classement des singles.

Dans l'intro de *Ring the Alarm*, deuxième single sorti aux États-Unis, on entend hurler une sirène. L'ambiance du morceau est lourde, agressive, et Beyoncé hurle : *I'll be damned if I see another chick on your arm !* (« Je ne tolérerai pas de voir une autre fille à ton bras ! ») Cette chanson explore le thème de la jalousie poussée à l'extrême, et beaucoup y discernèrent une facette encore inconnue de la personnalité de Beyoncé. Jusqu'alors, elle n'avait jamais laissé ses sentiments prendre le pas sur sa raison ; mais ce morceau si âpre n'était-il pas un message codé à l'intention de Rihanna, la protégée de Jay Z ? Sur internet, le bruit s'était répandu que Rihanna et Jay-Z sortaient ensemble en secret. Pour les amateurs de potins, cette chanson était un avertissement du genre « Bas les pattes ! » adressé à la star de la Barbade. Autre extrait du texte : *She's sold half a million – Gold/She don't love [you] – that shit I know !* (« Elle a vendu un demi-million de disques – L'or/Elle ne t'aime pas – Ça, je le sais, putain ! ») Simple coïncidence ? Les albums de Rihanna avaient tous deux été disques d'or. Quand le magazine *Seventeen* demanda à Beyoncé ce qu'elle pensait des ragots qui circulaient sur Jay-Z et Rihanna, elle répondit, méprisante : « Quand une rumeur n'est pas fondée, pourquoi s'en préoccuper ? Je n'ai pas peur, parce que tout ça, c'est faux. » Et pour défendre sa jeune rivale, elle ajouta : « C'est dingue ! Les gens veulent tout savoir de Rihanna parce qu'elle est belle et de plus en plus connue. Ils sont prêts à tout pour savoir avec qui elle sort. »

Sens caché ou pas, *Ring the Alarm* est un véritable morceau de bravoure. Citons *Rolling Stone* : « *Ring the Alarm* est une chanson intense, démente, tellurique, qui exprime à la perfection l'amour fou que cette fille éprouve pour son homme. » Pour le site web canadien *Jam !*, ce single évoque « l'explosion de rage d'un monstre aux yeux verts ».

La vidéo de ce morceau reprend quelques-unes des scènes sulfureuses interprétées par Sharon Stone dans *Basic Instinct* : comme elle, Beyoncé porte un corsage blanc sans manches ; et comme dans le passage où l'actrice joue sans sous-vêtements, Beyoncé croise et décroise les jambes. Mais pour protéger sa pudeur, elle porte sous sa jupe un cuissard cycliste couleur chair. Entre deux prises de cette vidéo efficace, Beyoncé reconnut la difficulté à ses yeux de ce tournage interminable : jouer le rôle d'une désaxée l'épuisait mentalement.

L'image ornant le boîtier du single fit autant jaser que la vidéo : Beyoncé y tient deux alligators en laisse, vêtue d'un tout petit bikini. La photo provoqua la fureur de la PETA (l'équivalent de la SPA aux États-Unis), qui reprochait déjà à Beyoncé la présence de fourrure dans sa ligne de vêtements. L'association fit appel à un spécialiste des reptiles, qui écrivit la lettre suivante à Beyoncé : « En tant qu'herpétologiste, je constate avec inquiétude que vous posez avec un bébé alligator terrifié sur le boîtier de votre nouveau single. Humains et alligators appartiennent à deux espèces qui s'évitent dans la nature et qui ne devraient pas être mises en présence l'une de l'autre à l'occasion de séances photo. De mon point de vue, nous avons là un cas d'exploitation abusive et contestable de l'animal. » Beyoncé n'émit aucun commentaire, mais ses relations tendues avec la PETA ne s'améliorèrent pas ; « tendues » est un euphémisme, d'ailleurs. En 2006, après avoir gagné aux enchères sur eBay le droit de dîner avec elle, deux activistes de la cause animale la piégèrent dans un restaurant de New York. Une vidéo de cette rencontre embarrassante, filmée en caméra cachée, circule sur internet ; on y voit les deux activistes interpeller Beyoncé pendant qu'elle mange. Quand ils lui demandent pourquoi elle ressent le besoin de porter de la fourrure et d'en intégrer dans sa ligne de vêtements, Beyoncé répond simplement qu'elle trouve « désagréable » qu'on la harcèle ainsi. Les questions suivantes ne suscitent qu'un silence glacial de sa part. Au bout d'un moment, Tina, assise à côté de sa fille, leur lance un furieux : « Allez-vous-en ! », puis la sécurité du restaurant les vire. Cet incident n'entraîna lui non plus aucune réaction de Beyoncé. Quand on la critique, elle ne rend jamais coup pour coup. Ce n'est pas son style. En refusant de jeter de l'huile sur le feu, elle parvient toujours à étouffer les polémiques. La PETA mène campagne contre elle depuis longtemps, mais Beyoncé préfère garder pour elle ce qu'elle pense de tout cela.

Après le furieux *Ring the Alarm*, beaucoup s'interrogeaient sur l'état de la relation Beyoncé-Jay-Z ; et ceci d'autant plus que le rappeur suggérait lui aussi dans sa musique que le couple traversait des difficultés. Dans *Lost One*, un morceau datant de cette époque, il aborde frontalement le problème :

I don't think it's meant to be, B – Je crois que ça ne va pas durer, B…

For she loves her work more than she does me – Vu qu'elle aime son travail plus que moi
And honestly, at twenty-three probably love my work more than I did she – À vingt-trois ans, ça se comprend, j'aurais sûrement fait pareil
So we ain't we, it'sme and her. – Donc il n'y a pas de nous, il y a elle et moi
Et plus loin :
Cause what she prefers over me is work – De moi ou de son job, c'est son job qu'elle préfère
And that's where we differ – C'est ça qui nous différencie
So I have to give her – Donc je dois lui laisser
Free time, even if it hurts... – Du temps à elle, même si ça me fait mal
In time she'll mature – Avec le temps, elle va mûrir
And maybe we can be we again like we were. – Et tout redeviendra peut-être comme avant entre nous.

Ces quelques lignes visaient-elles directement Beyoncé ? Dans *Decoded,* son autobiographie parue en 2010, Jay-Z s'explique : « *Lost One* parle de la difficulté de toute relation sérieuse et engagée entre deux artistes ambitieux. Chacun des deux doit garder à l'esprit que l'être aimé est une personne autonome, avec ses propres besoins, ses propres projets, ses propres objectifs dans la vie. C'est ce qu'il y a de plus compliqué dans ce genre de relation, mais ça vaut le coup ! »

De son côté, Beyoncé tentait de convaincre le public que tout allait bien dans son couple. Aux journalistes du magazine *Giant,* elle parle avec sincérité de sa vie amoureuse : « C'est très simple, il suffit de respecter l'autre. Si j'ai une suggestion à lui faire, il m'écoute. S'il a une suggestion à me faire, je l'écoute. Comment dire... C'est simple et amusant. » Sur MTV, elle affirme que le ton agressif de *Ring the Alarm* ne reflète en rien sa vie personnelle : « Je suis très heureuse, très sereine, je vis l'une des meilleures périodes de mon existence. »

Lost One était extrait du nouvel album de Jay-Z, *Kingdom Come*, celui de son grand come-back après sa « retraite anticipée ». L'album contenait une collaboration avec Chris Martin, chanteur du groupe britannique Coldplay et mari de la star de cinéma Gwyneth Paltrow. Une amitié très forte naquit entre les deux hommes, et Beyoncé apprécia Gwyneth dès leur première rencontre. Très vite, la presse les surnomma les BFF, pour « Best Friends Forever » – « meilleures amies du monde ». Devenues inséparables, elles adoraient faire du shopping ou déjeuner ensemble sans se hâter. Cet été-là, Chris et Gwyneth chantèrent avec Jay-Z pendant un concert au Royal Albert Hall de Londres, et le rappeur demanda au public de souhaiter un bon anniversaire à l'actrice de *Shakespeare in Love*. Après le show, les quatre jeunes gens dînèrent dans un quartier chic de Londres, au *Zuma*, un café-restaurant suisse, puis terminèrent la soirée en boîte, au *Movida*, pour célébrer la fin de la tournée de Jay-Z. Le *Daily Mirror* rapporte que la petite bande abusa du Dom Pérignon, et que Gwyneth abandonna son régime macrobiotique strict le temps de savourer une tranche de son gâteau d'anniversaire.

Chris et Gwyneth possédaient un pied-à-terre à New York où les deux couples se fréquentaient de plus en plus, à la surprise générale. « C'est vrai, c'est bizarre, reconnut Chris dans le magazine Q à propos de son amitié avec Jay-Z. Qu'est-ce qu'on a en commun, lui et moi ? J'imagine qu'on se sent un peu pareils, tous les deux. » Pour Gwyneth, ils s'équilibraient tous les quatre : « Chris et moi, nous sommes comme Jay et Beyoncé. On a deux cyniques paranoïaques d'un côté, et deux personnes calmes et posées de l'autre. » Elle n'entra pas dans les détails, mais tout le monde comprit qu'elle se considérait, tout comme Beyoncé, comme l'influence apaisante de son couple.

Dévoilant la nature de leurs liens au cours d'une interview parue dans le *Harper's Bazaar*, Gwyneth parle de son amie avec beaucoup de bienveillance : « Beyoncé est la personne la plus talentueuse que je connaisse. Elle maîtrise à fond tout ce qu'elle fait. Cette confiance en elle qu'elle dégage… mais cela va bien plus loin. Elle est époustouflante. Je l'ai observée très souvent sur scène pour comprendre comment elle s'y prend. Je serais incapable de l'imiter ! » Puis Gwyneth redevient beaucoup plus prosaïque : « Mais ce que je préfère, ce sont les moments où nous parlons de tout et de rien, en survêt, un bon verre de vin à la main… B est très mûre pour son âge. C'est elle qui m'a appris qu'il faut toujours dire ce qu'on pense. »

Beyoncé venait de rencontrer Gwyneth quand le magazine *Blender* lui demanda qui était, à son avis, le couple célèbre qui s'en sortait le mieux avec les paparazzi. « Gwyneth et Chris Martin, je dirais », répondit-elle. Le journaliste fit alors allusion à un incident au cours duquel Chris en était venu aux mains avec un photographe. Beyoncé haussa les épaules : « Je peux comprendre. Voir tous ces photographes s'en prendre à ses enfants, ce doit être effrayant. Dans ces conditions, vous pouvez être sûr que Mama Knowles aussi tabasserait ces sales types ! »

Leur cercle social s'élargissait, et le jour de la première de *Dreamgirls* arriva. Un soir de décembre à New York, devant l'imposant Ziegfeld Theatre, Beyoncé et Jay-Z monopolisèrent tous les regards dans leurs tenues assorties. Beaucoup remarquèrent qu'ils étaient arrivés séparément, mais les ragots, Bey s'en moquait, ce soir-là. Pour elle, cette première représentait une chance unique de prouver aux critiques ce dont elle était capable. Elle vécut l'un des moments les plus gratifiants de sa vie pendant la projection, en particulier quand tous les spectateurs se levèrent pour adresser une standing ovation aux acteurs pendant le générique. *Variety* encensa les « séquences musicales du film, bouleversantes au plus haut point », le *Guardian* vanta « la présence envoûtante de Beyoncé » et *Empire* se fendit d'un « Bravo » qui se suffisait à lui-même. Le lendemain de la projection presse, Oprah Winfrey appela Jennifer Hudson en direct dans son émission et compara sa performance à une « expérience religieuse ». Le film engrangea en tout 154 millions de dollars de recettes dans le monde entier et fut nominé huit fois aux Oscars, dans six catégories – devançant tous les autres longs métrages sortis la même année. Beyoncé avait accompli l'exploit de passer sans heurt du statut de chanteuse à celui d'actrice crédible, alors qu'elle n'avait jamais pris le moindre cours de comédie. Comme toujours, certains espéraient un faux pas de sa part, mais son pedigree d'actrice était désormais d'une solidité à toute épreuve. Les rôles bancals ou trop courts appartenaient au passé, ce qui représentait à ses yeux un progrès considérable.

Après la première de *Dreamgirls*, qui eut lieu le jour du trente-septième anniversaire de Jay-Z, le couple s'excusa, quitta la salle en hâte, et ne daigna même pas se montrer cinq minutes à la fête officielle organisée en l'honneur du film à Gotham Hall. Au lieu d'échanger leurs impressions avec les autres acteurs, au lieu de sympathiser avec les grosses huiles de l'industrie du cinéma, ils sautèrent dans un avion. Les paroles cinglantes de *Lost One* n'étaient pas tombées dans l'oreille d'une sourde : Beyoncé avait dépensé 3 millions de dollars pour offrir à son homme une énorme fête de trois jours. Deux jets privés affrétés par ses soins emmenèrent dans les Caraïbes leurs amis les plus proches, une vingtaine en tout. La suite nous est racontée par le *New York Daily News* : sur l'île de Saint-Barth, tout le monde embarqua à bord d'un yacht de 80 mètres aux soutes bourrées de homards frais et de champagne. Quand les détails de leur voyage se propagèrent dans les médias, les rumeurs sur leur relation battant de l'aile s'éteignirent d'elles-mêmes. Les lecteurs du *New York Post* découvrirent même, en lisant la rubrique potins de la page six, que les deux tourtereaux s'étaient éclipsés dans les Caraïbes pour se marier ! Encore une fois, les spéculations enfiévrées de la presse s'avéraient complètement contradictoires – ce que Beyoncé avait beaucoup de mal à comprendre. « C'est dingue ! Dans un même tabloïd, ils annoncent parfois en même temps notre mariage et notre séparation ! s'étonna-t-elle dans l'émission *ABC News*. Mais c'est ça, la presse de caniveau. Il faut que je m'y habitue, ça fait partie du job. » Elle tourna également en dérision un article du *Post* décrivant son « mariage » en détail : « Génial, ces noces, vous ne trouvez pas ? Et très, très chères, en plus. Malheureusement, c'est faux. »

Les rumeurs d'un mariage imminent reprirent de plus belle. À une autre occasion, le bruit courut qu'il se passait quelque chose de cet ordre sur l'île de Martha's Vineyard, dans le Massachusetts. Les gens du coin racontaient qu'un énorme chapiteau avait été érigé sur Chappaquiddick, une petite île accessible uniquement par ferry. Mais une fois de plus, rien de tout cela n'était vrai.

Tous ces commérages étaient plus absurdes les uns que les autres, certes, mais, dans l'esprit de Beyoncé et Jay-Z, la perspective d'un mariage se précisait. En décembre, Bey déclara, dans le magazine *Parade* : « Mes parents sont toujours amoureux après vingt-sept ans de mariage. Pour moi, c'est un magnifique exemple. Je sais que c'est possible. » Jay-Z fit part de ses intentions à ses proches pendant la soirée de lancement du nouveau club 40/40 qu'il ouvrait à Las Vegas : le mariage aurait lieu « dans un proche avenir »... Et comme pour faire comprendre à son futur gendre qu'elle approuvait le choix de sa fille, Tina déclara publiquement : « Jay est un gentleman et un type brillant. Je suis vraiment heureuse que ces deux-là se soient trouvés. Ils sont très futés tous les deux et c'est merveilleux, ce qu'ils vivent. Ils forment un couple formidable. » Mathew semblait nettement moins enthousiaste à l'idée de voir Jay-Z épouser sa fille. Il ne s'opposa jamais ouvertement à ce projet de mariage, mais leur inimitié ne s'est pas démentie depuis. Interviewé dans le *Sun* en 2013, Mathew déclare : « J'ai toujours fait de mon mieux pour Beyoncé... Je laisse aux fans le soin de juger sa musique depuis qu'elle fréquente Jay-Z. »

Les rapports tendus entre Mathew et Jay-Z sont certainement l'une des raisons de la brouille majeure qui opposa plus tard Beyoncé à son père. Elle savait au fond d'elle que Jay-Z était l'homme de sa vie, et elle attendait tranquillement sa demande en mariage, sans chercher à le bousculer. Il ne fallait pas compter sur elle pour s'en charger, en tout cas : « Pour ça, je suis très vieux jeu, le genre de fille qui attend d'un mec qu'il s'agenouille devant elle pour lui demander sa main. Moi, j'en serais incapable, mais j'admire les filles assez sûres d'elle, assez fortes et assez indépendantes pour demander leur mec en mariage. Ce que je peux vous dire, c'est que celui qui voudra m'épouser devra avoir le courage de passer à l'acte. » Une posture très traditionnelle, en totale contradiction avec son image de femme forte et sûre d'elle. Sauf qu'en matière d'amour, Beyoncé restait étonnamment fleur bleue. Et elle était persuadée que Jay-Z attendrait encore un bon moment avant de se déclarer. « On ne peut pas forcer les hommes à faire des trucs qu'ils ne veulent pas faire… genre devenir votre mec, vous épouser, avoir des gosses… Quand ils sont prêts, ils vous le font savoir. »

En tout cas, ils étaient de plus en plus amoureux, comme l'illustre un irrésistible incident survenu après la remise des BET Awards à Los Angeles. Jay-Z et elle interprétèrent *Déjà vu* pour le public de la cérémonie. Beyoncé portait un minuscule top argenté et une minijupe assortie découvrant son ventre plat et musclé, et Jay-Z ne put résister à l'envie de lui flatter le postérieur tandis qu'elle dansait sensuellement à côté de lui. Tous les spectateurs présents dans la salle bondée perçurent le courant torride qui circulait entre eux. Quelque temps plus tard, Jessica LaShawn, l'une des assistantes de Beyoncé, publia dans *Chicago Now* un article touchant sur la soirée des deux amoureux aux BET Awards. Elle y raconte que Jay-Z avait appelé Beyoncé pour la prévenir qu'il avait raté son avion et qu'il n'arriverait pas à temps pour chanter avec elle. La déception de Beyoncé faisait peine à voir. « Elle s'en moquait, que Jay-Z ne chante pas sa partie de la chanson, précise Jessica. Ce qui la contrariait, c'était son absence ce soir-là, alors qu'elle se réjouissait tant de le voir. Elle était au bord des larmes, et elle a murmuré à sa mère qu'il lui manquait terriblement. »

Un peu plus tard, une voix résonna dans la salle : « Salut, toi ! » C'était Jay-Z, qui avait juste voulu faire une petite blague à sa belle. « Quand elle a entendu sa voix, Beyoncé s'est illuminée. Elle avait les jambes en coton, elle a un peu vacillé, puis elle a plaqué sa main sur son sourire de petite fille… Ses joues adorables sont devenues cramoisies et elle n'a pas pu s'empêcher de verser quelques larmes. Lui, il est arrivé, très calme, très cool, mais en s'approchant d'elle il lui a souri. Il l'a serrée contre lui, une joue sur ses cheveux, et puis il a secoué la tête. » D'après Jessica, la musique ardente de Beyoncé se nourrissait de sa dévotion pour Jay-Z.

Au début de l'année 2007, Bey récolta une nouvelle brassée de trophées, avec pour commencer, en février, le Grammy du Meilleur album de R & B contemporain pour *B'Day*. Mais ce soir-là, la star souffrit de maux d'estomac, et seuls les encouragements de son amie Ellen DeGeneres l'aidèrent à parvenir au bout de son interprétation de *Listen*. « J'étais persuadée que je n'allais pas y arriver, se souvient Beyoncé. Puis j'ai vu Ellen au premier rang. Elle a chanté toutes les paroles, mimé toute la chorégraphie et j'y suis arrivée. Un grand merci, Ellen. »

Deux semaines plus tard, *Dreamgirls* tentait sa chance aux Oscars. La chanson *Listen*, notamment, avait reçu une nomination dans la catégorie Meilleure chanson originale. Malheureusement, l'Académie des arts et sciences du cinéma avait estimé que Beyoncé n'avait pas participé à l'écriture du morceau, anéantissant tous ses espoirs de victoire. Elle vécut l'absence de son nom dans la liste des nominés comme une véritable gifle, elle qui affirmait depuis toujours qu'elle considérait les Oscars comme la consécration ultime. En fin de compte, ce rejet n'eut aucune importance : ce fut *I Need to Wake Up*, une chanson de Melissa Etheridge, qui remporta l'Oscar pour le film *Une vérité qui dérange*. De son côté, *Dreamgirls* récolta deux Oscars : celui du Meilleur montage de son, et celui de la Meilleure actrice dans un second rôle, remporté par Jennifer Hudson. Tandis que Jennifer, stupéfaite, grimpait sur scène pour recevoir son trophée, les caméras filmèrent la réaction de Beyoncé, bien résolue, semblait-il, à ne pas donner raison à tous ceux qui s'étaient réjouis de la supposée rivalité des deux femmes pendant le tournage. Elle pleura de joie à l'annonce du triomphe de sa consœur, et cette nuit des Oscars fut pour elle une expérience inoubliable. Rayonnante dans sa saisissante robe Armani vert pâle, elle déclara, au milieu des immenses stars – parmi lesquelles Nicole Kidman, Helen Mirren, Cate Blanchett, etc. – qui avaient envahi le tapis rouge : « C'est une nuit magique. Il circule ici une énergie incroyable. Mais je me sens un peu intimidée. Il y a autour de moi tellement de gens que j'admire… » Cerise sur le gâteau, *Dreamgirls* remporta également trois Goldens Globes, dans les catégories Meilleure comédie ou comédie musicale, Meilleur acteur dans un second rôle pour Eddy Murphy et Meilleure actrice dans un second rôle pour Jennifer. À propos de ce qu'elle vivait grâce à ce film, Beyoncé fit remarquer que c'était « une année fantastique pour les acteurs afro-américains ».

Tandis que la « Dreamgirls mania » retombait lentement, Beyoncé reprit sa carrière musicale. *Irreplaceable*, troisième single extrait de *B'Day*, occupa le sommet des charts pendant dix semaines d'affilée. Écrit par le rappeur Ne-Yo, ce single fut le plus vendu aux États-Unis en 2007 et se retrouva également en vingt-cinquième position des chansons les plus populaires de toute la décennie. Par ses paroles audacieuses – une femme demande à son homme infidèle de faire sa valise parce qu'il est loin d'être « irremplaçable » –, cette chanson exprimait le féminisme de plus en plus assumé de Beyoncé. À travers sa musique, elle nous faisait part d'une conviction qui s'ancrait en elle de plus en plus fermement : les femmes sont des êtres indépendants, et les égales des hommes dans tous les domaines. Une conviction en contradiction apparente avec son comportement vieux jeu : elle voulait que ce soit Jay-Z qui la demande en mariage. Un paradoxe, encore, de ceux qui font d'elle la femme qu'elle est.

Quant au thème antimacho d'*Irreplaceable*, elle s'en expliqua au cours d'une interview accordée à Larry King, sur CNN :

« Cette chanson ne plaît pas aux hommes. Elle est un peu trop honnête. Nous, les femmes, nous avons parfois l'impression qu'on ne nous apprécie pas à notre juste valeur. Les hommes, de leur côté, oublient souvent qu'ils ne sont pas irremplaçables. Ces chansons sont là pour nous rappeler ce genre de choses. J'écris ce que j'ai besoin d'entendre et ce que je veux que les autres femmes entendent. L'autonomie des femmes, la force que nous avons quand nous nous serrons les coudes, ce sont des sujets qui me tiennent à cœur. »

Son exploration de la solidarité féminine prit une autre dimension avec la vidéo d'*Irreplaceable*, dans laquelle elle introduisit un nouvel élément de sa musique : un groupe entièrement féminin, les Suga Mama. Comme elle cherchait à injecter une bonne dose de sang neuf dans *Beyoncé Experience*, sa future tournée mondiale en solo, elle et son équipe écoutèrent des milliers de musiciennes de studio. Elle voulait monter un groupe de dix personnes. « J'aime être entourée de femmes, précisa-t-elle sur MTV. Elles m'inspirent, me rendent plus forte, et quand nous improvisons ensemble, il se passe toujours quelque chose. »

Pendant trois jours, toutes ces femmes de Chicago, New York, Los Angeles, Houston et même du Japon se produisirent devant elle. Son envie de créer un tel groupe ne datait pas d'hier : « Quand j'étais gamine, j'ai manqué de modèles. Il n'y avait pas beaucoup de musiciennes, dans le showbiz. Je jouais un peu du piano, à l'époque, mais j'ai très vite arrêté. J'espère que les Suga Mama inspireront d'autres jeunes femmes, qu'elles leur donneront envie de faire de la musique. L'idée de monter un groupe entièrement féminin vient de là. »

Cette formation – bientôt surnommée les Mamas, tout simplement – comprenait la batteuse Nikki Glaspie, la bassiste Divinity Roxx et la guitariste Bibi McGill, également professeur de yoga pendant son temps libre. Elle fut aussi chargée pendant la tournée de « rappeler aux autres à quel moment elles devaient arriver sur scène ». Grâce à l'usage des oreillettes, elle pouvait rendre le spectacle aussi fluide que possible.

Beyoncé recruta également des choristes, une saxophoniste et une percussionniste : les Mamas étaient au complet. Et toutes ces femmes se montrèrent d'une loyauté à toute épreuve envers leur patronne. « Beyoncé est une vraie bosseuse, qui m'a donné envie de travailler dur et de dépasser des limites que je croyais infranchissables, nous explique Divinity. Je ne la remercierai jamais assez. »

Événement extrêmement inhabituel dans l'industrie musicale, Beyoncé sortit au printemps 2007 une anthologie vidéo de *B'Day*, incluant des clips pour chaque morceau de l'album, sauf un. En plus des vidéos déjà existantes des singles de *B'Day*, neuf clips supplémentaires furent filmés pendant deux semaines exténuantes. La Columbia tenta de dissuader Beyoncé de se lancer dans une telle entreprise, mais la chanteuse ne se laissa pas décourager. La fabrication de ce DVD fut une expérience « harassante, mais géniale », selon ses propres mots : « Je savais que nous pouvions y arriver, et dans cette optique, nous avons recruté les meilleurs dans leurs domaines respectifs – les meilleurs réalisateurs, les meilleurs chorégraphes, les meilleurs maquilleurs, les meilleurs stylistes. Ces vidéos sont toutes incroyables. »

Dans le clip tourné pour *Upgrade U*, elle joue un homme, un personnage qui ressemble étrangement à celui qui partage sa vie. « J'avais décidé de mimer Jay, sa façon de se comporter. Je lui ai demandé de quitter la pièce pendant le tournage parce que sa présence me bloquait. Je pense que j'ai fait du bon boulot. J'ai même réussi à imiter sa moue ! » Elle adora l'expérience consistant à parodier le comportement d'un mâle dominant. « J'ai trouvé ça très excitant. Ça m'a donné un prétexte pour jouer les *bad boys*. Pour faire tout ce que je voulais – m'avachir, être un peu plus teigne, un peu plus agressive que d'habitude, dire tout ce qui me passait par la tête. Plus besoin d'être aussi bégueule. Et pas de talons hauts, c'était génial ! »

En plus de cette anthologie vidéo, elle sortit en avril 2007 une édition limitée de *B'Day* comprenant cinq inédits, dont *Beautiful Liar*, un duo avec la chanteuse Shakira. Comme elle cherchait à toucher le public latino, elle avait aussi inclus dans ce CD quelques-uns de ses plus grands hits enregistrés en espagnol. « J'ai suivi un cours d'espagnol à l'école, mais je ne parle pas cette langue. Je peux aligner deux ou trois mots, c'est tout. Je vais vous dire pourquoi je tenais à enregistrer ces chansons en espagnol : il y a quatre ou cinq ans, Destiny's Child a fait un duo avec Alejandro Sanz, et nos fans latinos ont adoré ; ensuite, ils n'ont pas arrêté de nous demander quand on en ferait d'autres. »

Chanter avec aisance dans une autre langue n'est pas une sinécure… « J'ai travaillé ces chansons phonétiquement, phrase après phrase, nous apprend-elle dans l'édition espagnole du magazine *People*. Ça m'a pris énormément de temps. Je voulais que le rendu soit parfait, par respect pour cette langue que je trouve magnifique. L'une de mes meilleures amies est cubaine, et c'est la première à avoir écouté ces versions. Je l'ai emmenée au studio et je lui ai dit de me signaler tout ce qui clochait. Alors quand elle a approuvé le résultat, j'ai su que tout allait bien… J'aime les rythmes, la sensualité de la musique et des percussions latinos, ce côté épicé si proche de la culture créole. Ça me rappelle mon héritage, mes racines. »

Beyoncé aurait pu lever le pied et profiter enfin du succès de *B'Day*, au lieu de quoi elle s'était remise à travailler plus dur encore à ce projet ambitieux. Elle le considérait un peu comme un cadeau destiné à cette armée de fans qui la suivaient depuis ses débuts. Une armée qu'elle surnommait affectueusement sa ruche (sa « Bey-hive »).

CHAPITRE ONZE

Les fans de Beyoncé reçurent un autre cadeau au début de l'année 2007 : leur idole en couverture de *Sports Illustrated*, couverture devenue depuis l'une des plus célèbres de la chanteuse. D'autant plus qu'elle était la première femme à se voir attribuer cet honneur sans être ni top model, ni athlète de haut niveau. Avec un gros titre accrocheur – « La *Dreamgirl* comme vous ne l'avez jamais vue » –, elle pose en bikini jaune et rose sur une plage de Floride dans une condition physique parfaite. « Ça n'a pas été évident, raconte-t-elle dans le magazine. Je suis très timide, vous savez. Quand je suis sur scène, je me transforme en quelqu'un d'autre et j'oublie ma timidité. J'ai essayé de faire pareil. »

Pour se préparer à cette séance photo, Beyoncé dut surveiller scrupuleusement son alimentation. « Le soir, au dîner, je me disais : si je reprends de la tarte, ça va se voir. » B est plutôt pulpeuse, et elle n'a jamais cherché à adopter le look brindille qui s'est généralisé chez ses consœurs. « J'ai grandi au Texas, où l'on nous servait d'énormes portions de nourriture bien consistante, déclara-t-elle à *People*. J'adore la bonne bouffe. Et ça ne changera jamais. Mais je ne suis pas le genre de femme qui peut manger tout ce qu'elle veut sans prendre un gramme, donc je me surveille un peu, quand même. »

Dans une interview accordée au *Sun*, elle reconnaît qu'elle n'aime pas certaines parties de son corps : « Je suis comme toutes les femmes, il y a des trucs que j'aimerais bien changer chez moi. Je ne vais pas vous dire lesquels, parce que sinon, vous ne verrez plus que ça ! » Ayant lu quelques articles où on la décrit ne mangeant souvent que de la laitue ou quelques tranches de concombre au déjeuner, elle proteste : « Je ne me prive jamais au point d'avoir faim, contrairement à ce que j'ai lu dans la presse. Ces types sont complètement à côté de la plaque. Tous ceux qui me connaissent vous le diront. »

Quand on lui demandait les secrets de sa condition physique impeccable, elle répondait qu'elle devait ses cuisses musclées à un exercice de gym répété à l'infini. « Je déteste ça, mais il n'y a rien de mieux pour cette partie du corps. » Elle avait également découvert une nouvelle façon de rester svelte sans avoir à s'escrimer dans les salles de sport : « J'adore le Wii Fit. Ce serait génial d'y incorporer quelques chorégraphies, parce que quand on veut maigrir, c'est bien plus marrant de danser que de courir bêtement sur un tapis roulant. »

Le jour de la pénible séance photo pour *Sports Illustrated*, plusieurs amis de Beyoncé vinrent la soutenir. « Kelly était là, raconte-t-elle dans l'interview accompagnant les photos. Ma mère aussi, et mon neveu. Papa devait venir, mais il a changé d'avis au dernier moment. Il m'a dit : "On se verra à Orlando après la séance. Je n'ai pas envie d'assister à ça, en fait. Tu as ma bénédiction, tu es une grande fille, mais ça sera sans moi." »

Très fière du résultat final, elle déclara : « Ces photos-là, je pourrai les montrer à mes enfants. Je leur dirai : "Vous avez vu comme votre maman était belle ? J'avais de l'allure, pas vrai ?" » Et sur CNN : « C'est incroyable. Vraiment. C'est un grand honneur, pour moi. Je suis la première musicienne en couverture de ce magazine. Et seulement la deuxième femme de couleur ! »

Toujours aussi dure en affaires, Beyoncé n'accepta la séance qu'à condition que Tina conçoive ses bikinis. Au dos de la couverture de ce numéro qui allait faire un tabac, elles en profitèrent pour lancer une collection de maillots de bain pour House of Deréon.

Avec tant de projets en cours, Bay ne s'accorda qu'une pause symbolique avant le début de sa nouvelle tournée mondiale. Intitulée *Beyoncé Experience*, celle-ci débuta à Tokyo en avril 2007. Avec 97 dates étalées sur six mois et sur quatre continents – l'Asie, l'Australie, l'Europe et même l'Afrique, avec un show en Éthiopie –, elle rapporta 90 millions de dollars à l'artiste. Reprenant les tubes extraits de *B'Day* et *Dangerously in Love*, chaque concert commençait avec Beyoncé s'élevant comme une déesse au milieu de la scène, vêtue d'une longue robe argentée qu'elle arrachait un peu plus tard pour en dévoiler une version minimaliste. Puis la version minimaliste elle-même était mise au rebut, et Bey se retrouvait vêtue – si l'on peut dire – d'un justaucorps diaphane. « Ce petit bout de tissu restera à jamais gravé dans ma mémoire », écrivit un critique du *Irish Independent*. Avec ses sept changements de costumes et ses innombrables effets pyrotechniques, cette tournée marqua les débuts des Mamas – qui se lançaient dans des instrumentaux endiablés chaque fois que Beyoncé courait se changer. Le spectacle incluait également un medley des tubes de Destiny's Child ; à Los Angeles, Kelly et Michelle s'invitèrent sur scène, puis Jay-Z. Quant aux exigences de la star, le *New York Post* émit quelques hypothèses à ce sujet : sandwiches à la dinde, Pepsi à volonté, céréales au miel et aux noix, causeuse pour deux personnes, température de la loge égale ou supérieure à 25 degrés.

La tournée reçut des critiques favorables partout où elle fit escale. Le journaliste du *Boston Globe* qualifia la voix de Beyoncé de « baiser des dieux ». « Ce spectacle est à la fois une revue de Las Vegas, un concert de rock énergique, un revival funk et soul torride et le show d'une diva habituée aux grandes salles, s'extasia-t-il. Des éléments tous aussi plaisants les uns que les autres, avec une chanteuse qui se jette à corps perdu dans une succession de décors et de costumes délirants. »

L'incroyable résistance de Beyoncé sur scène en stupéfia plus d'un. Soir après soir, elle se donnait à fond dans toutes ses chorégraphies. À en juger par l'énergie et la détermination qui l'animaient, Sasha Fierce, l'alter ego de son enfance, semblait bien être de la partie. « En concert, je deviens quelqu'un d'autre, expliqua Bey au magazine *Parade*. Et cette autre qui s'exprime devant le public, je l'appelle Sasha Fierce. C'est elle qui occupe la scène ; Beyoncé, elle, reste en coulisses. » Bizarrement, elle reconnut qu'elle ne se sentait aucune affinité avec son double : « Je ne l'aimerais pas, si je la rencontrais dans la vraie vie. Elle est trop agressive, trop ardente, trop culottée, trop provocante. Dans la vraie vie, je ne suis pas du tout comme elle. Je n'allume pas les mecs, je ne me sens pas spécialement sûre de moi, et je ne suis pas intrépide, contrairement à elle. Sur scène, je vis une expérience de sortie de corps, en quelque sorte. Il n'y a que là que ça m'arrive. »

Cette année-là, elle confia à Larry King que Sasha lui permettait aussi d'assumer son physique. « Je ne suis pas parfaite, c'est évident. Quand je me réveille, j'ai des boutons, certains jours je n'arrive pas à me coiffer, etc. Je ne sais pas cuisiner, je suis bordélique, je dis parfois des trucs stupides. Bref, je suis comme n'importe qui. Je crois que j'ai créé ce personnage pour compenser mon manque d'assurance. Et cette femme intrépide, c'est Sasha. »

Apparemment, la tournée *Beyoncé Experience* exigeait tant de l'artiste que le seul moyen qu'elle avait trouvé pour en maintenir la dynamique était de se couler dans la personnalité de Sasha. Dans le magazine *Rolling Stone*, elle déclare : « En réalité, je suis quelqu'un de très nature, qui adore marcher pieds nus, sans maquillage, les cheveux en chignon. Mais quand je suis sur scène, cette assurance, ce côté sexy, ce je ne sais quoi qui me ressemble si peu d'habitude, eh bien tout d'un coup, ils m'envahissent. C'est mon travail. Dans la vie réelle, je ne suis pas comme ça. » Pour Frank Gatson Jr, son chorégraphe depuis toujours et directeur de la création, ce double scénique est très excitant à observer : « Dès qu'elle s'avance sur scène, quelque chose de puissant s'empare d'elle, et Beyoncé disparaît. » Il se rappelle l'avoir vue jeter un soir dans le public une paire de boucles d'oreilles d'une valeur de 250 000 dollars : « Elle nous a dit qu'elle ne savait pas pourquoi elle avait fait ça. Quand elle est sur scène, elle s'oublie. »

Beyoncé raconta à *Cosmopolitan* un autre incident signé Sasha : « Un soir, pendant la cérémonie des MTV Awards, j'ai balancé dans le public un bracelet qui coûtait un bras. Angie a dû aller le chercher dans la salle. »

Son double imaginaire s'affirmait de plus en plus, et une rumeur inquiétante commença à circuler à peu près à cette époque : on racontait que Beyoncé ne réagissait plus en entendant son prénom, qu'il fallait l'appeler Sasha pour qu'elle vous réponde… Tina balaya ces affirmations, déclarant au magazine *Elle* qu'elle taquinait souvent sa fille à ce propos pendant leurs changements de costumes frénétiques. « Angie, moi et Ty, sa styliste, on l'aide à se changer rapidement. Quand elle hurle "Mais qu'est-ce que vous foutez ? Où est ma chaussure ?", nous, on se regarde et on dit : "Tiens, Sasha est de retour". Pour moi, cette hystérique qui se change à toute vitesse, ce n'est pas ma Beyoncé. Alors on ne le prend pas mal, quand elle nous insulte. Sasha, c'est le côté grande-gueule de Beyoncé. »

Beyoncé était toujours cette femme si attentive aux autres, pourtant. Avec Rudy Rasmus, son ancien pasteur, elle créa aux États-Unis plusieurs banques alimentaires grâce aux bénéfices qu'elle venait de récolter, puis suggéra à ses fans d'y apporter des aliments non périssables qui aideraient les communautés dans le besoin. « La faim peut affecter n'importe qui, déclara-t-elle. Et il n'y a rien de plus enrichissant que l'aide que l'on peut apporter aux autres. Cet été, je ne veux pas que mes fans se contentent de ma musique. Je veux qu'ils connaissent la joie de se rendre utiles. »

La tournée fut un immense succès, mais connut également son lot de problèmes. À Saint-Louis, dans le Missouri, deux fans furent victimes au premier rang d'un jet d'étincelles mal dirigé. Leurs blessures étaient superficielles, le concert put reprendre, mais on les envoya aussitôt aux urgences. Le lendemain,

Beyoncé leur rendit visite, très inquiète. Elle passa trois quarts d'heure à discuter avec eux. « Elle se faisait beaucoup de soucis pour eux, nous raconte Darryl Williams, l'une des infirmières en service ce jour-là. Personne n'était au courant de sa venue, et nous ne l'avons pas ébruitée. Comme ça, elle a pu rester un peu avec eux. Je trouve que c'était très chouette de faire ça, avec la renommée qu'elle a. »

En Floride, Orlando fut le théâtre d'un autre désastre : Beyoncé tomba tête la première dans un escalier pendant *Ring the Alarm*. Sa chaussure s'était prise dans le manteau rouge qu'elle portait. Elle se releva aussitôt, tenta de reprendre sa chorégraphie, puis avoua au public qu'elle avait « atrocement mal ». Elle demanda ensuite à ses fans de ne surtout pas poster l'incident sur YouTube. Quelques heures plus tard, plusieurs vidéos de sa chute s'y trouvaient déjà. Elles disparurent très rapidement du site – sans doute à la demande expresse de la Team Beyoncé –, et YouTube annonça que les utilisateurs responsables de ces vidéos avaient enfreint son règlement. « Même si ces gens ont filmé eux-mêmes ces vidéos, l'artiste conserve la possibilité d'en interdire la diffusion conformément au droit à l'image », déclara un représentant de l'équipe. Rien n'y fit, cependant : la vidéo réapparut sur d'autres sites, et notamment Dailymotion. Jay-Z lui-même prit la défense de sa petite amie au cours d'une émission de radio : « quatre-vingt-dix-neuf pour cent du temps, Beyoncé est une grande artiste au sommet de son art ; mais elle commet des erreurs comme nous tous. » Autre exemple des inconvénients liés au direct : pendant le concert de Toronto, la robe de Beyoncé s'envola par-dessus sa tête et beaucoup prétendirent avoir aperçu un sein. L'un de ses porte-parole rétorqua : « Elle portait un soutien-gorge couleur chair ! Vous voyez vraiment Beyoncé s'exposer à un risque pareil ? »

En Malaisie, son look ultrasexy provoqua l'ire de quelques groupes islamistes, et le show prévu à Kuala Lumpur fut annulé. Beyoncé refusait de se soumettre à ce code vestimentaire qui exigeait des femmes qu'elles se produisent sur scène sans dévoiler un centimètre carré de chair depuis le haut de la poitrine jusqu'aux genoux. Prétextant un « problème de dates », son management présenta ses excuses au peuple malaisien et déplaça le concert à Jakarta, en Indonésie. Autre date annulée : celle d'Istanbul, en Turquie, par respect pour douze soldats qui venaient d'être tués dans une attaque des rebelles kurdes.

Tous les soirs, elle finissait en larmes la chanson *Flaws and All*, enveloppée dans les ailes blanches d'un ange interprété par l'un des danseurs de la troupe. Ce morceau, sur l'album *B'Day*, parle de son amour pour un homme qui connaît tous ses défauts et l'aime malgré tout sans réserve : un message poignant, sans doute adressé à Jay-Z. « Il est temps que les gens connaissent cette facette de ma personnalité, a expliqué Beyoncé pendant son enregistrement. Une facette qui n'a rien à voir avec le glamour, la célébrité, le statut de diva. La chanson parle de quelqu'un qui vous aime pour ce que vous êtes. » Pendant qu'elle interprétait cette chanson, son visage était projeté en gros plan sur un écran, car elle voulait « montrer ses failles au public pour qu'il s'identifie à elle », nous explique le magazine *Vibe*.

Jay-Z lui manqua énormément pendant cette interminable tournée aux quatre coins du monde. Chaque fois que ses activités le lui permettaient, il prenait un avion pour la rejoindre, mais Beyoncé n'arrivait pas à se faire à cette situation. Après la dernière date de la tournée, à Taïwan, en novembre, les deux amoureux célébrèrent leurs retrouvailles à New York lors d'un dîner tranquille au restaurant. L'humeur était doublement à la fête : *American Gangster*, le nouvel album de Jay-Z, était entré directement à la première place des charts, comme ses neuf albums précédents ; le rappeur égalait donc le record d'Elvis Presley. Jay-Z battit ensuite ce record grâce à ses deux albums suivants, et en 2013 plaça la barre encore plus haut en atteignant avec *Magna Carter... Holy Grail* le chiffre sans précédent de treize albums numéros un au box-office dès leur sortie. Il reste quand même loin derrière les Beatles, avec leurs dix-neuf albums en tête des charts. Ce record-là, personne n'a réussi à l'égaler pour l'instant.

Déjà bien garni, le compte en banque de Beyoncé enfla encore fin 2007, quand la star se retrouva au cœur d'une campagne de pub pour le parfum *Diamonds*, dernière création d'Emporio Armani. Travailler pour Armani avait ses bons côtés : « Quand j'interviens pour ce parfum, on m'amène des présentoirs. Je peux choisir ce que je vais mettre, et tout garder ensuite. Absolument tout, même les vêtements que je ne porte pas ce jour-là. Du coup, je les accumule. Je suis même obligée d'en envoyer une partie à Houston, tellement il y en a. Non, vraiment, je n'ai pas à me plaindre. » Quand on lui demanda combien de robes Armani elle possédait maintenant, elle répondit : « Bonne question. Une centaine, je crois. C'est beaucoup, hein ? C'est génial. »

Après un petit saut à Los Angeles, où Beyoncé fut couronnée Meilleure artiste internationale pendant la remise des American Music Awards, le couple se rendit à Paris en décembre pour fêter les trente-huit ans du rappeur. Ils passèrent toute une journée dans une suite luxueuse de l'hôtel *Meurice* donnant sur le jardin des Tuileries. Ce jour-là, Beyoncé ne s'aventura dans le reste de l'hôtel que pour profiter du spa. Au coucher du soleil, ils embarquèrent dans une limousine pour une visite romantique de la ville, puis dînèrent incognito au restaurant *L'Avenue*. Ils terminèrent la soirée au *Crazy Horse*, un verre de champagne à la main, visiblement très heureux de ce moment passé ensemble. Quelques jours après cette petite excursion, le site web mediatakeout.com annonça que le couple s'était marié en secret au cours d'une petite cérémonie chez Giorgio Armani, dans sa demeure parisienne. Persuadé d'avoir mis la main sur un scoop, le site alla jusqu'à affirmer que le couple avait remplacé les traditionnels anneaux par des tatouages identiques à l'annulaire.

Jay-Z réfuta ces informations, mais ce site web n'était pas très loin de la vérité, en fin de compte. Dans un documentaire sorti en 2013, six ans plus tard, Beyoncé raconte que le rappeur lui a fait sa demande ce soir-là, à Paris, un genou à terre comme le veut la coutume. « Je me suis fiancée le jour des trente-huit ans de mon mari. Je l'avais emmené au *Crazy Horse*, nous explique-t-elle dans ce documentaire. Je me rappelle, j'ai trouvé ces filles magnifiques, et je me suis dit qu'on ne faisait pas mieux dans le genre spectacle sexy. »

Leurs fiançailles ne reçurent aucune confirmation officielle, et leur secret ne s'ébruita pas. Comme le dit Jay-Z dans une interview récente accordée au magazine *XXL*, il en avait assez des spéculations incessantes. « La presse ne s'intéresse que dans trois cas aux histoires d'amour des people : au moment de la rencontre, de la rupture, et de la naissance d'un enfant. Et pas pour les bonnes raisons. Tout ce qu'elle veut, c'est tirer parti de la situation. À mon avis, beaucoup de couples se séparent à cause des médias. »

Jay-Z et Beyoncé cachaient encore leur jeu, mais plus pour très longtemps.

L'année 2007 se termina sur une note extrêmement prosaïque : Beyoncé joua à Puissance 4 pendant tout le réveillon de Nouvel An. C'était son jeu préféré, et cette nuit-là, au 40/40 privatisé pour l'occasion, elle se paya le luxe de battre à plusieurs reprises le rappeur Kanye West, un des meilleurs amis du couple. Il nous offre sur son blog une description de cette partie interminable. « De temps à autre, j'entendais quelqu'un prononcer le nom de cette mythique championne de Puissance 4… Beyoncé !!! Je me devais de l'affronter. Elle m'a battu neuf fois de suite ! »

En février 2008, à l'occasion de la cinquantième remise des Grammy Awards, Beyoncé chanta avec l'une de ses idoles, Tina Turner. À soixante-huit ans, ce véritable mythe vivant sortit de sa retraite pour interpréter avec sa jeune consœur une version pleine d'entrain de l'un de ses classiques, *Proud Mary*. « C'était génial d'être là, déclara Tina par la suite. Quelques personnes m'ont dit que j'étais mieux que Beyoncé, mais ça, ce n'est pas possible… cette fille est ravissante et mène très bien sa carrière. »

Leur duo constitua le clou de la soirée, mais déclencha une petite polémique : parce qu'elle avait qualifié Tina de « reine », Beyoncé s'attira les foudres d'Aretha Franklin, diva de la soul présente dans le public. « J'ai dû heurter un ego, j'imagine, déclara celle-ci dès le lendemain, dans un communiqué de presse déroutant. Qui ai-je bien pu vexer ? Quelqu'un dans l'équipe des Grammy ? Beyoncé ? En tout cas, j'ai trouvé sa remarque mesquine. » Très perplexe, Ken Ehrlich, le producteur des Grammy, répliqua que la remarque en question était « parfaitement innocente », et qu'à aucun moment Beyoncé n'avait cherché à dénigrer Aretha. Quant à Mathew Knowles, il qualifia de « puérile » cette petite crise de jalousie et critiqua le « manque de professionnalisme » de la diva. Tina Turner resta imperturbable : « Aretha est la reine de la soul, je suis la reine du rock 'n' roll… La salle était pleine de rois et de reines, ce soir-là. Elle a la tête comme un melon, si elle s'imagine qu'elle est la seule. »

Le même mois, Beyoncé annonça qu'elle avait accepté un nouveau rôle au cinéma : celui de la chanteuse de blues Etta James, ancienne héroïnomane, dans un film intitulé *Cadillac Records*. Un biopic se déroulant dans les années 1950, avec Adrien Brody dans le rôle du fondateur de Chess Records, célèbre maison de disques de Chicago. Elle fut parmi les premières à ouvrir ses portes aux musiciens noirs, parmi lesquels Chuck Berry, Muddy Waters et Etta elle-même. Pour incarner ce rôle, Beyoncé dut prendre une dizaine de kilos et se piquer les bras avec une aiguille. Elle séjourna aussi pendant plusieurs semaines à Phœnix House, un centre de désintoxication new-yorkais, afin d'approfondir ses connaissances en la matière. « Je n'ai jamais pris de drogue de ma vie. J'ignorais tout de ce milieu, déclara-t-elle au *Daily Mirror*. C'était dur, ce séjour au centre, mais tout le monde m'a aidée, tout le monde a accepté de me parler. J'y ai appris énormément sur la vie et sur moi-même. J'ai compris le manque que ressentait Etta, la nature de son addiction. » Plus loin, elle ajoute : « Je ne voulais surtout pas d'une version glamour d'Etta James. Je voulais avoir les yeux gonflés, la couperose… tout pour que mon interprétation soit crédible. »

À son grand ravissement, ce rôle lui donna l'occasion d'interpréter *Jazz at Last,* une chanson mythique qui reviendrait la hanter un an plus tard. Mais le rôle exigeait aussi qu'elle jure comme un charretier. « Ma mère a fini par quitter le plateau, raconta-t-elle à *Elle*. Je ne dis jamais de gros mots, d'habitude. Ou alors deux fois par an, au maximum. Il faut vraiment que je sois furax. »

Son jeu d'actrice a encore progressé dans ce film coproduit par ses soins, mais comme *Dreamgirls*, il la laissa sur les rotules. « Moi qui suis plutôt joyeuse de nature, j'ai passé de sales moments sur ce tournage. J'ai dû repenser aux moments les plus douloureux de ma vie pour pouvoir incarner ce personnage dans toute sa vérité. Je pleurais douze heures par jour et je rentrais chez moi de très mauvaise humeur. »

Quelques mois plus tard, on apprit qu'elle allait offrir les 4 millions de dollars que lui avait rapportés *Cadillac Records* au centre de désintoxication qui l'avait accueillie, Phœnix House. Traitant plus de cinq mille drogués par jour, cette unité de soins l'avait profondément marquée. Elle ne voulait pas qu'on apprenne son geste, mais sa mère ne l'entendait pas de cette oreille. Tina mit le sujet sur le tapis au cours d'une interview accordée au magazine *Elle*, devant une Beyoncé dépitée qui s'exclama : « Maman, tais-toi ! » « Je veux que les gens sachent que ma fille n'est pas une diva ! » protesta-t-elle.

Deux ans plus tard, Beyoncé et Tina retournèrent à Brooklyn pour inaugurer à Phoenix House l'école d'esthéticiennes dont elle avait financé la construction. Baptisé « Centre de cosmétologie Beyoncé », ce lieu propose aux pensionnaires du centre de désintox une formation pratique consacrée aux soins de la peau, au maquillage et à la coiffure, ce qui leur permet par la suite de subvenir seules à leurs besoins. « La toxicomanie est une maladie, déclara Beyoncé pendant la cérémonie. Les femmes magnifiques que j'ai rencontrées ici n'ont pas décidé de devenir toxicomanes. En revanche, elles ont décidé de s'en sortir. » Elle parla ensuite du salon de coiffure de Tina, un endroit où les femmes pouvaient « parler de leur vie, pleurer, rire, se prodiguer des conseils... » Les anciennes toxicos pourraient vivre la même chose dans son école. « Prendre soin de son apparence, c'est le premier signe de la guérison », conclut-elle. Bouleversé par sa générosité, le personnel du centre de désintoxication déclara : « Nous exprimons notre profonde gratitude à Beyoncé et à miss Tina pour ce cadeau immense, qui va en effet changer bien des vies. »

Quand mars 2008 arriva, tout le monde se doutait que Beyoncé et Jay-Z s'étaient fiancés. On avait aperçu la chanteuse avec une énorme bague au doigt dans une discothèque de New York. Remarquant que tous les regards étaient braqués sur sa bague, elle l'avait aussitôt fourrée dans son sac à main. L'étincelant joyau et sa brutale disparition plongèrent la presse people dans l'hystérie, surtout quand Beyoncé affirma un peu plus tard qu'elle n'avait jamais porté cette bague. « Les gens prêtent beaucoup trop d'importance à tout ça », conclut-elle.

C'était son attitude en public, mais dans l'intimité, elle se sentait prête à s'engager. Elle avait vingt-six ans quand elle confia au magazine *Seventeen* : « Je ne me serais jamais mariée avant mes vingt-cinq ans. Il faut d'abord bien se connaître, savoir ce que l'on veut, passer du temps seule avec soi-même, être fière de la personne que l'on est. Ensuite, on peut partager tout ça avec un autre. »

Les suppositions allaient bon train quant à la forme que prendrait son mariage. Beyoncé avait pourtant mis les points sur les i : elle ne voulait pas d'une fête clinquante pensée pour le papier glacé des magazines glamour. « Je ne suis pas de ces filles qui rêvent d'un mariage grandiose. Jay et moi, nous nous marierons peut-être sur une île, ou dans une église... Je n'en ai aucune idée. »

Une rumeur particulièrement incongrue se répandit bientôt : Beyoncé allait se marier vêtue d'une robe identique à celle de la défunte princesse Diana. Ce bobard l'amusa beaucoup. Toujours dans la même veine, elle apprit qu'ils allaient servir à leurs invités pour 300 000 dollars de caviar et du Dom Pérignon à 200 dollars la bouteille. Il valait mieux en rire : « J'adorerais pouvoir discuter avec celui ou celle qui est à l'origine de ces ragots. Je les trouve absolument prodigieux. Cette personne extrêmement inventive devrait se reconvertir en organisatrice de mariage. Celui qu'elle a planifié pour moi et Jay est grandiose ! Il y a même du caviar au menu. Je déteste le caviar ! »

CHAPITRE DOUZE

Pendant le tournage de *Cadillac Records*, Beyoncé se donna à fond à nouveau, enregistrant en parallèle son troisième album, *I Am… Sasha Fierce*. Elle s'accorda un délai plus long pour fignoler ce projet que pour ses deux précédents albums : elle passa huit mois en studio à New York, Atlanta, Miami, Los Angeles et Ibiza. Quelque soixante-dix morceaux en résultèrent, et les onze chansons retenues sortirent sur deux disques séparés. D'un côté le CD *I Am…*, avec un son plus doux, des cordes et une influence folk et acoustique, et de l'autre *Sasha Fierce*, plus rythmé et plus accessible au grand public. Beyoncé a écrit et produit presque tous ces morceaux, mais trente-deux songwriters et dix-neuf producteurs ont participé à la conception de son édition limitée.

Beyoncé avait bien fait de s'accorder un délai plus long pour l'enregistrement de ce troisième album : un grand événement eut lieu au printemps 2008, qui fit les gros titres partout dans le monde. Le 4 avril, Jay-Z et Beyoncé se marièrent enfin, après plus de six ans de vie commune.

Quelques jours plus tôt, le bruit s'était répandu qu'ils avaient demandé un permis de mariage à Scarsdale, New York, ce qui impliquait qu'ils échangent leurs vœux dans un délai de soixante jours. Pourtant rien ne transparut de leurs intentions, lorsqu'ils assistèrent, cette semaine-là, au mariage à Philadelphie de l'assistant de Jay-Z, Robin Broughton. « Ils avaient l'air très amoureux, nous dit Lisa McGraw, qui a organisé le mariage de Robin. Ils se tenaient par la main et souriaient de toutes leurs dents. » La date choisie pour leur grand jour avait une signification bien particulière pour nos tourtereaux, nés tous les deux un 4 du mois, tout comme Tina. Au milieu de l'après-midi, ce vendredi-là, des livreurs déchargèrent des fleurs et des candélabres sur le trottoir, devant la maison de Jay-Z à Tribeca. Des photos de ces livraisons circulèrent très vite sur les réseaux sociaux. Puis les amies de Beyoncé, Kelly et Michelle, postèrent sur YouTube une vidéo les montrant toutes deux dans leur chambre, à l'hôtel *Four Seasons*. Taquinant leurs fans, elles déclarèrent qu'elles se trouvaient « dans un endroit tenu secret », mais refusèrent d'expliquer la raison de leur présence à New York. Puis tout le monde comprit la nature de l'événement lorsque la mère de Jay-Z, sa grand-mère, sa sœur et sa nièce furent aperçues dans un salon de beauté en train de se faire dorloter comme on l'est de coutume avant un mariage. Quand le coiffeur Marvin Bull leur chuchota : « Je sais qu'il va y avoir un mariage, aujourd'hui », elles se contentèrent de glousser sans rien dire. « J'avais surpris la maman de Jay-Z en train d'expliquer aux autres que son fils voulait une cérémonie en petit comité », raconta Marvin.

La cérémonie, qui aurait coûté autour de 700 000 dollars, fut en effet réduite au strict minimum, avec quarante invités seulement. Parmi eux, Kelly et Michelle, bien sûr, , Tina, Mathew et Solange, mais aussi Gwyneth Paltrow et Chris Martin. Les noces furent célébrées par l'ancien pasteur de Beyoncé, Rudy Rasmus, pour qui cette union était motivée par « la confiance, le respect et l'amour », comme il le souligna plus tard.

Plutôt que de faire appel à l'un de ces stylistes si populaires dans la jet-set – Vera Wang, par exemple –, Beyoncé confia à sa mère la mission de confectionner cette robe de mariée qui comptait tant à ses yeux. Tina savait mieux que quiconque ce qui convenait aux formes de sa fille ; elle opta pour une robe bustier ivoire avec une traîne plissée et ondoyante, qui mettait parfaitement en valeur la silhouette de Beyoncé au bras d'un Jay-Z portant un smoking noir. Tous deux se passèrent de demoiselles et de garçons d'honneur. Beyoncé reçut en bague de mariage un splendide diamant de dix-huit carats Lorraine Schwartz d'une valeur de 5 millions de dollars. Tous deux s'étaient déjà fait tatouer le chiffre IV sur l'annulaire, preuve indélébile de leur engagement. Beyoncé était tellement pudique quand on abordait le sujet de son mariage qu'elle avoua plus tard ôter systématiquement sa bague avant les interviews.

Une tente blanche avait été dressée dans le penthouse de Jay-Z, au beau milieu du salon aussi grand qu'un terrain de basket-ball – « Un vrai palais », d'après la fleuriste Amy Vongpitaka. Chargée de disposer, dans l'appartement et sur la terrasse, six mille orchidées blanches importées de Thaïlande, la fleuriste ajoute : « C'était un très beau mariage en blanc. »

Au menu, un festin de plats créoles faits maison ; toute la famille mit la main à la pâte pour préserver l'intimité du jeune couple, et la grand-mère de Jay-Z concocta son fameux plat à base de queue de bœuf. Il y avait aussi des plateaux d'amuse-gueules – langoustines, crevettes et poulet frit, le péché mignon de Beyoncé. Tout le monde s'attaquait aux cocktails et le champagne coulait à flots quand la soirée prit une tournure franchement festive avec une première chanson qui n'avait rien de romantique ou de sentimental : *Crazy in Love*. DJ Cassidy, l'un des DJ préférés de Jay-Z, s'empara des platines, et les invités se déchaînèrent sur du hip-hop et quelques « vieux succès » des Jackson Five, Whitney Houston, etc. Les mariés avaient décidé d'accorder une pause à leurs cordes vocales : ils ne chantèrent pas ce soir-là ; mais la fête dura jusqu'à cinq heures du matin, et Jay-Z fuma « des cigares très chers » toute la nuit.

Six ans plus tard, les mariés feraient projeter sur des écrans géants, au cours de la tournée qu'ils entreprendraient ensemble, une séquence vidéo inédite du grand jour : Jay-Z passant la bague au doigt de Beyoncé, et celle-ci redescendant l'allée, l'air ravi, au bras de son époux. En 2008, ils tenaient tant à leur intimité qu'ils ne confirmèrent pas leur mariage. Mais tout le monde savait qu'ils étaient maintenant mari et femme. Cela sautait aux yeux.

Le lendemain du mariage, le couple s'envola pour la Caroline du Nord, où le rappeur devait reprendre sa tournée avec Mary J. Blige. Photographiés en train de descendre de leur jet privé à l'aéroport de Greensboro, ils tentèrent de fuir les paparazzi, qui avaient tous remarqué que Jay-Z portait une bague de mariage bien visible à la main gauche. Sur scène, ce soir-là, Mary J. Blige vendit la mèche : « Félicitations à mon frère Jay-Z et à ma sœur Beyoncé ! »

De retour à New York deux jours plus tard, Jay-Z regardait un match de basket-ball au 40/40, son club, lorsque quelques noceurs qui traînaient dans le bar l'abordèrent pour le féliciter. Il prétendit ne pas savoir de quoi ils parlaient. Solange fit elle aussi l'innocente lorsqu'on chercha à lui tirer les vers du nez pendant qu'elle visitait les locaux d'un magazine. Quand on lui demanda si sa sœur appréciait la vie conjugale, elle répondit qu'elle n'en avait « aucune idée ». « La famille, c'est important, et nous sommes une famille très soudée, très protectrice », ajouta-t-elle.

Aussi discrets que d'habitude, les jeunes mariés décidèrent de ne livrer à la presse aucune photo du mariage. « C'est hors de question, déclara Beyoncé. Cela n'en vaut vraiment pas la peine. » Ses fans ne surent que trois ans plus tard à quoi ressemblait sa robe de mariage, lorsqu'elle inséra un extrait des vidéos familiales dans le clip tourné pour le morceau *I Was Here* qu'on trouve dans le DVD *Live at Roseland*. « C'est ma mère qui a conçu cette robe, reconnut-elle enfin. J'en suis très fière. Tina a obtenu un résultat merveilleux. De toutes les robes que j'ai portées, c'est vraiment celle que je préfère. »

Plusieurs mois s'écoulèrent encore avant qu'ils n'admettent enfin au grand jour qu'ils s'étaient mariés. Un journaliste un peu téméraire du magazine *Vibe* osa aborder le sujet avec Jay-Z dans le numéro de septembre. Le rappeur venait de dire que

Beyoncé était « son amie... ». Le journaliste tenta sa chance : « Vous dites que vous êtes amis, mais c'est votre femme, n'est-ce pas ? Vous ne voulez toujours pas le confirmer ? » Sur la défensive, le rappeur répliqua : « Ce serait stupide de ma part. Je n'ai pas... Je dois vous le dire, je trouve votre question ridicule. Ça relève de la vie privée, des choses qu'on doit garder pour soi. C'est le seul moyen de rester sain d'esprit dans ce genre de business. La vie privée, c'est sacré, on n'en parle qu'à ses proches. » Et il ajouta : « J'ai beaucoup donné à mes fans. Je leur ai appris énormément de choses sur ma vie, mon enfance, ma famille, la mort de mon neveu. Mais j'ai un jardin secret, comme tout le monde. J'en ai besoin, si je ne veux pas devenir cinglé. »

Beyoncé garda le silence pendant six mois. En octobre, enfin prête, elle annonça la nouvelle au cours d'une interview accordée au magazine *Essence*. Quand on lui demanda pourquoi elle n'en avait pas parlé plus tôt, elle répondit d'un air de défi : « C'est nous qui décidons. Je ne dis que ce que j'ai envie de dire. Ce qui se passe entre Jay et moi, c'est du concret. Ça n'a rien à voir avec les interviews ou les séances photo. C'est la vraie vie. »

Elle avait souhaité une cérémonie modeste et discrète pour éviter le pathos des fêtes démesurées. « J'ai déjà vécu tellement de grands jours... Nous sommes ensemble depuis très longtemps. On a toujours su qu'on finirait par se marier. » Plus tard, en novembre, invitée dans l'émission d'Oprah, elle aborda le sujet avec la même sérénité. « Ce n'est pas évident, la vie de couple. J'ai dû apprendre à m'imposer des limites, à trouver un équilibre. Ce n'est pas évident parce que mon métier me passionne... Mais je ne dois pas perdre de vue certaines choses pures et vraies qui n'ont rien à voir avec ma vie d'artiste. » Oprah insistant gentiment, elle lui livra une petite réflexion personnelle sur la cérémonie : « C'était très familial... Dehors, les paparazzi se déchaînaient et dedans, tout était magnifique. »

Le temps passant, Beyoncé lâcha quelques autres détails sur leur union. Elle admit même en 2010 que Jay-Z et elle avaient signé un contrat de mariage. « Je ne vais pas vous mentir, il existe bien, ce contrat. Et je conseille à toutes les femmes qui se marient de m'imiter. » Puis elle ajoute : « Je ne vous donnerai aucun détail. Je ne suis pas au tribunal. »

Dans cette interview d'une franchise inhabituelle, elle suggérait qu'elle avait parfois des soucis d'argent et d'intendance, comme n'importe qui d'autre. « Ce qui me différencie des femmes ordinaires ? Je ne connais pas le prix du beurre, c'est vrai, reconnaît-elle. Mais pour l'essentiel, je suis comme toutes celles qui travaillent dur. » Et son couple traversait les mêmes remous que tous les autres. Deux exemples : elle voulait un enfant, mais son mari « n'en est absolument pas conscient pour l'instant » ; et elle aimait traîner chez elle en survêt, mais Jay-Z « s'imagine que les femmes mettent leurs talons hauts même pour aller aux toilettes ».

En mai, Beyoncé et Jay-Z parvinrent à glisser dans leur agenda leur lune de miel retardée. Ils se rendirent discrètement à Phoenix, en Arizona, où ils passèrent quelques jours au Sanctuary Camelback Mountain Resort, un lieu de villégiature ultra-luxueux à 2 000 dollars la nuit. Leur séjour fut de courte durée, car ils avaient tous les deux des engagements à honorer, mais cette courte pause loin du tourbillon des événements récents leur fit le plus grand bien. La vue sur les montagnes était à couper le souffle, et l'endroit disposait d'un jardin réservé à la méditation, de cinq courts de tennis, et même d'un refuge pour les colibris.

De retour chez eux, ils achetèrent une magnifique résidence à Scarsdale, une banlieue chic de New York située dans le comté de Westchester. D'après le site web TMZ, cette maison contemporaine de style colonial fait environ 1 400 m^2, sur un terrain de 8 000 m^2. Ils possédaient déjà plusieurs biens immobiliers à Manhattan, ainsi qu'une villa de front de mer à Miami (sept chambres à coucher et huit salles de bains).

Beyoncé prit ses marques dans la nouvelle maison, puis retourna en studio en Californie, à nouveau inspirée, pour reprendre l'enregistrement de *I Am… Sasha Fierce*. Le premier morceau qu'elle enregistra après son mariage, *Single Ladies (Put a Ring on It)*, allait devenir son plus gros succès à ce jour. Dans cette chanson, Beyoncé conseille aux hommes d'épouser leur compagne s'ils ne veulent pas la perdre :

Pull me into your arms – Prends-moi dans tes bras
Say I'm the one you want – Dis-moi que c'est moi que tu veux
If you don't, you'll be alone – Si tu ne le fais pas, tu vas te retrouver seul
And like a ghost I'll be gone – Je me serai volatilisée comme un fantôme.

Christopher Stewart, le producteur de la chanson, révéla plus tard qu'elle avait un rapport avec le mariage secret de Beyoncé : « Cette chanson, c'était le seul témoignage de ce que le couple pensait du mariage. Quand nous sommes entrés en studio, Beyoncé ne portait pas de bague, parce qu'à cette époque ils cachaient encore leur statut marital. »

Pendant l'enregistrement, Bey s'accorda une pause et rejoignit son époux en Grande-Bretagne pour assister à l'un des plus gros événements de la vie du rappeur : sa participation au festival de Glastonbury, dans le Somerset, devant une foule de 70 000 personnes. Beyoncé traîna un peu avec lui en coulisses avant ce concert important. Pour une fois, ce n'était pas elle qu'on regardait, et elle put se fondre dans le décor, à peine maquillée, une parka sans prétention sur le dos.

Jay-Z était l'une des têtes d'affiche de l'édition 2008 du festival. Cette annonce avait suscité la colère de ceux pour qui l'événement, créé par des hippies dans les années 1970, n'était pas le lieu pour du hip-hop pur et dur. D'après le *Sun*, la participation de Jay-Z en ferait « le pire Glastonbury de tous les temps » ; d'autres commentateurs prédirent un « désastre » et même une « tragédie ». Noel Gallagher en personne, du groupe Oasis, s'immisça dans le débat : « Jay-Z ? Vous déconnez, ou quoi ? Glastonbury, c'est le temple de la guitare ! » De son côté, pris dans la pire controverse de sa vie, Jay-Z accusa Noel de « piller les Beatles ». Devant un public qui scandait son nom, il empoigna une guitare et commença son concert par une reprise de *Wonderwall*, le plus grand succès d'Oasis. « Je savais que c'était une bonne idée, cette reprise de *Wonderwall*, raconta-t-il plus tard à *The Observer*. Je savais que le public apprécierait le clin d'œil, et que du coup, il me laisserait tranquille pendant au moins deux chansons. »

À la grande surprise de ses détracteurs, le concert fut triomphal, avec Beyoncé en fan numéro un. « Qu'est-ce que j'étais fière, cette nuit-là ! raconta-t-elle au *Daily Telegraph*. Il arrive dans cette ambiance, dans cet endroit incroyable, et il fait ce qu'il a fait… J'ai dansé comme une folle en coulisses, des mouvements de hip-hop complètement dingues… Je crois bien que c'est le meilleur concert que j'ai vu de lui. Il a subjugué tous ces gens, il leur a montré ce qu'il avait dans le ventre. Jay, c'est… c'est le meilleur. Il s'est passé quelque chose de spécial cette nuit-là. Quelque chose qui va au-delà de la musique. »

En août, le contrat extrêmement lucratif de Beyoncé avec L'Oréal Paris fit l'objet d'une violente polémique : le géant de la cosmétique était accusé d'avoir « blanchi » la peau de la chanteuse dans la campagne de pub consacrée à la coloration pour cheveux Féria. Sur ces photos, la peau de Beyoncé semblait plus pâle que la normale, et ses cheveux plus clairs, alors que son contrat stipulait qu'elle n'aurait à subir aucun « changement radical » de son apparence. La compagnie nia avec véhémence l'existence de telles retouches : « L'Oréal Paris n'a opéré à aucune modification des traits physiques ou de la tonalité de peau de Mademoiselle Knowles dans la campagne de publicité Féria. (…) Nous tenons à souligner que nous apprécions au plus haut point notre collaboration avec Mademoiselle Knowles. »

Plusieurs médias se montrèrent sceptiques, comme le *New York Post*, qui affirma que L'Oréal avait « éclairci numériquement la peau de Beyoncé », la rendant « pratiquement méconnaissable ». De son côté, le site web people TMZ lança un sondage en ligne pour demander à ses lecteurs s'ils considéraient ces retouches comme « une gifle faite aux personnes de couleur ». Beyoncé et son équipe n'émirent aucun commentaire. Depuis toujours, la chanteuse clamait haut et fort à quel point elle était fière de sa couleur de peau : « J'ai l'impression d'avoir abattu quelques barrières, en tout cas professionnellement. Je crois que les gens ne pensent plus à ma couleur de peau. Ils me considèrent avant tout comme une artiste et une musicienne. »

La polémique retomba, et, en octobre 2008, le tube *Single Ladies* conquit instantanément la planète. Bien installé à la première place du Billboard 100 pendant quatre semaines consécutives, il se retrouva également numéro un des charts en Grande-Bretagne, au Canada et en Australie, et sa version numérique fut téléchargée plus de 6 millions de fois. Prises de vues minimales, montage sommaire, sans tenues sophistiquées ni changements de décor, sa vidéo en noir et blanc ne coûta presque rien. Du Sasha Fierce tout craché : Beyoncé et ses deux danseuses, justaucorps noirs, talons aiguilles vertigineux, cuisses huilées, nous y livrent un irrésistible *booty shake*. Ce clip agressif rencontra immédiatement un immense succès populaire. La bague de mariage énorme que Beyoncé porte dans la vidéo ajoute encore au piquant de l'affaire. Mais le fait même qu'elle arbore ce bijou lui attira les critiques de ceux qui considéraient ce symbole comme un paradoxe dans une chanson censée être un manifeste féministe. Elle exhibait des diamants offerts par un homme, comme si toutes les femmes avaient besoin d'une « bague au doigt ». À sa décharge, Beyoncé n'a jamais prétendu être une féministe pure et dure. Et elle le reconnaît volontiers. « Je suis une féministe d'aujourd'hui, j'imagine, expliqua-t-elle prudemment à *Vogue*. Je crois en l'égalité des sexes. » Son féminisme n'a rien à voir avec le militantisme ou une idéologie complexe ; elle espère simplement que son exemple servira à d'autres. « Pourquoi se coller des étiquettes ? Je suis une femme, voilà tout. Et j'adore ça. »

Laissons de côté la question du féminisme. Les mouvements frénétiques du clip de *Single Ladies* valurent à Beyoncé d'innombrables bleus sur tout le corps. « Je suis tombée pendant l'extrait où on s'élance sur le mur. Toutes, nous avons fait des chutes douloureuses, mais nous nous sommes relevées et nous avons continué. J'ai bouclé cette vidéo à 2 h 30 du matin, les pieds en sang – mais ça fait partie du boulot. »

Cette vidéo si peu coûteuse et qui a été tournée si vite est devenue « la plus emblématique, la plus spéciale ». Sa chorégraphie culte suscita un engouement tel qu'elle a été reprise dans des centaines et des centaines de versions différentes, toutes postées sur YouTube. « Rien n'est plus beau qu'une vidéo qui donne vie à une chanson et qui touche les gens », déclara Beyoncé sur MTV. Jake Nava, le directeur de la promo, s'avoua sidéré par la réaction du public : « Ce clip a suscité un nombre incommensurable de parodies, bien au-delà de toutes nos prévisions. C'est une preuve de l'incroyable talent de Beyoncé et la démonstration qu'il est parfois possible de faire plus avec moins. »

Indiscutablement, l'une des meilleures parodies de *Single Ladies* se déroula sur le plateau de l'émission *Saturday Night Live*, avec Justin Timberlake dans le rôle de l'une des danseuses de Beyoncé, en justaucorps et talons hauts, mouvements saccadés compris. Au début, Bey refusa d'y participer, puis Justin alla la convaincre dans sa loge. « Ce type est dingue… rigole-t-elle. Et hilarant, vous n'imaginez pas à quel point ! Quant à ses jambes, elles sont plus belles que des jambes de femme ! »

Single Ladies devint la deuxième vidéo la plus regardée en ligne depuis les débuts d'internet, avec plus de 525 millions de visionnages. Le single récolta neuf nominations aux MTV Awards 2009, mais la cérémonie fut marquée par un incident plutôt embarrassant surnommé depuis le « Kanyegate ». Nominé dans la catégorie Meilleure vidéo d'une interprète féminine, *Single Ladies* dut céder la première place à la vidéo de la toute jeune chanteuse Taylor Swift pour son morceau *You Belong with Me*. Alors qu'elle acceptait fièrement sa récompense, Kanye

VH1
DIVAS
DUETS

En 2003, la chanson *Crazy in Love*, électrisante collaboration entre Beyoncé et le rappeur Jay-Z, connait un énorme succès partout dans le monde. Ils sortent déjà ensemble, à l'époque – depuis une séance photo en 2001 – mais gardent encore leur relation secrète.

En 2007, Beyoncé est la première femme à figurer en couverture de la prestigieuse revue *Sport*

Face à Jennifer Hudson, Beyoncé interprète Deena Jones dans *Dreamgirls*, film qui a

En 2011, elle subjugue 170 000 fans boueux au cours du festival de Glastonbury. « Le sommet de ma carrière », dira-t-elle de cette performance. Le public l'ignore, mais elle est au tout début de sa grossesse, d'où cette main protectrice posée sur son ventre.

En avril 2008, Jay-Z lui « passe la bague au doigt » (« putting a ring on it ») ; la même année, la chorégraphie de *Single Ladies* devient culte au point que le président Obama lui-même la reprendra à son compte.

Avec Gwyneth Paltrow, tout sourire aux Grammys 2011. Les meilleures amies du monde, inséparables depuis que leurs époux Jay-Z et Chris Martin ont travaillé ensemble. Pour Gwyneth, Beyoncé est « l'être humain le plus talentueux de la planète ».

Quand la chanteuse euphorique a révélé qu'elle attendait un bébé, pendant la cérémonie des MTV VMAs de 2011, tous les records ont été battus sur Twitter avec plus de 8 000 tweets par seconde postés sur le sujet. Son état commençait à être bien visible.

Des millions de téléspectateurs ont assisté à son interprétation de l'hymne national des États-Unis au cours de la seconde cérémonie d'investiture du président Obama en 2013. Prestation quelque peu assombrie par une accusation de play-back.

En février 2013, les quatorze minutes de la mi-temps du Super Bowl ont donné lieu à un spectacle à couper le souffle, surtout lorsque Kelly Rowland et Michelle Williams, ex-Destiny's Child, ont rejoint Beyoncé sur scène pour interpréter les plus grands succès du groupe.

Solange, la sœur de Beyoncé, mène sa propre carrière avec un certain succès. Ici, en 2014, pendant le festival Coachella en Californie, elle accueille sur scène une invitée très spéciale : sa grande sœur. Le calme avant la tempête.

La petite Blue Ivy, prunelle des yeux de ses parents, leur ressemble beaucoup à tous les deux. Conçue à Paris – son père l'a révélé dans l'un de ses raps –, elle est née à New York en janvier 2012.

L'un des épisodes les plus consternants de ces dernières années dans le monde du showbiz : après le gala du Met en 2014, Solange agresse Jay-Z dans un ascenseur. La scène est filmée à leur insu. Surnommé « Elevatorgate », l'incident a suscité une vague de théories du complot.

2014. Jay-Z et Beyoncé pendant la tournée *On the Run*, assombrie par des rumeurs de dissension dans le couple. Certains prédisent leur séparation à la fin de la tournée, mais sur scène, ils semblent plus amoureux que jamais.

West se précipita sur scène, lui coupa la parole et s'exclama : « Je suis désolé, mais la vidéo de Beyoncé est l'une des meilleures de tous les temps ! » Un grand silence s'abattit dans la salle. Sous les yeux horrifiés de Beyoncé, Kanye venait de réduire en miettes le moment de gloire de Taylor Swift. Plus tard dans la soirée, lorsque Beyoncé reçut à son tour un trophée dans la catégorie Meilleure vidéo toutes catégories confondues – pour *Single Ladies* –, elle évoqua sa première récompense aux MTV Awards avec Destiny's Child ; l'un des moments les plus excitants de sa vie, déclara-t-elle. Puis elle invita Taylor Swift à venir terminer son discours et à « vivre ce grand moment ».

Elle prend la défense de Kanye dans *Oprah Magazine* : « Je savais qu'il me soutenait, et je n'ai pas été surprise quand il s'est levé, explique-t-elle. Mais ce n'est pas moi qu'ils ont appelée, et il a tiré une de ces têtes… et puis je l'ai vu monter sur scène, et là j'ai pensé : *Non, non, non ! Oh mon Dieu, ne fais pas ça !* » Elle précise que ce haut fait du rappeur ne gâcha pas l'événement : « En fin de compte, on a tous passé une soirée géniale. »

Single Ladies allait devenir un phénomène à part entière, mais sa sortie avait été programmée en même temps que celle d'un autre single important, *If I Were a Boy*, lui aussi extrait de l'album *I Am… Sasha Fierce*. D'un tempo beaucoup plus lent, cette ballade était censée livrer l'autre facette de Beyoncé – « celle que je suis sans le maquillage, sans les projecteurs et sans tout ce cirque, toute cette excitation suscitée par la star ». Pour Beyoncé, ce morceau était différent de tout ce qu'elle avait enregistré jusqu'alors, plus « ample », comme elle disait. Et il est devenu depuis sa plus grosse vente en Grande-Bretagne.

Après le succès de ces deux singles, le très personnel *I Am… Sasha Fierce* arriva sur le marché en novembre et se vendit à plus de 7 millions d'exemplaires dans le monde. Il reçut un accueil critique mitigé – certains commentateurs considérant ce double album concept comme un gimmick un peu facile –, mais ce qui comptait aux yeux de Beyoncé, c'était qu'il lui avait donné la possibilité de s'exprimer pleinement : « Je suis un être humain.

Je pleure, je m'emporte, je suis quelqu'un de sensible. On peut me blesser, ou je peux avoir peur, ou me sentir nerveuse comme n'importe qui d'autre. Je voulais que les gens le comprennent. Cet album parle d'amour. Je suis une femme, une femme mariée, et j'ai mis toute cette partie de ma vie dans l'album. Il est beaucoup plus personnel que les précédents. J'essaye de préserver mon intimité et il y a des sujets dont je n'aime pas parler, mais certaines des chansons de cet album sont très personnelles. C'est un peu mon journal intime. C'est mon histoire. »

Alors qu'elle assurait la promotion des deux singles et de l'album, l'actualité la détourna un peu de ses préoccupations professionnelles. Aux États-Unis, l'histoire était en train de s'écrire, et Jay-Z et elle avaient joué un rôle crucial dans ces événements. Début 2008, ils décidèrent d'apporter leur soutien au candidat Barack Obama, et tous deux devinrent au fil des mois ses supporters les plus zélés. Chaque fois que se présentait une occasion de battre le rappel des troupes, ils s'en chargeaient de bon cœur. Leur amitié naissante attira bientôt l'attention des médias en mal de nouveautés. Obama était entré dans la vie du couple en début d'année, quand l'un de ses assistants lui avait organisé une rencontre avec le rappeur. Tous deux avaient parlé « pendant des heures ». Dans son autobiographie, Jay-Z écrit : « Je pourrais vous raconter que j'ai tout de suite compris que ce mec était spécial, mais ça ne s'est pas passé comme ça. En fait, c'est lui qui a voulu me rencontrer. Il m'a posé des tas de questions sur la musique, mes racines, les gens que je fréquentais… Jusqu'aux opinions politiques des gens de ma cité. »

Obama semblait tout aussi impressionné : « Jay-Z est un type bien, un artiste remarquable, et chaque fois que je discute avec lui, sa façon de voir les choses m'impressionne, déclara-t-il à *Rolling Stone* au cours de sa campagne. Jay-Z voit grand, et il peut aider à changer les attitudes d'une façon extrêmement positive. » À Raleigh, pendant un meeting, Obama enthousiasma la foule avec un geste emprunté à l'un des plus grands succès du rappeur, *Dirt Off Your Shoulders*. Répondant à une attaque verbale cinglante de sa rivale Hillary Clinton, Obama fit mine d'épousseter son costume. Quand on demanda à son porte-parole si ce geste était un clin d'œil que le candidat adressait à son nouvel ami, le porte-parole répliqua : « Il y a du Jay-Z dans l'iPod du candidat Obama. »

Une nouvelle amitié était née. Jay-Z participait maintenant à toutes les étapes de la campagne, entraînant avec lui son épouse tout aussi enthousiaste. « J'ai eu le plaisir de rencontrer monsieur Obama, sa femme et ses enfants, déclara-t-elle un jour aux démocrates pendus à ses lèvres. Ils sont l'incarnation du rêve américain. Ils sont élégants, ils sont chics, ils sont intelligents, tout ce que je rêverais d'être. Grâce à eux, je suis fière de mon pays ! »

À Philadelphie, pendant un meeting, Jay-Z prit la parole à son tour : « Rosa Parks s'est assise pour que Martin Luther King puisse marcher. Martin Luther King a marché pour qu'Obama puisse courir. Obama court pour que nous puissions tous nous envoler... J'ai hâte d'être au 5 novembre ; j'ai hâte de prononcer ces mots : "Bonjour, frère président !" »

Quelques semaines après leur mariage, au cours d'une levée de fonds organisée au Hollywood Bowl, l'idylle entre Beyoncé et Jay-Z connut un léger accroc. Jay-Z s'attaquait aux principes de l'administration Bush pour convaincre la foule de voter Obama quand soudain le DJ lança le *Crazy in Love* de Beyoncé. Jay-Z s'approcha du micro et cria : « Il y en a marre de cette chanson ! Désolé, Bey, mais j'en peux plus... jouons autre chose ! » C'était censé être une blague, mais d'après certains spectateurs, Beyoncé ne comprit pas le trait d'esprit de son mari. Outrée, elle quitta la scène comme une furie. Un témoin raconta la suite au *Daily Mirror* : « Quand Jay-Z est retourné en coulisses, elle l'a engueulé ; elle voulait savoir pourquoi il avait dit ça. Comme tout bon mari qui se respecte, Jay-Z s'est aplati devant elle comme un toutou et il a tenté de s'en sortir avec des compliments... Une fois la paix rétablie, ils ont retrouvé leur sourire et se sont pris la main. »

Beyoncé passa les derniers moments de la campagne électorale au Japon, où elle faisait la promotion de *I Am... Sasha Fierce*. À la toute dernière minute, elle sauta dans un avion pour les États-Unis. « Tout d'un coup, je me suis dit : *Mais qu'est-ce que tu fous ici ? Tu délires, ou quoi ? Rentre chez toi, vite ! Si tu rates ça, tu vas t'en vouloir toute ta vie !* Je devais absolument être présente quand ça se passerait. »

Obama remporta la victoire, et devint le premier président afro-américain des États-Unis. Beyoncé regarda la soirée électorale chez elle, vêtue d'un costume bleu marine à veston croisé et d'une cravate aux couleurs du drapeau américain. À l'annonce des résultats, elle ne put cacher son euphorie. « Je me suis endormie avec les larmes aux yeux, se rappelle-t-elle. Je pleurais et je souriais en même temps. Quand je me suis réveillée, mon mascara avait coulé, mais je souriais toujours. Je ne me suis jamais sentie aussi patriote ! C'est incroyablement excitant, tout ça. »

Elle était persuadée que l'avenir s'annonçait radieux. « Mon neveu a quatre ans, déclare-t-elle à l'époque. Quand nous lui disons "tu peux faire ce que tu veux, tu peux être qui tu veux", ce ne sont plus des paroles en l'air. J'ai l'impression que nous avons beaucoup grandi en tant que nation, et que nous allons grandir encore grâce à monsieur Obama. » Beyoncé tenait absolument à participer au bal d'investiture, prévu en janvier : « Ils peuvent me demander ce qu'ils veulent. S'ils me veulent comme bénévole, s'ils veulent que je chante, j'y serai. Je suis prête. »

Sur une vidéo tournée au cours d'un concert de célébration, peu de temps après l'élection, on voit le président Obama saluer Beyoncé en imitant le fameux geste de la main du clip de *Single Ladies*. « *I got a little something*[1] ! » fredonna-t-il. Il n'avait quand même pas poussé le gag jusqu'à enfiler un justaucorps : « Je ne suis pas comme Justin... »

---

1. « J'ai reçu un petit quelque chose ! »

CHAPITRE TREIZE

L'euphorie de Beyoncé après la victoire d'Obama retomba peu à peu, puis Jay-Z et elle firent à nouveau les gros titres pour une raison beaucoup plus prosaïque : le magazine *Forbes* venait de les nommer couple le plus riche d'Hollywood. En 2008, ils avaient gagné à eux deux 162 millions de dollars, autrement dit bien davantage que Will Smith et Jada Pinkett et le couple Beckham, leurs rivaux les plus proches, respectivement 85 millions de dollars et 58 millions de dollars. À lui tout seul, Jay-Z avait empoché 82 millions de dollars, en grande partie grâce au contrat mirobolant qu'il venait de signer avec Live Nation, puissante société d'organisation et de promotion de spectacles ; Beyoncé, de son côté, avait gagné 80 millions de dollars grâce à sa musique, au cinéma et à ses lignes de vêtements. Depuis, ses revenus ont dépassé ceux de son mari, mais à l'époque, tous deux gagnaient encore à peu près la même chose – ce qui n'en doutons pas devait combler cette ardente partisane de l'égalité entre les sexes. C'était donc un couple puissant aux revenus équilibrés. Un couple qui détestait parler d'argent autant qu'il détestait parler de son intimité. Jay-Z : « Ce n'est pas l'argent qui me motive… Vous ne me verrez jamais parler de fric avec mes amis. »

La première mondiale de *Cadillac Records* se déroula à Los Angeles à la fin du mois de novembre, en présence d'Etta

James, pour le plus grand bonheur de Beyoncé qui l'interprétait à l'écran. « Vous imaginez ? s'exclama-t-elle sur le tapis rouge. J'ai toujours aimé sa voix, mais maintenant que je sais ce qu'elle a traversé, je trouve cette femme carrément héroïque. J'espère qu'elle est contente que ce soit moi qui l'interprète… J'ai un trac monstrueux. » Pour l'instant, Beyoncé n'avait pas de soucis à se faire : Etta – soixante-dix ans à l'époque – lui dit une véritable déclaration d'amour : « Je vous adore depuis la première fois où je vous ai entendue chanter. » Deux âmes sœurs… Malheureusement, leur relation tourna à l'aigre assez vite.

Quelques semaines après la sortie de *Cadillac Records*, Beyoncé releva l'un des plus grands défis de sa vie : chanter en direct pendant le bal d'investiture d'Obama en janvier 2009. Elle opta pour la chanson *At Last*, un classique d'Etta James qu'elle interprétait brillamment dans le film. Seuls sur la piste de danse, dans une lumière féérique, le président Obama et son épouse Michelle dansèrent un slow pendant qu'elle chantait ; une scène tellement touchante qu'elle fut à deux doigts de fondre en larmes. « Il a fallu que je me dise : *Ils t'ont fait l'honneur de te demander ça. Ne les déçois pas. C'est leur histoire. Calme-toi. Calme-toi.* J'y suis arrivée de justesse, mais quelques secondes à peine avant le début du morceau, je pleurais encore comme une gamine de cinq ans », raconte-t-elle au magazine *Marie-Claire.*

Encore plus fier de sa femme que d'habitude, Jay-Z choisit d'assister à sa prestation dans le public plutôt qu'en coulisses, pour pouvoir « ressentir l'énergie des gens dans le public ». Ce rite de passage lui laissa une impression « incroyable », précise-t-il encore.

La remarquable interprétation de Beyoncé laissa pourtant de marbre Etta James elle-même. Quelques jours plus tard, à Seattle, pendant l'un de ses concerts, elle déclara : « Vous connaissez notre président, pas vrai ? Vous savez… le type avec des grandes oreilles ? » Dans la foulée, elle s'attaqua à Beyoncé. « Je vais vous dire ce que je pense : cette femme à qui il a demandé de chanter, et qui a chanté ma chanson, elle mérite une bonne fessée. » Etta poussa le bouchon encore plus loin : « Je ne supporte pas Beyoncé. De quel droit a-t-elle accaparé ce morceau que je chante depuis toujours. »

Évidemment, l'annonce de ce coup de gueule se répandit comme une traînée de poudre, au point que l'ancienne gloire dut préciser qu'elle plaisantait. « Personne ne m'en a voulu, à Seattle. Tout le monde a ri, c'était une blague ! » Elle ajouta qu'il n'y avait « rien de méchant dans ses propos » : « Je ne pensais pas ce que j'ai dit. Depuis que je suis toute petite, il faut toujours que je tourne tout en dérision. » Elle avoua regretter sa plaisanterie douteuse sur Obama, un homme qu'elle trouvait « beau » et « sympa ». Elle reconnut en revanche qu'elle n'avait pas apprécié que l'équipe du nouveau président ne lui demande pas de chanter pour lui. Elle avait eu l'impression d'être « écartée de sa propre chanson ». Aurait-elle fait mieux que sa consœur ? lui demanda-t-on. Ravivant les plaies de Beyoncé, elle répondit : « J'ai un peu honte de le dire, mais oui, je le pense. »

Ces commentaires acerbes scandalisèrent beaucoup de monde. Beyoncé, professionnelle jusqu'au bout des ongles, ne chercha même pas à riposter. Elle refusait de baisser sa garde pour si peu. Il lui semblait bien plus important de conserver une attitude digne. Chaque fois que sa vie était soumise à l'examen des masses, chaque fois qu'on cherchait à l'offenser, elle réagissait prudemment, avec beaucoup de sang-froid.

Etta James mourut en 2012, victime d'une leucémie. Beyoncé lui rendit hommage sur son blog : « C'est une énorme perte. Etta James restera l'une des plus grandes chanteuses de notre temps. J'ai eu tant de chance de croiser la route de cette reine... Elle a apporté beaucoup à la musique, et ses contributions lui survivront. J'ai appris beaucoup sur moi-même en l'incarnant dans un film, et chanter sa musique a fait de moi une artiste plus forte. »

Février arriva, et avec lui, comme chaque année, la cérémonie des Grammy Awards. Nominée dans la catégorie Meilleure performance vocale de R & B pour la chanson *Me, Myself and I*, Beyoncé fut battue par Alicia Keys et repartit les mains vides. Pour une fois, c'était Jay-Z, la vedette : il remporta un trophée pour *Swagga Like Us* et interpréta ce morceau avec Kanye West et Lil Wayne. Cette année-là, hélas, la cérémonie marqua les esprits pour des raisons sinistres qui n'avaient rien à voir avec la musique. Juste avant les Grammy Awards, le rappeur Chris Brown avait violemment agressé Rihanna, sa petite amie du moment, après une dispute féroce dans leur Lamborghini de location. Sur des photos qui ont provoqué une onde de choc dans le monde entier, on la voit le visage tuméfié. Brown fut condamné à cinq mois de liberté surveillée et à 1 400 heures de travail d'intérêt général.

Cet incident mit Jay-Z hors de lui. Il considérait toujours Rihanna, qui n'avait que vingt ans à l'époque, comme sa protégée dans le milieu. D'après *US Weekly*, la nouvelle le fit sauter au plafond. « Chris est un homme mort ! Il s'en est pris à la mauvaise personne ! » se serait-il exclamé. L'incident horrifia tout autant Beyoncé. « Je suis là si elle veut de l'aide… expliqua-t-elle à Larry King, sur CNN. Jay-Z et moi, nous la considérons un peu comme un membre de la famille. » Les deux femmes se connaissaient depuis longtemps. Rihanna avait assisté au premier concert de Beyoncé en 2004, et elle en était ressortie « éblouie ». « J'étais en larmes. Je n'arrivais pas à croire que Beyoncé était là, devant moi… Ce fut un moment très important pour moi, et ça m'a énormément motivée. »

Beyoncé se faisait clairement du souci pour sa consœur, malgré les rumeurs incessantes qui faisaient état d'une certaine inimitié entre les deux chanteuses. Le bruit avait couru d'une *love affair* entre Jay-Z et son petit prodige, ce que Bey avait immédiatement réfuté. Mais d'après certains, elle désapprouvait le comportement souvent hédoniste de sa cadette, alors qu'elle-même faisait tout son possible pour conserver une image irréprochable. En tout cas, Rihanna tourna en dérision cette idée « agaçante » d'une vendetta entre elles. « Beyoncé est l'une des femmes les plus adorables que je connaisse ! » Quand on lui demanda ce qui les opposait, la jeune femme protesta à nouveau : « Bey n'est pas mon ennemie. Musicalement, il y a une certaine rivalité entre nous, c'est vrai, mais nous nous entendons très bien. Tout va bien, je vous assure ! » La même année, pourtant, au cours de la soirée de lancement de House of Deréon à Toronto, l'équipe de Beyoncé empêcha un DJ de passer la moindre chanson de Rihanna.

Le temps passant, Beyoncé parut se lasser des problèmes de Rihanna et elle demanda à Jay-Z de prendre ses distances. Lorsque Rihanna fit savoir qu'elle comptait revoir Chris Brown, l'ex-petit ami qui l'avait tabassée, Jay-Z ne se manifesta pas, à la grande surprise – et consternation – de sa protégée. « Ce n'est pas ma place, déclara le rappeur sur une station de radio hip-hop. Je ne vais pas contrôler ce qu'elle fait de sa vie. Je n'ai pas le droit d'intervenir. »

Nous ne savons pas tout, évidemment. Mais il est clair que Jay-Z incarne la figure paternelle aux yeux de Rihanna. D'ailleurs, quand il parle d'elle, il s'exprime parfois comme un père : « Je peux donner des conseils aux gens, je peux leur fournir des informations, mais ensuite, la vie reprend son cours. Chacun doit vivre la sienne. » De son côté, Rihanna expliqua un jour au magazine *People* qu'elle comptait sur Jay-Z pour faire le tri dans ses petits amis potentiels. « Un ami commun vient de m'apprendre que les types qui veulent sortir avec moi s'adressent d'abord à Jay-Z… Si ce sont des mecs bien, je sais qu'il ne les décourage pas. Mais si ce sont des cons, il les rembarre. »

Début 2009, Beyoncé put ajouter un autre film à son CV : elle signa pour un rôle dans le thriller *Obsessed*, dont elle partagerait l'affiche avec Idris Elba, un acteur de la série *Wire*. C'était la première fois qu'on ne lui demandait pas de chanter dans un film. Elle y interprète Sharon, une femme dont la famille est harcelée par une détraquée mentale. « C'était intéressant, ce rôle qui n'implique pas des heures de maquillage et de coiffure.

Et Sharon n'est pas une victime, c'est une femme forte qui prend les choses en main. En ce sens, j'ai pu m'identifier à elle. C'est une femme moderne, au comportement réaliste. Quand on s'en prend aux enfants d'une maman, elle perd complètement les pédales, c'est normal. »

L'intrigue était ponctuée de scènes violentes, dont le tournage plut beaucoup à Beyoncé. « Quand je donne des coups de poing, c'est pour de vrai. J'ai pris des cours de boxe, ça m'a bien servi pour ce rôle. J'étais gonflée à bloc, je transpirais, bref je me suis donnée à fond. J'ai adoré les scènes de bagarres, ça ressemble beaucoup à des chorégraphies. En plus, je suis toujours gentille, toujours politiquement correcte… C'était génial de pouvoir enfin faire sortir toute cette agressivité. » Manifestement, cette image propre et polie qu'elle tenait à offrir au public la fatiguait, à la longue. Contrairement à beaucoup d'autres stars plus frondeuses, elle travaillait dur pour ne jamais dépasser les bornes, ne jamais offenser personne. Dans un rôle comme celui-ci, où elle n'était pas la seule sous le feu des projecteurs, elle pouvait enfin laisser parler son côté rebelle, pour son plus grand plaisir.

Du coup, elle voulut faire toutes ses cascades elle-même, et tant pis pour les bleus. « J'ai dû porter des manches longues pendant trois semaines, mais quelle importance ? J'adore mettre les mains dans le cambouis. Si on me dit que la personne qui me double va faire quelque chose que je peux faire, je tente le coup moi-même, et en général, j'y arrive. »

Pour les besoins du scénario, elle dut également échanger plusieurs baisers avec Idris, qui raconta qu'il avait trouvé « un peu déroutant » de rencontrer Jay-Z au bar juste après l'une de ces scènes. Le film marcha très bien au box-office, mais les critiques ne l'aimèrent pas et ne se privèrent pas de le faire savoir. *Rolling Stone* ne lui accorda aucune étoile, et dans un autre avis, on put lire que c'était « *Liaison fatale* sans le lapin dans la marmite ». Pire encore : pour le *Guardian*, Beyoncé n'avait pas grand-chose à faire dans le film, si ce n'était « piailler d'indignation » ; quant au *Daily Telegraph*, il qualifia son interprétation de « maladroite » et « sans intérêt ».

Ces critiques la contrarièrent certainement, mais elle n'en laissa rien paraître. D'autant plus qu'elle venait d'entamer *I Am...*, sa nouvelle tournée mondiale, lorsque le film arriva sur les écrans. Une tournée de onze mois, qui débuta fin mars 2009 et mit un terme aux rumeurs de grossesse. « Dans une journée, il n'y a pas assez d'heures pour tout faire, plaisanta Beyoncé en terminant les préparatifs de son voyage. Je veux des enfants, bien sûr, mais pour l'instant, je ne suis pas prête. »

C'était sa première tournée aussi longue : 108 concerts en Europe, en Amérique du Nord et du Sud, en Asie, en Afrique et en Australie, devant un million de fans en tout. Elle engrangea presque 120 millions de dollars au total. Deux mois durant, elle enchaîna des répétitions intenses pendant douze heures d'affilée, jusqu'au concert inaugural, à Edmonton, au Canada. Des répétitions en talons hauts pour tout le monde, sans exception. « C'est la règle : quand je porte des talons hauts, tout le monde doit en porter aussi, expliqua-t-elle au magazine *Billboard*. Parfois, mes danseurs espèrent que je vais arriver en retard, parce que je les fais bosser toute la journée. Et à la fin, j'ai des ampoules et les orteils tout bleus. C'est vraiment dur, certains jours. »

Pendant cette période, elle s'affina de façon spectaculaire. « J'ai perdu énormément de poids sans faire de régime, en répétant simplement douze heures de suite tous les jours. Ça en fait de la danse ! Travailler douze heures d'affilée dans un bureau, sûrement pas, mais quand je bouge, j'oublie l'heure qu'il est. Cela fait partie du métier. » Elle expliqua aussi au magazine *People* qu'elle mangeait « très sainement » quand elle se préparait à prendre la route : « Beaucoup de poisson, et des céréales Spécial K le matin. »

Avec une scène principale et une scène plus petite, dite « scène B », installée au milieu du public, le spectacle était conçu pour permettre à Beyoncé d'exprimer les deux facettes de sa personnalité. Elle le considérait par ailleurs comme sa production la plus spectaculaire depuis ses débuts. « J'ai essayé d'y intégrer du jazz, du hip-hop, du ballet et de la mode, parfois tout ça en même temps. C'est ce que j'ai fait de mieux depuis mes débuts en matière de tournée. » Dans l'une de ses chansons, *Baby Boy*, elle s'élevait au-dessus de la foule et enchaînait au trapèze une série de figures acrobatiques. « Les articulations de mon dos et mes hanches sont très déliées, se vanta-t-elle un jour. Je peux faire des tas de choses bizarres… Un peu comme une artiste de cirque. »

Pour la musique, elle se reposait à nouveau sur les Mamas, son groupe entièrement féminin. Tina avait abandonné la confection des costumes au créateur français Thierry Mugler, « une icône et une légende », aux yeux de Beyoncé. Puisant son inspiration dans les mots *féminin, libre, guerrière* et *féroce*, Thierry lui confectionna six costumes sophistiqués, ses « tenues de superhéroïne féroce et power-glam », comme il les baptisa. Parmi elles, un justaucorps à sequins dorés, avec un arc géant dans le dos, et une longue robe argentée ornée de cristaux. Au cours du spectacle, Beyoncé portait aussi des bas résille, des gants dépareillés et des épaulettes pour symboliser « les célibataires, les femmes fatales et les détentrices du pouvoir dans un monde high-tech à la Blade Runner ». Dès que le couturier avait terminé l'une de ses créations, Tina l'adaptait pour permettre à Beyoncé de danser avec une totale liberté de mouvement. « C'était fantastique de travailler avec lui. Cet homme est tellement inventif ! » s'extasia la styliste sur MTV. Pour elle, les costumes surprenants de cette tournée prouvaient que sa fille « évoluait constamment », mais en fin de compte c'était toujours elle, Beyoncé, qui avait le dernier mot. « C'est elle qui décide. C'est sa carrière. » Mugler releva également un autre défi : créer des tenues pour les musiciennes, les choristes et les danseurs : « En tout, soixante et onze costumes ! »

Thierry Mugler et Beyoncé ne s'affrontèrent que sur un point. Thierry avait prévu une robe noire pour la chanson *Ave Maria*, mais Beyoncé protesta ; elle voulait une robe de mariée blanche, correspondant mieux, selon elle, à l'ambiance éthérée du morceau. Elle obtint gain de cause et ajouta un voile à la robe, accentuant encore le côté aérien de sa performance.

Ces concerts qui s'enchaînaient étaient harassants, à la longue, mais Beyoncé acceptait bien volontiers son sort : « Quand je monte sur scène ou que je joue dans une vidéo, je travaille jusqu'à ce que j'aie les pieds en sang. Autrement dit, je m'arrête quand je n'arrive plus à marcher. » Comme elle l'expliqua à *Billboard* : « Avec moi, c'est tout ou rien. Soit je ne fais absolument rien et je me détends – je lis un livre, je contemple la mer, je ne réponds à aucune question – soit je me donne à fond et je bosse comme une malade. »

Comme pour sa tournée précédente, Beyoncé lâcha la bride à son irrépressible perfectionnisme. Un trait de caractère qui représentait à la fois un bienfait et une malédiction. Elle était sûrement la seule artiste au monde à travailler à ce point ses spectacles. Tous les détails devaient être parfaits, des lumières aux moindres pas de danse. À la longue, ce perfectionnisme lui valut le surnom affectueux de B-Zilla dans son équipe. « C'est comme si j'étais ma propre rivale, avoua-t-elle un jour dans le magazine *Seventeen*. Je ne cherche pas à être meilleure que les autres, j'essaie juste de m'améliorer. Parfois, je me repasse tout ce que j'ai fait jusqu'à maintenant. Je reste plantée toute la journée devant YouTube, et je regarde toutes mes performances, j'écoute ma musique, je revois mes vidéos. Comme ça, je sais ce que je dois faire, ce que je dois changer pour devenir encore meilleure. » Nous connaissons tous le cliché de l'artiste répétant à qui veut l'entendre qu'il se donne à cent dix pour cent pour ses fans ; dans le cas de Beyoncé, cette affirmation n'aurait rien d'exagéré. À chacune de ses apparitions sur scène, elle se donne littéralement corps et âme à son public et ne s'arrête que lorsqu'il ne lui reste plus rien à offrir.

Pendant cette tournée, elle s'autorisa une coupure de trois semaines et se débrouilla pour visiter quelques endroits exotiques sans être dérangée par ses fans. Elle adorait se glisser incognito dans les églises et dans les musées, ou étudier l'histoire des lieux où elle séjournait. Il lui arrivait aussi de se balader à vélo avec ses assistants. Ces activités lui permettaient de garder les pieds sur terre, disait-elle.

Elle ne tenait pas à passer son temps libre dans les hôtels. « J'ai visité les pyramides d'Égypte et la muraille de Chine et en Australie, j'ai pris le bateau pour aller observer les baleines. Elles m'ont même soufflé de l'eau dans la figure ! Bref, cette année, j'ai accumulé plein de souvenirs magnifiques. »

Le temps passé loin de chez elle et de son mari lui coûtait beaucoup, cependant. Dans un documentaire pris sur le vif pendant la tournée, on la voit fondre en larmes, rongée par la solitude. Sans la moindre trace de maquillage, elle s'adresse à la caméra : « Certains jours, je me demande pourquoi Dieu m'a réservé cette vie. Ça me dépasse, parfois. Pourquoi m'a-t-Il offert à moi ce talent, ce don, cette famille ? Mais on ne pose pas de questions à Dieu. Alors je me contente de Le remercier pour tout ce qu'Il m'a donné. » Elle essuie une larme, puis ajoute : « Je Lui suis tellement reconnaissante... Grâce à Lui j'existe, je vis le rêve absolu, je réalise mes rêves... » Mais l'absence de Jay-Z la fait souffrir : « Je rentre à la maison aujourd'hui. Mon chéri me manque tant... »

Manifestement, cette vie sans intimité avait ravivé son instinct maternel, puisque nous apprenons aussi qu'elle se sentira « bientôt prête » à avoir un bébé.

Ce documentaire, intitulé *Beyoncé : I Am... World Tour*, elle l'a réalisé elle-même, avec beaucoup d'amour. « J'avais l'impression de ne pouvoir raconter mon histoire que si je me filmais moi-même, explique-t-elle dans une émission de la chaîne NBC. Je révèle beaucoup de choses très intimes que je n'aurais jamais livrées à quelqu'un d'autre. » Dans ce DVD, on voit également une Beyoncé épuisée qui vient d'enchaîner neuf concerts en neuf jours. « Personne ne s'inquiète jamais de mon état physique et de mon bien-être, et ça me mine. Quand on travaille si dur, on a besoin que quelqu'un vous dise "Stop, ça suffit". Vous voyez ce que je veux dire ? La voix est un muscle, il faut la reposer. Neuf soirs de suite ! Vous vous rendez compte ? Je délirais complètement, je me sentais tellement mal... Et à la fin, j'ai pleuré, parce que je suis un être humain : je saigne, j'ai mal, je pleure et je tombe comme n'importe qui. »

Plus loin, elle reconnaît qu'il lui arrive de converser avec son ordinateur dans les moments difficiles. « En Chine, par exemple. J'étais dans une énorme suite ; en regardant par la fenêtre, j'ai vu des milliers de gens dans la rue et j'ai halluciné. Je devais me sentir un peu seule, j'avais envie de parler à quelqu'un, alors j'ai ouvert mon ordinateur et je me suis adressée à lui. »

À New York, le soir de la première de ce documentaire, elle dut répondre à un véritable flot de questions sur son désir d'enfant. Mais elle en avait l'habitude. « Ça fait partie du job. On m'a déjà attribué huit grossesses, donc cela ne me fait plus ni chaud ni froid. J'espère qu'un jour, quand je déciderai d'avoir un enfant, les gens seront heureux pour moi... En tout cas, ça fait rigoler tout le monde, maintenant : "Mais bon sang, laissez-la tranquille ! On a déjà annoncé sa grossesse une bonne centaine de fois !" Un jour j'espère, j'aurai un enfant. Alors ça m'est égal, tout ça. C'est la célébrité qui veut ça, j'imagine. »

Beyoncé était en tournée lorsqu'on lui rapporta une terrible nouvelle : le décès de Michael Jackson. Il était mort chez lui, le 28 juin, des suites d'une overdose de médicaments. En apprenant ce qui s'était passé, elle éclata en sanglots comme si elle venait de perdre un membre de sa famille. Après avoir repris ses esprits, elle fit paraître le communiqué suivant :

« C'est une perte tragique et un jour terrible. Michael Jackson était incomparable et il a eu un impact plus grand que n'importe quel autre artiste dans l'histoire de la musique. Il était magique. Il était ce que nous nous efforçons tous de devenir. Il restera le roi de la pop à jamais ! On comprend qu'on est vivant quand on vit des moments à couper le souffle. Comme tous ceux qui ont vu ou entendu Michael Jackson dans ses œuvres, nous sommes honorés d'appartenir à cette génération qui aura goûté à la magie de Michael Jackson. Je t'aime, Michael. »

Leurs chemins s'étaient peu croisés, en fin de compte, mais Beyoncé se sentait très proche de cette star tragique. Elle répétait souvent que si Michael Jackson ne l'avait pas fascinée quand elle était enfant, elle n'aurait jamais choisi la carrière de chanteuse. Pour le cinquième anniversaire de sa mort, en juin 2014, elle posta un mot très personnel sur son site web : « À mes débuts, mon premier producteur me faisait souvent écouter la performance *live* de Michael Jackson sur *Who's Loving You*. Il m'obligeait à la regarder pendant des heures. En fait, il voulait que j'y perçoive l'âme de Michael Jackson. On pouvait entendre son âme… Je ne sais pas comment il s'y prenait, mais il pouvait transmettre plus d'émotion qu'un adulte. C'était si brut, si pur… Michael m'a appris qu'il faut parfois oublier la technique, oublier l'apparence. Il faut savoir lâcher prise, chanter avec ses tripes… Même si on se sent ridicule. Michael Jackson m'a changée, il m'a aidée à devenir l'artiste que je suis. Merci, Michael. Je t'aimerai à jamais, B. »

En pleine tournée *I Am…*, elle inséra un hommage à Michael Jackson dans le déroulement du spectacle, avec la projection d'une vidéo où on la voyait à cinq ans se préparant à assister à son premier concert de Michael. Et elle modifia en partie les paroles de la chanson *Halo* (« *Aura* »), dont le refrain devint : *Michael, nous percevons ton aura, qui jamais ne disparaîtra*. On l'aperçoit aussi dans son documentaire, les yeux clos, en train de réciter une prière avant le premier concert qui suivit la mort du roi de la pop. « Seigneur, faites que son esprit soit présent sur scène avec nous. Nous lui dédions ce spectacle, ainsi qu'à sa famille, et nous prions pour lui. Seigneur, faites que nous parvenions à toucher des gens dans le public comme il nous a touchés nous-mêmes. » Mais « *the show must go on* », comme on dit, et Beyoncé ne laissa jamais son chagrin prendre le pas sur le plaisir qu'elle avait à se produire devant son public.

De fin novembre à février, profitant de l'interruption de sa tournée, Beyoncé organisa une fête spectaculaire en République dominicaine pour les quarante ans de Jay-Z. Sur la liste des invités figuraient Kanye West et P. Diddy, des amis du rappeur, ainsi que Tina, Solange, et Angie, la cousine de Beyoncé. Les festivités durèrent tout un week-end au Campo de Casa, un lieu de villégiature luxueux : villas en front de mer, piscines à débordement surplombant des plages de sable blanc, océan aux eaux cristallines… Beyoncé s'occupa du moindre détail, et notamment d'un dîner costumé, le vendredi soir, sur le thème des années 1920. Une vidéo des amis de Jay-Z racontant à quel point il comptait pour eux fut projetée pendant le repas, puis une équipe de nage synchronisée effectua un numéro dans la piscine, et un feu d'artifice gigantesque conclut cette partie de la soirée. Les invités dansèrent toute la nuit, et le lendemain matin Beyoncé les convia tous dans sa villa pour un brunch à base de homards et de steaks – excellent contre le mal de crâne.

Ce même week-end, Jay-Z et elle annoncèrent qu'ils allaient désormais porter leurs deux noms de famille accolés : Shawn et Beyoncé Knowles-Carter… Un témoin raconte : « Les parents de Beyoncé n'ayant pas eu de fils, c'était le seul moyen pour la famille Knowles de perpétuer son patronyme. »

Jay-Z vécut très bien ce quarantième anniversaire, d'autant plus que *Blueprint 3*, son dernier album, était numéro un des charts, battant quelques records au passage. « Avoir quarante ans, c'est formidable, déclara-t-il. Je vis dans un endroit génial, et mon dernier album est fantastique. Il est arrivé directement à la première place des charts, ce qui veut dire que j'ai battu le record d'Elvis. Je me sens un peu le roi de la pop, du coup ! »

Il manquait un invité de marque à l'anniversaire de Jay-Z : Mathew, le père de Beyoncé. Depuis quelques mois, on le voyait de moins en moins à ce genre d'événements. Ses contacts avec sa fille devenaient également moins fréquents. On apprit bientôt que Tina avait demandé le divorce en novembre de cette année-là, au Texas, mettant un terme à plus de trente ans de mariage. Tina et Mathew avaient « cessé de vivre ensemble en tant que mari et femme autour du 5 janvier 2009 » – date de leur trentième anniversaire de mariage.

La nouvelle attrista Beyoncé, mais elle savait que ses parents ne vivaient plus en couple depuis longtemps. En outre, depuis octobre, Mathew était poursuivi par la justice pour une reconnaissance de paternité, à la demande de l'actrice Alexsandra Wright, qui affirmait porter son enfant depuis six mois. En février 2010, elle donna naissance à un petit garçon, Nixon. Mathew nia en être le père, jusqu'à ce qu'un test ADN démontre le contraire. Ce ne serait pas la dernière fois qu'il aurait à affronter une situation de ce genre.

S'il faut en croire le site TMZ, Tina précisait dans sa demande de divorce que son mariage était devenu « insupportable suite à des désaccords constants et à un conflit de personnalités empêchant toute perspective de réconciliation raisonnable ». Tina et Mathew confirmèrent leur séparation dans un communiqué de presse : « Nous avons décidé d'un commun accord de mettre un terme à notre mariage. Nous restons amis, parents et associés en affaires. Ceux qui s'attendent à un déballage de linge sale vont être cruellement déçus. Nous vous demandons de respecter notre intimité pendant que nous réglons cette question. » Le divorce ne fut prononcé qu'un an plus tard, mais ce fut une période difficile pour Beyoncé.

CHAPITRE QUATORZE

En janvier 2010, le monde chancela : un tremblement de terre effroyable détruisit Haïti, faisant plus de 300 000 morts et privant de foyer un million de personnes. Les scènes de dévastation et de désespoir consternèrent Beyoncé. Comme à l'époque de l'ouragan Katrina, elle fut l'une des premières célébrités à apporter sa contribution aux opérations de secours en leur versant une somme considérable prélevée sur ses propres deniers. Devenue l'égérie officielle du T-shirt *Fashion for Haïti* (« La mode pour Haïti »), qui permit de rassembler plus d'un million de dollars pour la cause, elle participa également à un téléthon organisé à Londres peu de temps après la catastrophe. Avec son grand ami Chris Martin, elle interpréta une version acoustique poignante de *Halo*. Extrêmement émue, elle modifia cette fois encore les paroles de la chanson qu'elle adressa aux habitants de Haïti, déclarant qu'elle « distinguait leur aura ». Également très affecté par la tragédie, Jay-Z avait de son côté sorti en hâte un single « humanitaire » – *Stranded (Haïti Mon Amour)* – avec Rihanna et U2, single qu'ils chantèrent ensemble pendant ce téléthon. Beyoncé et Jay-Z soutenaient depuis toujours certaines causes humanitaires, d'où la stupéfaction de Bey lorsqu'en 2012 le chanteur et activiste américain Harry Belafonte les attaqua avec virulence, leur prêtant une absence totale de conscience sociale : « Pour moi, l'un des grands scandales de notre époque, ce sont tous ces puissants artistes, toutes ces célébrités qui tournent leur dos à la responsabilité sociale. Jay-Z et Beyoncé, par exemple. » Ces remarques mirent Beyoncé dans une colère noire, elle qui n'avait jamais cherché à attirer l'attention des médias sur ses actions humanitaires. Son équipe envoya aussitôt au *Wall Street Journal* « une liste non exhaustive des gestes désintéressés de Beyoncé depuis le début de sa carrière ».

À plusieurs reprises, elle se sentit obligée de se justifier. Sur ABC, par exemple : « Les gens savent quelles chaussures je porte, ils savent ce qu'il y a dans ma garde-robe, ils veulent tout savoir sur mon mariage. Mais s'ils tiennent vraiment à me ressembler, ils doivent rendre une partie de ce qu'ils reçoivent. »

Les commentaires de Harry Belafonte semblent particulièrement injustes à la lumière de ce que l'on découvrit plus tard : au fil des ans, Beyoncé avait versé un montant total de 7 millions de dollars à un programme d'aide aux sans-abri lancé à Houston à la suite de l'ouragan Katrina : le Knowles-Temenos Place Apartments. Cette résidence pour SDF propose à ses pensionnaires des formations professionnelles, des repas et des tests de dépistage du sida, avec pour objectif de les rendre autosuffisants. Rudy Rasmus, l'ancien pasteur de Beyoncé, ne put s'empêcher de glisser cette information au cour d'une émission de radio : « C'est une femme incroyable... Elle a un cœur énorme, et nous apporte une aide inestimable dans l'accomplissement de notre mission et de notre sacerdoce. »

Prise dans le tourbillon du lancement de son nouveau parfum, *Heat,* Beyoncé oublia vite ces critiques injustes qui minimisaient ses gestes désintéressés. Comme à son habitude, elle jonglait avec plusieurs activités à la fois, ce qui n'était pas sans lui poser quelques problèmes. « Je m'intéresse à des tas de choses très différentes », expliqua-t-elle au magazine *You*, à New York, pendant le lancement de *Heat.* « Écarter certaines d'entre elles pour me concentrer sur une seule, à cent pour cent, cela me demande vraiment de gros efforts. Mon plus grand défi dans la vie, c'est la gestion de mon temps. Il me faut être une épouse, une chanteuse, une actrice, écrire mes chansons et m'occuper de ma ligne de vêtements, ou de ce parfum, aujourd'hui. » Pour éviter de devenir dingue, elle s'efforçait aussi de se ménager un peu de temps tout à elle : « Je fais mon possible pour m'accorder chaque jour une demi-heure de calme. En gros, je traîne au lit, je médite un peu, je réfléchis à ce que je veux faire de ma vie. Parfois, je n'arrive pas à me dégager trente minutes, mais ces moments de tranquillité me sont vraiment indispensables. »

Telephone – un single en duo avec Lady Gaga – ne risquait pas de lui apporter cette tranquillité à laquelle elle aspirait tant. Les deux chanteuses avaient noué des liens en 2008 en collaborant sur un remix du morceau *Video Phone*, de Beyoncé. En plein enregistrement de son album *Fame Monster*, l'excentrique Gaga – qui se surnommait parfois elle-même Gee-yoncé – avait tenu à embarquer sa consœur dans l'aventure, convaincue que toutes deux partageaient les mêmes valeurs et les mêmes croyances.

Assorti d'une vidéo de neuf minutes extrêmement onéreuse – un demi-million de dollars ! –, ce morceau extravagant met en scène Gaga libérée de prison. À l'extérieur, elle retrouve Beyoncé qui l'emmène dans le désert pour commettre un massacre dans un petit resto de bord de route. Le morceau se retrouva nominé dans plusieurs catégories des MTV Awards, mais le *NME* reprocha à la vidéo son côté « placement de produits de presque dix minutes », tout en soulignant « son intrigue à la *Thelma et Louise*, ses tenues complètement démentes et ses chorégraphies typiquement Gaga-esques ».

Le single atteignit la première place des charts en Grande-Bretagne et la troisième aux États-Unis. Les deux femmes avaient adoré travailler ensemble, c'était visible à l'écran. Quand on lui parla des scènes incongrues de Beyoncé dans la vidéo, Gaga reconnut que celle-ci s'était demandé à quelle sauce elle allait être mangée. Ces deux popstars parmi les plus *hot* de la planète rejettent toute idée de compétition entre elles, Gaga insiste sur ce point : « Des rivales, nous ? Jamais ! Nous sommes très différentes, et nous nous respectons énormément. Beyoncé est adorable, le courant passe bien entre nous. Elle m'a fait confiance parce qu'elle aime mon travail, et qu'elle sait que je l'adore. Elle a été drôlement courageuse. Si cette vidéo est une réussite, c'est surtout grâce à elle. » Dans une autre émission, Beyoncé lui retourna le compliment : « Je suis une immense fan de Gaga. Elle est tellement intelligente… elle mérite vraiment son statut d'icône, à mes yeux. J'adore les filles ; alors quand je peux montrer que les femmes célèbres aussi peuvent se serrer les coudes et s'éclater ensemble, ça m'enchante. Je ne remercierai jamais assez Gaga de m'avoir donné l'occasion de faire passer ce message. »

La cinquante-deuxième cérémonie des Grammy Awards approchait. Nominée dix fois cette année-là, Beyoncé se préparait à vivre une nouvelle nuit de folie. Ce fut le cas, et même au-delà de ses espérances. Avec six trophées en tout, elle battit haut la main le record du nombre de Grammy remporté par une femme au cours d'une même soirée. Depuis, seule Adele, en 2012, est parvenue à égaler ce record. En 2010, Beyoncé arriva en tête dans les catégories Chanson de l'année, Meilleure performance vocale féminine, Meilleure performance vocale féminine de R & B, Meilleure performance vocale de R & B traditionnel, Meilleure chanson de R & B et Meilleur album de R & B contemporain.

« Ce n'est pas évident d'expliquer ce que l'on ressent dans ce genre de circonstances, avoua-t-elle après la cérémonie, interrogée par *Access Hollywood*. Ça compte tellement, pour moi… C'est incroyable, ce qui m'arrive, j'en suis consciente. On me fait un immense honneur… J'ai reçu seize Grammy en tout, vous vous rendez compte ? »

À la stupéfaction générale, la chanteuse, d'habitude plutôt réservée, dédia ses victoires à Jay-Z : « Je viens de vivre une soirée incroyable. Je tiens à remercier ma famille, et mon mari, surtout. Je t'aime… » bredouilla-t-elle. Ses victoires l'avaient plongée dans un état second, au point qu'elle ne savait plus du tout ce qu'elle disait. « Ça l'a drôlement secoué, raconte-t-elle. Il m'a regardée, genre "Mais qu'est-ce qui te prend ?". Et moi : "Oh non, c'est pas possible, j'ai pas dit ça..." J'étais tellement heureuse... j'aurais pu raconter n'importe quoi. C'est pour ça que j'ai quitté la scène en courant. » Mais elle tient à préciser que Jay-Z ne lui en a pas tenu rigueur : « Il m'a dit : "Tu viens de recevoir six Grammy et tu sens bon." »

« C'était un moment de vérité, continue-t-elle, toujours pour *Access Hollywood*. Dans le public, j'ai vu mon neveu, et Angie, ma cousine, et puis je l'ai vu, lui... Et c'est le premier truc qui a franchi mes lèvres. Ensuite, je suis retournée en coulisses et j'ai hurlé de joie parce que j'ai réalisé tout d'un coup ce qui venait de m'arriver. J'ai travaillé toute ma vie, et ce soir-là, je l'ai vécu comme une consécration. »

Pour Jay-Z aussi, la soirée fut fructueuse : il remporta trois Grammy, dont un en duo avec Rihanna pour le single *Run this Town*. Tous deux offrirent à la cérémonie l'un de ses plus beaux moments : quand ils montèrent sur scène pour recevoir leur trophée, ils emmenèrent avec eux le petit Julez, le neveu de Jay-Z et de Beyoncé. Vêtu d'un petit smoking et aussi élégant que Solange, sa maman, l'enfant provoqua l'extase du public quand Rihanna le souleva et lui demanda s'il voulait dire quelque chose. « Non, merci, » répondit-il calmement dans le micro.

Une cérémonie des Grammy ne serait pas complète sans une chanson en live de Beyoncé. En 2010, absolument superbe dans une courte robe bustier en cuir noir clouté et bottines à talons hauts, elle mit le feu à la salle avec une interprétation électrisante de son tube *If I Were a Boy*, mélangé à *You Oughta Know*, une chanson d'Alanis Morissette. Puis elle enfila une robe plus modeste et se rendit à la fête d'après cérémonie avec Jay-Z et Rihanna. Oubliant leurs différends pour un temps, les deux femmes posèrent de bon cœur ensemble pour les paparazzi. D'après un témoin, « leur bande a descendu douze bouteilles de champagne en quatre-vingt-dix minutes ».

Sa tournée mondiale *I Am*… ne lui laissant aucun répit, Beyoncé fêta la Saint-Valentin 2010 sur Skype, ainsi que nous l'apprit Jay-Z. Mais, quatre jours plus tard, par une nuit humide de février, la tournée se terminait sur l'île de Trinité-et-Tobago. Ce soir-là, quand Beyoncé quitta la scène, dégoulinante de sueur, et retrouva *backstage* son équipe euphorique – ses musiciennes, ses danseurs, ses choristes – pour boire le verre de l'amitié, elle comprit que quelque chose avait changé en elle. Pendant un an, elle avait mené une double vie ; résultat, son personnage scénique l'avait consumée jusqu'à la moelle. Maintenant que la tournée était terminée, elle rêvait de calme et de tranquillité. Elle voulait se retrouver, retrouver cette Beyoncé ni arrogante ni agressive. Elle prit une grande décision : celle de tuer Sasha Fierce.

Elle confirma la nouvelle le même mois, dans une interview pour le magazine *Allure* : elle ne ressentait plus le besoin de se cacher derrière son alter ego. « Sasha Fierce, c'est terminé. Je l'ai tuée. Je n'ai plus besoin d'elle, parce que j'ai grandi. Je peux fusionner nos deux personnalités, maintenant. » Cette annonce estomaqua les médias et les fans. Sans l'énergie débordante de Sasha, leur chanteuse préférée allait-elle rester cette inégalable bête de scène ? Beyoncé resta inflexible : il était temps pour elle de dévoiler un autre aspect de sa personnalité. « J'ai envie de montrer aux gens la personne sensible, passionnée et compatissante que je peux être. Tout ce que n'était pas Sasha Fierce », répéta-t-elle dans *Dazed* et dans le magazine *Confused*.

Après presque une année sur la route, elle savait aussi qu'elle avait épuisé ses réserves. Elle tournait à vide, littéralement. Un congé sabbatique s'imposait, en cette année 2010. « J'ai besoin de faire un break, pour recharger mes batteries. Si je veux retrouver l'inspiration, je dois vivre, tout simplement. Je bosse comme une folle depuis toujours, mais je crois que l'année qui vient de s'écouler a été particulièrement dure. On m'a fait des tas de propositions fabuleuses, que je n'ai pas pu refuser. »

Contrairement à ce que la plupart des gens s'imaginent, la vie de superstar mondiale n'est pas de tout repos. Beyoncé venait de découvrir qu'elle était en train de perdre de vue ce qui comptait vraiment pour elle. « Mon quotidien, c'était les remises de prix, les tournées en bus et les hôtels, déclara-t-elle dans un documentaire ultérieur sur cette période loin des projecteurs. Tous ces trophées, tous ces gens qui vous disent à quel point ils vous respectent… mais moi, je n'en pouvais plus. J'en avais assez de répéter "merci, merci, merci", tout en pensant à la prochaine séance photo, à la prochaine vidéo, au prochain single, à la prochaine tournée. »

Tina avait réussi à la convaincre de déposer les armes pendant quelques mois, avant de se détruire complètement la santé. « Ma mère me sermonnait tous les jours. Elle me harcelait, même. Tous les jours elle me disait : "Tu dois vivre ta vie, ouvre les yeux !" Je n'avais pas encore compris qu'il me fallait de longues vacances. Et quand j'ai décidé d'en prendre, j'ai réalisé que je ne savais pas du tout comment on faisait pour se reposer. » Jusqu'alors, elle passait ses rares jours de congé à dormir, comme elle le raconte à *Cosmopolitan* : « Parfois, je reste au lit toute la journée et je regarde la télé en ne mangeant que des trucs dont j'ai envie : des céréales, des biscuits, et je change de chaîne toutes les trois minutes. » Mais elle avait besoin maintenant d'un repos bien plus substantiel que celui que pouvaient lui procurer ces rares journées de *farniente*. Elle avait envie de « faire des choses au hasard… aller au restaurant, prendre des cours, peut-être… voir des films et des spectacles de Broadway ». Elle avait aussi un nouveau hobby à explorer : la peinture. Jay-Z et elle collectionnent les œuvres d'art depuis longtemps. Ils sont prêts à dépenser des milliers de dollars pour acquérir une pièce de Warhol, par exemple. Mais l'intérêt que Beyoncé porte à la peinture va plus loin : depuis quelques années, elle peint des portraits de femmes. Elle reste cependant très discrète à ce sujet : « Je n'ai jamais montré mes peintures à personne, sauf à ma mère et à ma famille. » Aujourd'hui encore, les œuvres de Beyoncé sont enfermées à double tour, ce qui dénote un manque de confiance en elle tout à fait étonnant de sa part.

Elle voulait aussi passer plus de temps avec Julez, son neveu : « C'est un gamin merveilleux, génial, si intelligent. Je le gâte beaucoup, et c'est du boulot. Julez, c'est vingt-quatre heures sur vingt-quatre. » Dans *Year of 4*, le documentaire consacré à son année sabbatique, elle nous confie que des choses très simples – aller chercher Julez à l'école, par exemple – lui donnent l'impression d'être entière à nouveau : « J'ai le temps de réfléchir, de penser vraiment à ce qu'est ma vie. » Autre grand moment de ces vacances prolongées : la plongée sous-marine en mer Rouge. Dans le documentaire, on la voit, sereine, flotter entre deux eaux. « Le corail, quelle merveille... C'est incroyable qu'il existe quelque chose d'aussi beau sur terre, et moi j'aurai pu le toucher du doigt... » En retrouvant une vie « normale » comme elle avait décidé de le faire, elle laissait entendre qu'elle se sentait enfin prête à fonder une famille : « Je peux devenir la mère que je veux être et me consacrer à ma famille. » Comme il fallait s'y attendre, sa décision de disparaître de la vie publique suscita d'innombrables interrogations sur une possible grossesse. La rumeur prit une telle ampleur que Tina tenta de la désamorcer en faisant croire aux journalistes que c'était elle la femme enceinte... à cinquante-six ans ! Puis elle ajouta que si tous les « scoops » révélant la grossesse de sa fille avaient été fondés, elle aurait déjà cinq ou six petits-enfants.

Grâce à un ballet constant de limousines et de chauffeurs, Beyoncé n'avait jamais eu besoin de conduire. Pendant son congé sabbatique, Jay-Z lui apprit à tenir un volant et on la vit souvent, tôt le matin, prenant des leçons de conduite avec lui aux alentours de New York. On les aperçut aussi menant la belle vie sur des yachts et dans les ports branchés les plus exotiques de la côte méditerranéenne : Cannes, Portofino... Certaines de leurs expéditions n'étaient pas aussi glamour, cependant : en juin, sur l'île de Wight, où Jay-Z était invité comme tête d'affiche au festival du même nom, le couple séjourna dans un hôtel tout à fait modeste – vingt-neuf livres la nuit, s'il faut en croire la presse locale – et on l'aperçut en train de dîner au Pizza Hut du coin.

Pendant son congé sabbatique, Beyoncé prit quelques décisions difficiles concernant l'évolution de sa carrière. Elle n'avait plus vu Mathew en tête à tête depuis un certain temps, et depuis le divorce de ses parents elle s'était encore rapprochée de sa mère. Après des mois passés à se torturer pour savoir quelle attitude adopter, elle décida fin 2010 de continuer seule. Elle allait se séparer de son manager de toujours : son père.

C'était une décision radicale, qu'elle ne pouvait pas prendre à la légère. Mathew s'occupait de sa carrière depuis sa plus tendre enfance. Il avait été le moteur à l'origine du succès de Destiny's Child, puis des premiers succès solo de sa fille. Il s'était aussi occupé des carrières de Kelly et Michelle jusqu'à ce que toutes deux le quittent, respectivement en 2009 et 2010. Mais les deux rôles, de père et de manager, ne pouvaient plus coexister. Comme il le reconnut plus tard, il s'était toujours efforcé d'être un bon père pour elle, mais leurs rapports avaient énormément pâti des pressions que le travail faisait peser sur eux.

D'autre part, il avait toujours eu des réserves à l'égard de Jay-Z, ce qui avait accentué à la longue les tensions entre le père et la fille. Un jour, une radio lui avait demandé ce qui était le plus difficile : être le père de Beyoncé ou son manager ? « Les deux, répondit-il. Certaines de mes décisions de manager peuvent déplaire à ma fille. Déjà quand je m'occupais de Destiny's Child, je choisissais toujours ce qui me paraissait le mieux pour le groupe, mais qui ne l'était pas forcément pour elle. Au risque de lui causer du chagrin. Ces décisions-là sont les plus difficiles à prendre.

« De temps à autre, je dois ôter ma casquette de manager pour redevenir un père. Et parfois, c'est l'inverse. Je ne suis pas parfait. Il m'arrive de me mélanger les pinceaux. »

L'exemple de Michael Jackson, autre figure masculine importante dans la vie de Beyoncé, compta énormément dans sa décision de prendre sa carrière en main. « Je pense qu'il est le seul à pouvoir me donner des conseils valables à ce sujet, déclara-t-elle à l'agence Reuters. À mon avis, c'est ce qui sépare les Michael Jackson et les Madonna d'autres artistes tout aussi géniaux, mais qui n'ont pas leur vécu. »

Mathew et elle se séparèrent sans bruit en 2010, mais ne rendirent la nouvelle publique qu'en mars 2011. Voici un extrait du communiqué de Beyoncé envoyé aux médias : « Nous nous éloignons professionnellement, mais il reste mon père pour la vie et je l'aime de tout mon cœur. Il m'a appris tant de choses, je lui en serai éternellement reconnaissante… J'ai grandi en regardant ma mère et mon père mener brillamment leurs affaires. Ce sont de vrais entrepreneurs, et j'ai bien l'intention de suivre leur exemple. »

Mathew publia lui aussi un communiqué : « Beyoncé et Music World Entertainment se séparent d'un commun accord. Nous avons fait de grandes choses ensemble, mais il reste à ma fille encore bien des territoires à conquérir dans la musique et le monde du spectacle. »

Comme il fallait s'y attendre, la presse musicale et les rubriques people se déchaînèrent : pourquoi Beyoncé avait-elle « viré » son père ? Mathew avait l'air de prendre leur séparation avec philosophie : « Les affaires sont les affaires, et la famille, c'est la famille. Qu'à vingt-neuf ans, presque trente, elle veuille prendre sa carrière en main, cela n'a rien de surprenant. » Quant à lui, ajouta-t-il, il allait se concentrer sur la promotion de son label de disques, spécialisé dans le gospel et la musique religieuse, tout en continuant en parallèle à lancer de nouveaux artistes.

Cherchait-il à faire bonne figure ? Le débat est ouvert. En tout cas, il tenait à préciser que cette séparation était d'ordre purement professionnel et n'avait rien à voir avec son divorce, ou avec cet enfant naturel dont on lui attribuait la paternité. Le feuilleton connut pourtant un rebondissement inattendu : en juillet 2011, le bruit se répandit que Beyoncé avait viré Mathew parce qu'il avait piqué dans la caisse. D'après le site web TMZ, un représentant de la société d'organisation et de promotion de spectacles Live Nation avait été embauché à sa place après l'audit comptable et financier mené par les avocats de Beyoncé sur sa dernière tournée. Mathew réfuta aussitôt toutes ces allégations, ajoutant que Live Nation mentait à sa fille.

« Nous n'avons dérobé aucun argent à Beyoncé, déclara-t-il à l'agence Associated Press. Nous pouvons fournir tous les justificatifs pour le moindre dollar dépensé. Nous n'avons pas volé d'argent. Le tout est de savoir qui a répandu ces mensonges. Que ces personnes se fassent donc connaître. »

Ces allégations de vol le poussèrent à riposter par voie légale. Il déposa plainte contre les gens de Live Nation ; selon lui, ils avaient tout fait pour l'évincer, avec l'espoir de mettre la main sur le pactole que représentaient les tournées de sa fille. Mais malgré cette action en justice, il continuait à prétendre qu'il n'existait aucune hostilité entre lui et Beyoncé : « Nos rapports sont tout à fait cordiaux, je tiens à le rappeler. Là où j'ai quelques inquiétudes, c'est en ce qui concerne les personnes avec lesquelles elle fait affaire. Je leur demande de prouver leur intégrité, leur intégrité professionnelle. » Pour lui, si sa fille l'avait éloigné, ce n'était pas parce qu'elle le croyait coupable de ce dont on l'accusait, mais parce qu'elle devait en passer par là pour restructurer de fond en comble son équipe : « Elle a presque tout changé. » Associated Press lui demanda alors si certaines personnes avaient fomenté un plan pour l'éjecter de l'équipe. « À vous de tirer vos propres conclusions. »

Père et fille affirmaient à qui voulait les entendre qu'ils avaient conservé d'excellents rapports. Cependant, Mathew reconnut qu'ils ne s'étaient jamais parlé directement pendant toute cette désastreuse affaire : « Nous n'avons pas eu ce genre de conversation. » Ils avaient échangé par avocats interposés, avoua-t-il à Associated Press. « Nous ne comprendrons vraiment ce qui s'est passé que dans une cour de justice. Ce sera le seul moyen pour nous de nous dédouaner si quelqu'un dans un camp ou dans l'autre s'est mal comporté à nos dépens. »

Beyoncé ne révéla que deux ans plus tard l'impact réel que toute cette affaire avait eu sur elle. Dans *Life Is but a Dream*, un documentaire diffusé sur HBO, on la voit triste pour la première fois : « Je me sens vide depuis ce qui s'est passé avec mon père, déclare-t-elle. Et si fragile… j'ai l'impression que mon âme s'est flétrie. La vie est imprévisible… je sais que je devais tourner la page, que je ne pouvais plus continuer à travailler avec lui. Et ça m'est égal si je ne vends plus un seul disque. C'est plus important que la musique, c'est plus important que ma carrière. »

La rupture de leurs liens l'attriste beaucoup, précise-t-elle, mais elle n'aurait pas pu continuer à travailler avec ce manager qui était également son père. « J'avais besoin de frontières, et mon père aussi. Quand ce qui constitue votre univers, c'est ce travail pour lequel vous vivez et respirez tous les jours, 365 jours par an, c'est facile de tout mélanger et de ne plus savoir quand s'arrêter. On a parfois besoin de faire une pause. J'avais besoin de faire une pause. J'avais besoin de mon papa. »

Prendre en main son destin n'a rien d'évident. Beyoncé reconnaît qu'elle a eu du mal au début à trouver un équilibre entre les affaires et les aspects créatifs de sa carrière. Elle dut s'habituer à diriger une équipe profondément remaniée – incluant les gens de Live Nation – tout en refusant de céder un pouce de sa musique. Un énorme défi, qui perturba même son sommeil : « Je dors avec mon BlackBerry. Et dans mes rêves, je réponds à mes e-mails. »

Mais dans l'ensemble, la vie de Beyoncé changea pour le meilleur dès qu'elle devint sa propre patronne. Elle prit beaucoup de plaisir à asseoir puis à agrandir son empire, Parkwood Entertainment. Elle avait créé cette compagnie en 2008, mais Parkwood ne commença à prospérer que lorsque Beyoncé décida de voler de ses propres ailes. Tous ceux qui ont eu la chance de visiter le saint des saints, à New York, ne peuvent que s'extasier devant la collection de Grammy Awards, qui occupe un mur entier de la salle de conférence. Mais la pièce qui impressionne le plus les visiteurs, c'est celle qu'on appelle « la salle des archives ». Cette pièce à température constante contient presque toutes les photos de Beyoncé prises depuis le début de sa carrière, toutes ses interviews, toutes les vidéos des centaines de concerts qu'elle a donnés à travers le monde, et toutes les entrées de son journal intime tapées sur son ordinateur portable. Il a fallu plus de deux ans pour trier, dater et étiqueter l'énorme quantité de données de ce que Beyoncé appelle « ses archives de dingue ». Cet endroit, c'est ce qui témoigne le mieux de son immense succès.

Angie, la cousine de Beyoncé, joue un rôle de premier plan au sein de Parkwood Entertainment. Les deux femmes travaillent ensemble depuis l'époque de Destiny's Child : Angie faisait tout, depuis les lessives – et il y en avait beaucoup –, jusqu'aux réservations d'hôtel, de billets d'avion, de salles de concerts. « À la fin du show, j'allais chercher la caisse et on faisait les comptes avec les organisateurs, raconte-t-elle au magazine *Out*. Je me vois comme une lionne, figurez-vous. Une vraie teigne. Je ne rigole pas. Les organisateurs étaient tous des mecs, mais ils n'en menaient pas large. »

Plus tard, elle devint l'un des pivots de la Team Beyoncé, à la fois vice-présidente des opérations chez Parkwood et coauteur de beaucoup des chansons de sa cousine. Autre personnage clé : Ed Burke, le directeur de l'image, qui n'avait jamais entendu parler de Beyoncé avant de faire sa connaissance en 2004. Ce jour-là, il a accepté de la prendre en photo pendant une journée ; il ne l'a plus quittée depuis. Son rôle, c'est de la photographier partout où elle va. Il se remémore pour *Out* une expédition au sommet d'une pyramide égyptienne en compagnie de Beyoncé : « Ça puait l'urine, parce qu'il n'y avait pas de toilettes là-haut. Avec sa robe blanche et son turban, elle ressemblait à mère Teresa. Quand nous sommes arrivés tout en haut, elle a chanté *A Song for You*, de Donny Hathaway. »

Yvette Noel-Schure, attachée de presse de Beyoncé depuis des années, est une autre membre importante de l'équipe. Au sein de Parkwood, elle a un peu un rôle maternel. Elle était avec Beyoncé au moment des attentats du 11 Septembre. Elle se rappelle que ce jour-là, Bey lui a dit : « Comme ma mère n'est pas là, c'est un peu toi notre maman, aujourd'hui. »

Le styliste Ty Hunter, autre élément indispensable de la B-Team, travaille pour Beyoncé depuis ce jour où Tina a fait appel à lui pour les tenues de Destiny's Child. Lui qui a commencé sa carrière en humble étalagiste, il peut maintenant se vanter d'avoir retouché presque toutes les tenues de la star. Mais c'est toujours elle qui a le dernier mot. « Beyoncé contrôle absolument tout, nous précise-t-il dans le magazine *Teen Vogue*. Elle n'est pas du genre à attendre qu'on lui dise ce qu'elle doit porter. Elle s'occupe de tout de A à Z. De la sono aux lumières, en passant par les costumes et les décors, c'est elle qui décide. C'est d'ailleurs pour ça qu'elle est ce qu'elle est. Si elle n'a pas envie de faire quelque chose, elle ne le fera pas. Ce n'est pas une marionnette. »

En tant que styliste, Ty doit supporter les conséquences des problèmes vestimentaires qui peuvent surgir sur scène. Pendant les concerts, il vit dans la peur : « Prenons les fermetures Éclair, par exemple. Quand elles cèdent, nous essayons de régler le problème avec des épingles de sûreté. Si nous n'arrivons pas à remonter jusqu'en haut la fermeture Éclair d'une botte, Beyoncé doit en changer en vitesse. Une fois, j'ai dû me ruer sur scène à plusieurs reprises parce que ses fermetures Éclair n'arrêtaient pas de descendre. Si vous regardez une vidéo sur YouTube et que vous me voyez sur scène, ça veut dire qu'une fermeture Éclair a décidé de n'en faire qu'à sa tête. Beyoncé continue comme si de rien n'était, mais moi, en coulisses, je crève de trouille. »

Beyoncé donne toujours l'impression de porter des fringues à un million de dollars, mais elle n'aime pas beaucoup le shopping, bizarrement. Elle a même reconnu qu'elle « détestait » surfer sur les sites de vente en ligne. Quand elle fait chauffer ses cartes de crédit, c'est souvent dans son grand magasin préféré, Topshop : « Il y en a un à New York. Au début, je ne voulais pas que les autres y mettent les pieds. » Pendant une virée dans le magasin le plus prestigieux de la chaîne, à Londres, elle a claqué plusieurs milliers de livres en quelques minutes. « C'était comme cette scène de shopping dans le film *Pretty Woman*, rapporta le *Sun*. Tout le monde était estomaqué par la vitesse avec laquelle elle choisissait ses vêtements. Quand elle est arrivée au rayon chaussures, elle a carrément mis le turbo. Cette fille adore les chaussures, c'est évident. »

Heureusement pour Ty, Beyoncé adore la mode et les propositions audacieuses, ce qui facilite beaucoup son travail. Ses tenues de scène, c'est le rêve de tout designer. Il est loin, le temps où les boutiques refusaient de lui prêter des pièces. En 2011, à New York, pendant la Fashion Week, elle a arpenté les podiums pour l'un de ses plus grands fans, Tom Ford. « Beyoncé est une force de la nature, s'est-il extasié ensuite dans le *Harper's Bazaar*. Elle irradie l'énergie positive, comme toutes les vraies stars. On le ressent quand on s'approche d'elle, quand on la voit sur scène, quand elle chante, quand elle vous regarde dans les yeux et sourit. »

Donatella Versace, autre grand nom de la mode, la tient elle aussi en haute estime depuis toujours. En 2004, elle disait déjà de Beyoncé : « C'est une icône du style. Elle ne se trompe jamais. »

Beyoncé a longtemps admiré Kate Moss : « C'est une pionnière. Elle est tellement audacieuse… Même dix ou quinze ans plus tard, quand on la revoit en photo, elle a toujours la classe. » Victoria Beckham et Gisele Bündchen sont deux autres créatrices de mode que Beyoncé adore. « Elles ont un style à la fois moderne et classique », a-t-elle confié au *Harper's Bazaar*.

Tous ces vêtements à sa disposition… En 2009, à Manchester, Beyoncé a dû réserver deux chambres d'hôtel pour parvenir à y caser tous ses bagages, s'il faut en croire la rumeur. Ce qui est sûr, c'est qu'elle a fait beaucoup de chemin depuis son enfance. À l'époque, Tina devait la supplier d'accorder un peu attention à ce qu'elle mettait. « J'étais un garçon manqué, je ne voulais pas porter de robe, se souvient Beyoncé. Et les sacs à main, quelle horreur… “Tu es une jeune fille maintenant, prends un sac à main quand tu sors”, me disait ma mère quand j'étais ado. Aujourd'hui, elle les repousse à coups de bâton. Je reçois à peu près quinze sacs de designers par mois. Je n'ose même pas imaginer combien ils coûtent. Il y en a qu'il ne me viendrait jamais à l'idée d'acheter. »

Mais il n'y a pas que les robes de soirée et les sacs bling-bling dans la vie. Quand le magazine *Flaunt* lui demanda quel était le vêtement dont elle ne pourrait jamais se passer, elle répondit : « Un T-shirt blanc. » Quand elle ne travaille pas, elle adopte un look très naturel : jean et T-shirt. « À la maison, avoue-t-elle au *Daily Mirror*, je porte en général la même chose tous les jours : un jean à coupe droite, une paire de Louboutin, une petite veste et un T-shirt blanc. »

Sa silhouette convient parfaitement à ce look qu'elle adore, comme elle l'a expliqué dans *Cosmopolitan* : « Je m'arrange pour marquer ma taille. Les choses trop amples ne me vont pas, ça me grossit beaucoup. Les décolletés plongeants, ça, c'est génial. J'ai les bras charnus, et certaines coupes accentuent cette caractéristique. Pour allonger mes jambes incurvées, je porte des jeans à coupe droite. Pour les hauts, ils doivent être soit très courts – on voit alors le haut de mon ventre –, soit longs. Entre les deux, c'est moche. »

Pas étonnant que Beyoncé arrive en tête dans la plupart des enquêtes sur les stars qui s'habillent le mieux : avec son équipe de stylistes, elle a élevé au rang d'art toutes les astuces qui consistent à mettre ses fameuses courbes en valeur.

CHAPITRE QUINZE

Elle qui avait formulé le vœu de rester loin des studios d'enregistrement pendant ses vacances prolongées, elle abandonna très vite cette bonne résolution : elle y retourna au bout de trois mois à peine, tenaillée par son envie de refaire de la musique. La différence, c'est que cette fois elle prit son temps : treize mois s'écoulèrent avant la sortie du nouvel album.

Libérée du joug des exigences de son père, elle déclara, à propos de cet album : « J'ai réservé le studio moi-même, j'ai payé la réservation moi-même, et je me suis amusée comme une folle. Je n'en ai fait qu'à ma tête ! » Elle souhaitait créer un son bien à elle, combinant R & B contemporain, influences rock et instruments en *live*. « Cet album, c'est le fruit de l'amour. J'ai voulu y réintroduire l'émotion, les instruments de musique et cette soul qui manquent tant à la musique d'aujourd'hui. Des choses que je trouvais dans celle sur laquelle j'ai grandi... »

Elle ressentit comme une libération le départ de Mathew, mais elle savait qu'elle prenait de gros risques en se lançant seule dans une aventure pareille. Elle l'évoque dans *Year of 4*, le documentaire accompagnant l'album : « Mon père s'est occupé de tout pendant très longtemps. Du coup, quand nous nous sommes séparés, ça a changé énormément de choses. C'était effrayant, mais ça m'a permis de m'assumer. La peur n'allait pas m'empêcher d'avancer, quand même ! » Elle mit un certain temps à prendre la mesure des nouveaux combats à mener : « Rien n'est moins évident que de s'occuper soi-même de ses affaires. Chaque soir quand je vais au lit, je me pose des centaines de questions. D'un autre côté, j'apprends des tas de choses. Je fais des erreurs et j'apprends de ces erreurs. »

Pour justifier sa décision de voler de ses propres ailes, elle ajoute pensivement : « Parfois, nous ne visons pas ce qu'il y a de meilleur pour nous. D'autres nous disent de quoi nous devrions nous satisfaire et nous nous en contentons. Moi, je m'y refuse. » En expliquant qu'elle ne voulait plus laisser un homme gérer ses affaires, elle envoyait aussi un message ouvertement féministe à toutes les femmes : « Je vais vous prouver que, même quand on est jeune, même quand on est une femme, on peut posséder sa propre entreprise, sa propre maison de disques. »

Cette envie de réussir par elle-même, c'est désormais le moteur qui fait avancer Beyoncé. « Lorsque j'ai décidé de m'occuper seule de mes affaires, nous dit-elle en 2013, je n'ai pas signé dans une grande compagnie. C'était hors de question. J'ai voulu suivre l'exemple de Madonna : devenir comme elle, une femme puissante et dynamique. Quand on arrive à ce niveau, on n'est plus forcé de partager son argent, son succès… Et nous avons réussi. Je possède ma propre compagnie ! »

Beyoncé décida, très en amont, d'intituler cet album *4*, validant ainsi une suggestion de longue date de ses fans. « Chaque fois que je les entendais parler de ce disque, c'était comme ça qu'ils l'appelaient : *4*. Au départ, j'avais un autre nom en tête, avec tout un concept derrière, mais j'ai eu envie de faire plaisir à ces gens qui me suivent depuis si longtemps. Sans compter que ce chiffre la suivait : Tina, Jay-Z et elle étaient nés un 4 du mois, elle avait convolé un 4…

Elle traqua la perfection à laquelle elle aspirait tant dans une dizaine de studios à travers le monde et fit appel à une vingtaine de producteurs, dont The-Dream, Kanye West et André 3000. Sur *4*, le seul apport constant – en dehors de son travail à elle – vient de son ingénieur du son, Jordan Young, plus connu sous le nom de DJ Swivel. « Elle voulait tenter des trucs, nous apprend-il. J'ai immédiatement adhéré à son projet. » Il raconte tout le processus au magazine *Sound on Sound* : « On a bidouillé avec des percus, des cors, de la batterie, des guitares, des claviers... C'était libérateur. On avait ce qu'il fallait sous la main pour essayer tout ce qui nous passait par la tête. C'est comme ça qu'on a commencé : en s'amusant. Sans suivre aucune règle. On ne peut pas rêver mieux. »

Il ajoute : « On avait sans arrêt des idées et elle, elle me disait : "OK, c'est super, mais si on ajoutait de la vraie batterie ?" C'était elle qui voulait essayer des trucs, c'était ses idées à elle, et pour les concrétiser, elle s'est entourée d'une équipe fabuleuse. »

Ils enregistrèrent soixante-dix chansons et n'en conservèrent que douze. Elle avait pris son temps, certes, mais ils durent quand même par moments respecter un calendrier très serré, comme nous l'explique Jordan : « Une fois, nous avons travaillé pendant trente-six heures d'affilée sur six morceaux différents ! Je crois même qu'elle a réussi à caser une ou deux réunions d'affaires. » Dans le documentaire, elle laisse entendre – et elle ne plaisante qu'à moitié –, que personne ne s'est reposé pendant les phases cruciales de l'enregistrement : « Je suis un bourreau de travail, et je n'admets pas qu'on me dise "non". Je n'admets pas qu'on me dise "il faut que je dorme". Si je ne dors pas, personne ne dort. »

Ils enregistrèrent donc à New York, mais aussi en Grande-Bretagne, dans le studio de Peter Gabriel équipé de tous les instruments imaginables. D'autres séances eurent lieu à Las Vegas, Los Angeles, Atlanta et Honolulu. Combinant les affaires et le plaisir, Beyoncé travailla aussi sur *4* à Sydney, où Jay-Z fit étape pendant sa tournée avec U2 et où il enregistra son album *Watch the Throne* en duo avec Kanye. Le couple profita du doux climat de décembre en Australie : on les aperçut à la plage, ou en terrasse des restaurants du front de mer. Jay-Z fêta son anniversaire sur la route avec U2. Il reçut donc avec retard le cadeau de sa femme, mais ça valait le coup d'attendre : elle lui offrit une Bugatti Veyron Grand Sport, la voiture la plus rapide au monde. Il avait déjà une importante collection d'automobiles, dont une Rolls-Royce Phantom, une Ferrari F430 Spider, une Maybach 62S et une Pagani Zonda Roadster ; mais la Bugatti les battait toutes, avec une vitesse de pointe de 410 km/h – comme le savaient déjà Simon Cowell et Tom Cruise, eux aussi heureux propriétaires de ce bolide.

Beyoncé venait de dépenser 2 millions de dollars pour faire plaisir à son mari. Une somme tellement colossale qu'elle peut sembler extravagante, mais pour eux, une broutille. Ils n'aiment pas parler d'argent, mais cette année-là, en 2010, ils firent les gros titres en tant que « couple le mieux payé de l'année » – donc le plus puissant. D'après le livre Guinness des records, tous deux avaient empoché 122 millions de dollars pendant les douze mois précédents, dont 87 millions pour Beyoncé et 35 millions pour Jay-Z. Bey prouvait ainsi à la terre entière qu'elle pouvait faire beaucoup mieux que son mari. Elle était jeune, en pleine trajectoire ascendante, et rien ne semblait pouvoir arrêter sa fabuleuse marche en avant. Le *girl power* dans toute sa splendeur. Les Spice Girls en avaient rêvé.

Ils avaient donc acquis le statut de couple célèbre le plus riche du monde ; dès lors, les anecdotes sur leur style de vie et leurs dépenses fastueuses se multiplièrent, toutes plus fascinantes les unes que les autres. L'année précédente, par exemple : pour la Saint-Valentin, estimant sans doute qu'une douzaine de roses rouges, ce serait un peu mesquin, Jay-Z offrit à sa belle un téléphone portable en platine d'une valeur de 24 000 dollars. Et à Noël, en 2010, elle découvrit sous le sapin plusieurs sacs Hermès Birkin – pour un montant total de 350 000 dollars. Toujours en 2010, le bruit courut que Jay-Z lui avait offert pour ses vingt-neuf ans une île privée dans les Keys, en Floride : Hopkins Island, 5 hectares de superficie, à deux pas de Little Palm Island, avec piscine, maison de maître élégante et splendide pavillon pour les invités. 20 millions de dollars. Ils possédaient déjà un manoir à Miami, et plusieurs biens immobiliers à New York…

Contrairement à d'autres célébrités démesurément riches, Beyoncé et Jay-Z s'efforçaient pourtant de « garder les pieds sur terre ». Fin 2010, ils acceptèrent de recevoir chez eux une amie journaliste du magazine *Ebony* pour une interview à paraître. Dans leur environnement quotidien, ils faisaient preuve d'une étonnante sobriété, rapporta la journaliste. « Ce sont deux personnes extrêmement puissantes quand elles mènent leurs carrières respectives, mais leur couple fonctionne avec une grande simplicité, sans complication. Ils traînent en pyjama et regardent le câble, serrés l'un contre l'autre. Pour eux, cela représente peut-être le fantasme ultime… » Et que regardaient-ils, sur le câble ? L'émission de téléréalité *Bienvenue à Jersey Shore*, que Beyoncé trouvait « hilarante ».

Quand on demandait à Bey quelle était à ses yeux la soirée romantique parfaite, elle répondait : « Quelques bougies, un bon repas et un vieux film… » Elle commençait aussi à s'aventurer un peu plus souvent à la cuisine, comme elle le révéla à *Cosmopolitan* : « Je ne cuisine pas beaucoup, mais je fais très bien les spaghettis et les sandwiches. Ce n'est pas très compliqué, je suis d'accord, mais c'est ma spécialité. »

Malgré tout le clinquant que leur permettait leur fortune et le haut niveau de sécurité qui les entourait, Beyoncé refusait obstinément de sacrifier sa liberté sur l'autel de la célébrité. « Je continuerai à emmener mon neveu au parc, à faire mes courses à l'épicerie et à pleurer à l'église, si j'en ressens le besoin, nous explique-t-elle sur MTV. Je ne vais pas m'arrêter de vivre à cause des paparazzi. Ils font leur boulot, comme tout le monde, je n'ai rien à redire là-dessus. Je ne peux pas empêcher les gens de me prendre en photo, alors je vis avec. Je m'en accommode. J'essaie de vivre ma vie… Ça met la pression, c'est sûr, mais là encore, tout le monde subit des pressions d'un genre ou d'un autre. L'herbe est toujours plus verte dans le pré d'à côté. Si je ne faisais pas ce métier, je rêverais de le faire, donc je ne vais pas me plaindre. »

De la même manière, elle avait du mal à s'habituer à l'étiquette de « célébrité », comme elle l'explique à *Parade* : « Je ne ressens plus le besoin d'être célèbre. J'ai dépassé ce stade. Je ne veux pas ressentir ce vide que je perçois chez beaucoup de gens connus. La tristesse sous le sourire… » Pendant longtemps, elle refusa également le qualificatif de « diva » : « Je fais des choses normales, je me balade dans le parc… Je ne vis pas sur une autre planète complètement délirante. Je vis sur terre, comme vous. Je veux être quelqu'un de normal. »

Sa liberté comptait tant à ses yeux qu'elle évitait autant que faire se peut les fêtes branchées et les boîtes de nuit à la mode. D'autres stars, comme Britney Spears et Lindsay Lohan, voyaient tous les aspects de leur vie étalés dans la presse, ce qui rendait leurs fréquents écarts de conduite encore plus critiquables. Beyoncé préférait rester discrète – au point qu'elle refusa même de se rendre au soi-disant « mariage du siècle » de Kim Kardashian et Kanye West. Elle ne tenait pas à se retrouver sur des photos et des reportages vidéo sur lesquels elle n'avait aucun contrôle. Elle expliqua un jour sur CNN comment elle avait réussi à éviter les pièges tendus à certaines de ses consœurs : « Les médias ne s'en prennent pas à moi comme ils s'en prennent à elles. Partout où elles vont, il y a une meute de paparazzi… Moi, j'arrive encore à me préserver un peu d'intimité, parce que je ne me montre pas beaucoup dans les fêtes, je pense. » Elle précisa quand même qu'elle savait s'amuser : « On ne s'ennuie pas avec moi… Enfin je ne crois pas. J'aime mon métier, je le reconnais, et ce qui me procure le plus de satisfaction, c'est peut-être écrire une chanson, ou peindre, ou bronzer sur le pont d'un bateau au large d'Anguilla. Des trucs un peu plus relaxants que les sorties. »

« Je fais la fête quand je suis en vacances, ajouta-t-elle. Boire un bon vin rouge, retrouver ses amis, danser… Les vacances, c'est fait pour ça. Quand je travaille, je me concentre sur la tâche en cours. »

Une concentration dont elle fit profiter son amie Gwyneth Paltrow en février 2011. Chanteuse débutante, Gwyneth devait se produire cette année-là en duo avec Cee Lo Green à la cérémonie des Grammy Awards. Après sa participation à trois épisodes de la série télé *Glee*, elle s'était même lancée dans l'enregistrement de son premier album solo. Beyoncé l'aida à dompter le trac des répétitions en prévision du grand soir. « Ça me chamboule encore chaque fois que j'y repense, raconta Gwyneth, très émue, au magazine *Elle*. Il est dix heures du matin, et Beyoncé débarque, elle a fait tout ce chemin pour venir voir comment je m'en sors. Beyoncé ! LA Beyoncé ! Et elle me dit : "OK, la voix, c'est impeccable, mais tu ne t'amuses pas du tout." Et puis tout d'un coup : "Tu te rappelles ce fameux concert de Jay-Z où Panjabi MC s'est pointé sur scène ? Tu t'es lancée dans une danse indienne délirante… c'est ça que tu dois faire ! Être toi." »

De retour en studio, Beyoncé et son équipe choisirent à l'unanimité *Run the World (Girls)* comme premier single extrait de l'album. Il sortit en avril 2011. Avec son rythme martial, ses chœurs entraînants – *Who run the world ? Girls !* – (« Qui dirige le monde ? Les filles ! ») – et son message ostensiblement féministe, cette chanson se voulait une source de force pour les femmes, dans un monde dominé par les hommes. « J'essaie d'écrire les textes qui vont faire ressortir ce qu'il y a de meilleur en nous toutes, des textes qui peuvent nous rapprocher, posta Beyoncé sur son site web. Je cherche à dire ce que les autres femmes taisent car elles n'ont pas assez confiance en elles. » Cette chanson est aussi un hymne aux coriaces, à toutes celles qui sont contraintes de jongler entre leur famille et leur carrière – celles qui doivent se montrer « assez intelligentes » pour ramener de l'argent à la maison tout en étant « assez fortes » pour élever des enfants. Musicalement, les tambours et les percussions africaines dominent le son de ce morceau. « C'est tout ce que j'aime : mélanger différentes cultures, différentes époques, explique Beyoncé dans le magazine *Billboard*. Des choses qui *a priori* ne vont pas ensemble, pour créer un son nouveau. J'aime me mettre en danger. Je m'efforce toujours d'aller à contre-courant de ce qui se fait. »

L'élément africain de la chanson s'avéra essentiel au moment de tourner la vidéo de *Run the World (Girls)*. Comme Beyoncé voulait absolument y intégrer de nouveaux pas de danse, elle sillonna le web à la recherche d'idées originales. Jusqu'au jour où elle tomba sur la vidéo de trois jeunes gens du Mozambique, le groupe de danse Tofo Tofo – qui signifie « secouer son corps » dans la langue locale. Tofo Tofo pratique la pantsula, une danse très particulière née en Afrique du Sud. Beyoncé comprit immédiatement qu'elle avait trouvé ce qu'elle cherchait. Elle se mit donc au travail avec sa troupe de danseuses, mais déchanta très vite : elles n'arrivaient pas à maîtriser les mouvements de la pantsula. Elles avaient passé des jours et des jours à étudier les vidéos de Tofo Tofo et à s'entraîner en studio devant des miroirs montant du sol au plafond… en vain. Beyoncé était excédée. Elle détestait échouer. Elle prit alors une décision radicale, comme elle l'explique dans *Year of 4* : « Je leur ai dit : "On va faire venir ces types. On va les retrouver. On va les faire venir en avion pour qu'ils nous apprennent cette danse." »

S'ensuivirent trois mois de recherches auxquelles prit part l'ambassade des États-Unis à Maputo. « Nous avons mené notre enquête dans tout le Mozambique, raconte-t-elle. Ça a l'air dingue, mais nous avons fini par les retrouver. » Stupéfaits, les trois jeunes gens prirent l'avion pour Los Angeles. « Ils n'avaient jamais entendu parler de moi, c'était génial ! »

Après avoir appris la pantsula aux danseuses de Beyoncé, ils participèrent au tournage ; on les voit dans la vidéo. Ils ont sans doute vécu toute cette aventure comme une expérience surréaliste. « Ils n'avaient aucune idée de l'échelle de ce projet, fait remarquer Beyoncé. Mais rien ne peut les empêcher de danser. C'est cette énergie-là que je recherche. »

Beyoncé qualifie la chorégraphie de *Run the World (Girls)* de « grosse pâtisserie bien riche ». Cette vidéo est l'une des plus impressionnantes de toute sa carrière, en tout cas. Filmée dans le désert de Mojave, en Californie, Beyoncé évoque une sorte de guerrière postapocalyptique, qui apparaît d'abord en armure et cuissardes, puis en robes haute couture signées Givenchy, Jean Paul Gaultier, Alexander McQueen, etc. Ty, le styliste, en dénicha certaines dans la caverne d'Ali Baba qui servait de garde-robe à la chanteuse, et quelques créateurs leur en prêtèrent d'autres, notamment une saisissante robe Pucci vert émeraude, que Beyoncé devait rendre immédiatement après le tournage. Malheureusement, elle se prit les pieds dans la robe et déchira sans le faire exprès l'une de ses manches délicates. Consterné à la vue du trou béant, Ty fit ce que tout bon styliste aurait fait : bravement, il attrapa une paire de ciseaux et détacha carrément la manche. « Je me suis dit : *Bon, tant pis, je vais renvoyer la robe avec une manche en moins* », grimace-t-il.

À la fin du tournage, Tofo Tofo fit ses adieux à la troupe, et Beyoncé fondit en larmes : « Quand ils ont quitté le plateau, débordants d'amour et de passion pour ce qu'ils venaient de vivre, je me suis complètement identifiée à eux, raconte-t-elle dans *Year of 4*. Ils m'ont rappelé mes débuts. Je me suis revue à quinze ans, sur le plateau de ma première vidéo. À la fin du tournage, moi non plus, je ne voulais pas retourner chez moi. Je me rappelle, j'ai jeté un dernier coup d'œil au décor pendant qu'on me traînait vers la sortie. »

Beyoncé interpréta pour la première fois *Run the World (Girls)* en public dans l'une des ultimes émissions d'Oprah Winfrey avant son départ de la télévision. Vêtue d'un justaucorps smoking, escarpins rouges aux pieds comme les quarante danseuses qui l'entouraient, la chanteuse déchaîna un public qui comptait dans ses rangs Madonna, Tom Hanks et Tom Cruise… Entre autres. Elle commença par s'adresser à son amie : « Grâce à toi, Oprah Winfrey, beaucoup de femmes comprennent mieux le monde aujourd'hui. Elles comprennent mieux ce que nous sommes, qui nous sommes, et plus important encore, qui nous pouvons être. Oprah, nous pouvons diriger le monde ! » Un constat qu'il faut un peu tempérer : en l'occurrence, c'était elle qui relevait le défi et prônait l'émancipation des femmes. Bouche bée, la star des animatrices ne cessa de répéter « Incroyable ! » pendant la prestation pleine de fougue de Beyoncé. À la fin de la chanson, Oprah cria : « *Girls, girls, girls !* »

À première vue, on pourrait croire que cette chanson n'est destinée qu'aux femmes. Mais *Run the World (Girls)* a été le plus gros tube de Beyoncé dans la communauté homosexuelle. Fervente partisane de la légalisation du mariage homo, elle apprécie depuis longtemps ce public gay qui le lui rend bien. « Il y a toujours eu un lien spécial entre nous, explique-t-elle sur le site web PrideSource. Mon public est essentiellement composé de femmes et de gays, et j'ai vu beaucoup de ces jeunes gens grandir sur ma musique. (…) Des amis m'ont raconté que les gamins qui vont en boîte ont tout de suite accroché à *Run the World (Girls)*. Ça m'a fait très plaisir d'apprendre qu'ils l'avaient si bien accueilli. »

Le mois suivant, l'album *4* se retrouva sur internet avant sa sortie officielle, déclenchant la colère des collaborateurs de Beyoncé, et d'innombrables mises en garde. Sa réaction à elle fut nettement plus sereine : « Ma musique a fuité sur le net, publia-t-elle sur Facebook. Ce n'est pas la date que j'avais choisie pour vous présenter mes nouvelles chansons, mais j'apprécie l'accueil chaleureux que vous leur avez réservé. Quand j'entre en studio, je pense toujours à mes fans qui vont chanter ces morceaux et s'éclater dessus. Je fais de la musique pour rendre les gens heureux, et je suis contente de savoir que vous attendiez tous mon nouvel album avec impatience. »

Au moment de sa sortie officielle, l'album se retrouva numéro un à la fois en Grande-Bretagne et aux États-Unis. Beyoncé était la deuxième artiste féminine, après Britney Spears, à hisser quatre albums consécutifs à la première place des charts dès leur entrée dans le classement. Mélange de chansons entraînantes et de ballades plus douces, *4* eut un peu moins de succès que ses prédécesseurs, mais se vendit tout de même à 3 millions d'exemplaires dans le monde. La maison de disque accusa la fuite sur internet d'être à l'origine de ce creux dans les ventes, mais le père de Beyoncé fit entendre un autre son de cloche : le problème, d'après lui, c'était surtout le nouveau management, sans doute trop disparate, qui gérait les affaires de sa fille. S'il fallait en croire la rumeur, Beyoncé et Mathew ne se parlaient quasiment plus, ce qui n'empêcha pas celui-ci de reprocher une fois encore à Jay-Z son rôle de plus en plus marqué dans la carrière de Beyoncé. En 2008, le rappeur s'était associé avec Live Nation pour créer son label Roc Nation. Mathiew : « Pour moi, ce management, c'est un croisement contre nature entre l'équipe de Beyoncé, les gens de Roc Nation – le label de Jay-Z – et ceux de Live Nation. Et comme par hasard, ce sont eux qui s'y retrouvent le mieux dans cette affaire. Ça ne vous paraît pas étrange ? »

Mais l'album ne fit pas un flop, loin de là. « En 2011, le pic des ventes de *4* est très impressionnant, peut-on lire dans *Billboard*. Il correspond à la troisième plus grosse semaine de ventes de l'année, après celles ayant suivi la sortie de *Born This Way* de Lady Gaga (1 100 000 exemplaires) et de *21* d'Adele (351 000 exemplaires). »

Indépendamment des subtilités du marché du disque, Beyoncé était extrêmement fière de son travail. « Cet album marque une véritable évolution dans ma musique, écrit-elle sur son site web. Et s'il est plus audacieux que les précédents, c'est parce que je suis moi-même devenue plus audacieuse. Je mûris, je multiplie les expériences, et j'ai donc de plus en plus de choses à dire. »

La photo ornant le boîtier a été prise sur le toit de l'hôtel Meurice, à Paris, là où Jay-Z et Beyoncé se sont fiancés. Les yeux dans le vague, les bras levés au-dessus de sa tête, Bey porte une étole en fourrure qui recouvre sa poitrine nue, préservant ainsi sa pudeur. Sur une autre photo prise pour cet album, elle tient une corde dans chaque main, bras et jambes écartés, les pieds glissés dans des boucles à l'extrémité des deux cordes comme dans des étriers. « J'ai passé un sale moment, a-t-elle raconté à *Access Hollywood*. J'étais furieuse ! J'avais mal partout à cause de cette position farfelue. Et on n'arrêtait pas de me crier : "Bras et jambes tendus !" Et moi : "J'en peux plus ! Vas-y, prends la photo, prends la photo !" Avec mes talons hauts coincés dans ces cordes démentes, c'était très inconfortable. Mais le résultat est très intéressant. »

Quelques mois plus tard, Jay-Z laisserait entendre que ce voyage à Paris n'avait pas été une simple séance photo glamour. Il s'y était passé quelque chose qui allait radicalement changer le cours de leur existence.

Comme toujours, Beyoncé se lança à corps perdu dans la promotion de ce nouvel album. En juin, elle eut la satisfaction de voir se réaliser l'un de ses vœux les plus chers : elle eut droit à son show au festival de Glastonbury, où elle renouvela l'exploit de Jay-Z quelques années plus tôt. Elle était la première artiste féminine en solo à apparaître en tête d'affiche du festival depuis plus de vingt ans. Lorsqu'on lui demanda quelle première impression lui avait laissé ce célèbre site détrempé par la pluie, elle répondit : « Tous ces gens dans la boue, c'est fascinant. On dirait qu'ils ont fusionné, qu'ils ne font plus qu'un. »

Le concert débuta par l'inévitable *Crazy in Love* : Beyoncé s'éleva sur une plate-forme hydraulique au milieu de jets d'étincelles, puis interpréta tous ses tubes et ceux de Destiny's Child, ainsi qu'une reprise surprenante de *Sex on Fire* des Kings of Leon. Sa reprise de *At Last*, son hommage à Etta James, figurait également au programme, ainsi que son célèbre *Halo*, dont elle changea encore une fois les paroles : « *Glaston-bury, I can feel your halo.* »

Culotte noire ultra sexy, courte veste dorée, large ceinture marquant sa taille de guêpe, épaisse crinière bouclée agitée par le vent, Beyoncé mena son show à la perfection. Les acclamations assourdissantes qui accueillirent chacune de ses chansons parurent la stupéfier. « Vous êtes en train d'assister à mon rêve ! cria-t-elle à la foule. J'ai toujours voulu être une rock star ! »

Son spectacle impeccable subjugua tout autant la presse. « Avec ses effets pyrotechniques, ses chorégraphies huilées et ses tubes à la pelle, Beyoncé n'a pas fait le moindre faux pas », s'extasia le *Guardian*. Un critique de l'*Evening Standard* écrivit : « Si je me suis amusé ? J'ai presque eu besoin d'une assistance respiratoire ! »

Jay-Z assista au concert juste devant la scène, en compagnie de Gwyneth Paltrow, qui chanta toutes les paroles en même temps que Beyoncé. Son mari Chris Martin, qui avait aidé Bey à préparer cet événement d'une importance considérable pour elle, observa le show depuis les coulisses. « C'est à lui que je dois ça », déclara la chanteuse à propos du leader de Coldplay. La veille, Jay-Z et elle avaient assisté à son concert, Beyoncé en jean et chandail dansant aux côtés de Gwyneth. Elle avoua aussi qu'elle avait consulté Bono, du groupe U2, pour avoir son avis sur sa playlist. « Je suis archi fan de U2, alors je leur ai dit : "Bon, les amis, vous avez un peu plus l'habitude des festivals que moi, alors qu'est-ce que vous en pensez ?" Je voulais qu'ils me donnent leur approbation avant de me jeter dans la fosse aux lions. »

Après ce concert qui comptait tant à ses yeux, elle quitta la scène épuisée, mais euphorique : « C'était le sommet de ma carrière ! Il y a deux ans, quand mon mari s'est produit ici, j'ai passé l'une des nuits les plus excitantes de ma vie. Je sautais partout comme un cabri, j'avais l'impression de vivre un moment historique. J'étais tellement heureuse d'être là, de voir ça de mes propres yeux ! Je me rappelle, j'ai dit que ce serait le rêve pour moi de me produire dans un festival dans ce genre, mais jamais, au grand jamais je n'aurais pensé devenir un jour l'une des têtes d'affiche de Glastonbury… D'habitude, je ne fais pas les festivals, c'est pour ça que je suis contente ! 175 000 personnes d'un coup… J'étais super nerveuse, mais cette foule m'a renvoyé tant d'amour… Je n'oublierai jamais cette soirée. »

Le lendemain, Beyoncé répondit aux questions de Piers Morgan sur ITV : « Je suis toujours sur mon petit nuage. Et carrément secouée. J'ai encore du mal à réaliser ce qui m'est arrivé hier soir. » Piers lui demanda comment elle s'était sentie avant d'entrer en scène pour affronter ce public plus gigantesque que tout ce qu'elle avait connu jusqu'alors : « Je me suis dit que je le méritais, répond Beyoncé. Que j'étais une diva, et que j'avais travaillé dur. Bref, je me suis préparée mentalement. Mais dès qu'on entend les cris de la foule, on oublie tout et on fonce. »

Elle parla aussi à Piers de son trentième anniversaire, qui approchait à grands pas. « Je suis impatiente de franchir ce cap. Vingt-neuf ans, je trouve ça un peu bancal. On est toujours dans la vingtaine, tout en se sentant plus proche des trentenaires. Pour moi, trente ans, c'est l'âge idéal : on n'est pas encore vieux, mais déjà assez mûr pour savoir qui on est. On connaît ses limites, ses valeurs, on n'a plus peur, on n'est plus obligé d'être aussi poli qu'avant. »

Vint alors la question que tout le monde attendait, et qu'il fallait bien poser un jour : « Allons-nous bientôt entendre trottiner des petites Beyoncé et des petits Jay-Z ? » demanda Piers.

Beyoncé prit une profonde inspiration.

« Dieu seul le sait », répondit-elle prudemment.

Les fans n'étaient pas au bout de leur surprise, comme ils l'apprirent un peu plus tard.

CHAPITRE SEIZE

La performance électrisante de Beyoncé à Glastonbury nous paraît d'autant plus remarquable qu'elle se trouvait alors aux tout premiers stades de la grossesse. Un mois plus tôt, à Las Vegas, elle avait participé à la soirée de remise des Billboard Awards. Elle ignorait encore qu'elle était enceinte, sinon elle n'aurait certainement pas choisi de porter cette robe argentée évoquant une toile d'araignée tissée sur son corps nu. Ce soir-là, elle remporta le titre d'Artiste du Millénaire. C'était une véritable consécration, mais elle se rappellerait surtout cette nuit comme celle du début de son voyage vers la maternité. « J'étais déjà enceinte, à Las Vegas ! » s'extasia-t-elle quelques mois plus tard, avec une certaine incrédulité.

D'après des témoignages ultérieurs, on lui annonça la bonne nouvelle juste avant le concert de Glastonbury. Pour ne pas décevoir ses fans ni mettre les organisateurs dans le pétrin, elle avait décidé de maintenir cette date. Le *Sun* rapporta cependant qu'elle avait opéré des changements de dernière minute dans la liste des choses qu'elle voulait trouver dans sa loge. « Au départ, c'était du poulet frit, des hamburgers, du chocolat... Et puis tout à coup, elle a changé d'avis et elle a exigé des produits sains : jus de fruits, légumes, bouteilles d'eau, et surtout pas une goutte d'alcool. Les organisateurs ont ramé pour lui trouver tout ça à temps. »

À Glastonbury, certains fans très observateurs ont peut-être deviné qu'elle était enceinte à la façon dont elle s'agrippait parfois l'estomac comme pour le protéger. La nouvelle resta secrète pendant plusieurs semaines encore, n'éclatant au grand jour que bien longtemps après les trois premiers mois décisifs. Plus tard, Gwyneth Paltrow laissa entendre que son amie avait été victime de terribles nausées matinales pendant tout le festival. « Elle a été incroyable, déclare l'actrice dans le *Harper's Bazaar*, surtout quand on sait qu'elle vomissait après chaque chanson. »

Sans doute à cause de cette grossesse, Jay-Z et Beyoncé renoncèrent au campement VIP du festival et s'installèrent dans une suite du très exclusif *Babington House Hotel*, près du site de Glastonbury. Pendant toute la durée de l'événement, un hélicoptère les transporta entre leur hôtel et les concerts. Des qu'ils n'en pouvaient plus de la foule et de la boue, ils battaient en retraite dans leur *Walled Garden Suite* (la « suite au jardin clos ») équipée d'un bain à remous extérieur.

Après le festival, la future maman se rendit à Londres pour l'enregistrement d'une émission spéciale d'ITV intitulée *A Night with Beyoncé*. Les choses ne se passèrent pas comme prévu : Beyoncé fut victime d'une extinction de voix qui l'empêcha de donner la pleine mesure de son talent. Pour préserver son grand secret, elle mit cet incident sur le compte des semaines harassantes qu'elle venait de passer. Elle s'en sortit en écourtant son set et en demandant au public de chanter à sa place le refrain de *Countdown*, la dernière chanson au programme. Elle dut quitter le plateau plus tôt que prévu, mais s'assura d'abord que ses fans avaient passé du bon temps. Plus tôt dans la journée, elle était allée offrir des pizzas à ceux qui l'avaient attendue dehors, devant les studios, dont certains toute la nuit.

De retour aux États-Unis, elle continua à défendre son nouvel album. Les billets des quatre concerts qu'elle donna en août dans une petite salle de New York, la Rosedale Ballroom, se vendirent en vingt-deux secondes ! Pendant ces quatre soirées intitulées *The 4 Intimate Nights with Beyoncé*, elle interpréta l'album *4* dans sa totalité devant un public de 3 000 fans à peine. Un show modeste... Manifestement, ses priorités étaient en train de changer ; elles devenaient celles d'une future maman, mais le public n'en savait rien encore. S'adressant aux spectateurs de la Rosedale Ballroom, elle déclara : « On va faire quelque chose d'un peu différent. Quelque chose de plus intime. » Elle était convaincue que tout le monde avait deviné son état. « Pendant ces quatre concerts, je n'ai pas arrêté de me dire que le public savait, que ma grossesse était évidente. Quand on est enceinte, on a un peu de mal à respirer. Du coup, chanter et danser en même temps m'a posé plus de problèmes que d'habitude. »

On était bien loin des tournées mondiales frénétiques. Plus tard, interrogée sur le fait de savoir si elle n'avait pas été déçue de ne pouvoir défendre *4* d'une façon aussi épique que ses albums précédents, elle répondit qu'elle était simplement heureuse d'avoir pu se produire sur scène malgré les circonstances.

Chaque show se terminait sur l'une des chansons les plus contemplatives de l'album, la ballade *I Was Here*. Extrêmement prenant, ce morceau était en quelque sorte l'hommage de Beyoncé aux victimes du 11 Septembre. Quand elle chantait *I was here, I lived, I learned* (« J'étais ici, j'ai vécu, j'ai appris »), elle ne pouvait retenir ses larmes.

Elle traversa une période difficile pendant laquelle elle s'efforça de garder le secret sur sa grossesse tout en honorant des engagements de plus en plus nombreux. La Columbia, sa maison de disques, lui avait programmé une année particulièrement mouvementée. Une interview de Rob Stringer, le président de la Columbia, parut en juin dans le magazine *Billboard*. « Elle va tourner partout dans le monde, déclare Stringer. Et la campagne de promo sera énorme. Nous allons extraire beaucoup de singles de cet album et il faudra filmer les clips vidéo qui vont avec. »

Il y avait ce que lui préparait la Columbia, mais aussi ce rôle principal qu'elle avait accepté dans le remake d'*Une étoile est née*, avec Clint Eastwood aux manettes. Le tournage devait commencer en février 2012, c'est-à-dire exactement au moment où son enfant devait venir au monde. Or, ce projet de remake lui tenait énormément à cœur : *Une étoile est née* était depuis toujours l'un de ses films préférés.

L'arrivée prochaine d'un bébé Carter-Knowles devenant de plus en plus difficile à dissimuler même sous des vêtements amples, Beyoncé comprit vers la fin du mois d'août qu'il était temps pour elle d'avouer son secret. Mais comme toujours, Jay-Z et elle firent les choses à leur façon. La nouvelle ne fut pas révélée par une « source anonyme proche du couple » ou *via* l'un des communiqués de presse ciselés dont Yvette avait le secret. Beyoncé préféra l'annoncer elle-même en direct pendant la remise des MTV Video Music Awards de cette année-là. Il lui suffit d'un simple geste.

Alors qu'elle posait sur le tapis rouge en souriant docilement aux hordes de photographes, vêtue d'une splendide robe Lanvin orange lui tombant jusqu'aux pieds, elle pivota gracieusement pour se montrer de profil. Une main posée sur la petite bosse maintenant clairement visible et l'autre en dessous, elle s'exclama : « J'ai une surprise pour vous ! »

Plus tard ce soir-là, pour interpréter sa chanson, elle troqua la robe orange contre une veste violette scintillante, une chemise blanche et un pantalon noir à taille haute. À la fin du morceau, délaissant son micro, elle ouvrit sa veste pour montrer son petit ventre au public et le caressa ostensiblement. Les spectateurs l'ovationnèrent. « Levez-vous tous ! s'écria-t-elle. Je veux que vous sentiez l'amour qui grandit en moi ! » Jay-Z, qui s'était levé lui aussi et l'applaudissait à tout rompre, apparut en gros plan à l'écran. Visiblement aussi heureux que lui, son ami Kanye West se précipita vers lui pour le féliciter.

La nouvelle plongea le monde du showbiz dans un état second et battit tous les records sur Twitter, avec plus de 8 000 tweets par seconde. Le lendemain, le site publia le communiqué suivant : « La nuit dernière à 22 h 35, heure locale, la déclaration de Beyoncé pendant les MTV #VMA a provoqué un pic record sur Twitter : 8 868 tweets par seconde ! » Cette réaction des internautes la stupéfia : « C'est dingue ! Quand je pense que je n'ai jamais tweeté de ma vie... »

Une fois encore, Beyoncé avait géré sa communication d'une façon absolument parfaite, en contrôlant d'une main de fer les informations qu'elle acceptait de voir publiées. « Je ne voulais pas que les gens apprennent ma grossesse en voyant une photo immonde ou en lisant la rubrique potins. J'ai donc décidé d'exhiber fièrement mon petit bedon de future maman, déclara-t-elle à *Harper's Bazaar* après son *coming out*. Voir l'amour et l'enthousiasme plutôt que d'entendre quelqu'un vous en parler, c'est nettement plus puissant, vous ne trouvez pas ? »

La préparation de ce haut fait lui avait causé bien des angoisses, avoua la future maman. Par exemple, elle avait procédé à des dizaines d'essayages avant de se décider pour la robe Lanvin orange. Et elle avait soigneusement mis au point puis répété sans relâche toute l'opération, exactement comme elle le faisait pour ses chorégraphies, pour ce qui deviendrait le tapis rouge le plus fou de sa carrière.

« Ça commençait à se voir, raconta-t-elle sur ABC. Tôt ou tard, quelqu'un allait faire un gros plan sur mon ventre. C'est pour ça que j'ai voulu l'annoncer moi-même. Et je tenais à ce que ce soit joyeux, parce que c'est très beau, ce qui m'arrive. Bref, je me suis dit que la meilleure façon de m'y prendre c'était tout simplement... de me montrer. »

Cette révélation lui apporta un immense soulagement. « Honnêtement, je me suis sentie libérée. C'est un événement merveilleux, et je le cachais depuis trop longtemps. Et voilà que tout d'un coup, je me retrouve libre de le savourer, libre de le vivre comme n'importe quelle autre femme. Je peux enfin souffler et être heureuse. Quand je suis sortie de scène le soir des MTV VMA, j'ai fondu en larmes. J'ai serré ma mère dans mes bras, j'ai serré Jay dans mes bras, et j'ai pleuré. Ce fut une journée magnifique. »

Jay-Z était au courant depuis le début, bien sûr, et Kelly, grande amie de Beyoncé depuis l'époque Destiny's Child, avait été mise dans la confidence assez tôt. « Beyoncé fera une mère incroyable, déclara-t-elle dans *US Weekly*. Elle a toujours eu ce côté maternel… elle tient ça de sa mère. Si vous voulez mon avis, la maternité ne lui posera aucun problème. »

Beyoncé n'avait jamais caché son envie de tomber enceinte vers l'âge de trente ans. Tout s'était donc passé exactement comme prévu. Le 4 septembre, Jay-Z et elles partirent en jet à Venise pour fêter cet anniversaire important. Pendant cette pause romantique, ils donnèrent une fête sur un yacht luxueux pour quelques amis triés sur le volet. Dont Gwyneth Paltrow, bien sûr, déjà convaincue que Beyoncé avait une affinité naturelle avec les enfants. « Avec les miens, elle est sympa et drôle. Ils savent qu'elle s'intéresse à eux. Ils repèrent tout de suite les adultes qui font semblant. » Apple et Moses, les enfants de Gwyneth, appelaient maintenant Beyoncé « tante B » et Jay-Z « oncle Jay ».

Maintenant que le bébé était en route, Beyoncé nageait dans le bonheur. On la vit se détendre sur le pont inondé de soleil de l'*Odessa*, le yacht affrété spécialement pour l'occasion, tandis que ses amis profitaient des équipements du navire : bains à remous, salle de cinéma, lounge bar et suites luxueuses. Pendant cette petite croisière, Beyoncé et Gwyneth se livrèrent à des discussions animées ; l'actrice semblait avoir des tonnes de conseils à dispenser à celle qui serait bientôt maman pour la première fois. On raconte que Gwyneth, adepte des jus d'herbes et de la méditation, aurait recommandé à Beyoncé de se frotter le ventre avec de l'huile de noix de coco et de s'entourer de cristaux censés répandre la paix, l'amour et la bonne santé. Elle lui aurait même envoyé des colis d'herbes et de vitamines, affirme le magazine *Closer*.

Elle ne voulait que le bien de son amie, bien sûr, mais Beyoncé avait plutôt envie de plaisirs coupables et ne pouvait résister à ses en-cas préférés : chips et biscuits Oreo. « Quand je commence à manger ces trucs, je ne peux plus m'arrêter. Je m'envoie tout le paquet. » Son intérêt pour la sauce tomate augmenta considérablement. « Vous allez peut-être trouver ça bizarre, mais je mets du ketchup dans tout ce que je mange, en ce moment. J'aimais déjà le ketchup avant d'être enceinte, mais maintenant, je ne peux plus rien avaler sans. »

On lui prêta d'autres envies délirantes, qu'elle démentit sur ABC. « L'autre jour, en avion, un steward est venu et m'a dit : "Tenez, voici des pickles et des bananes à la sauce piquante, comme vous les aimez", et moi j'ai dit : "Mais qu'est-ce qui vous prend ? C'est absolument répugnant !" "J'ai lu ça sur internet", m'a-t-il répondu. » Elle avait aussi banni de ses menus tout ce qui répandait une odeur trop forte, parce que ça lui retournait l'estomac ; les oignons, par exemple. « Je perçois toutes les odeurs. Si ça sent mauvais, ça me révulse, et si ça sent bon, j'adore ça. »

Beyoncé vivait très bien sa grossesse, de plus en plus radieuse à chacune de ses apparitions. À New York, pendant le lancement de *Beyoncé Pulse*, son nouveau parfum, elle subjugua l'assistance dans une scintillante minirobe bleue. « Je m'amuse énormément. En fait je ne me suis jamais autant amusée que depuis que j'ai annoncé ma grossesse. Ça devenait difficile à cacher. » D'autres qu'elle, aussi riches et aussi célèbres, auraient levé le pied jusqu'à l'accouchement, mais ce n'était pas le genre de ce bourreau de travail. « Quand un projet vous excite, vous ne pensez pas à l'énergie que vous allez dépenser, déclara-t-elle aux journalistes le jour du lancement de *Beyoncé Pulse*. Tout se passe naturellement, c'est l'adrénaline qui veut ça. Je refuse de considérer ce qui m'arrive comme une maladie. Je ne suis pas malade. Je suis toujours la même, et j'ai les mêmes passions qu'avant. (...) Être enceinte ne m'empêche ni de danser ni de chanter en studio. J'écoute beaucoup de musique à fond, et j'imagine que mon bébé l'entend. » Filmée au lit pour les besoins d'un documentaire, elle s'adresse à la caméra et raconte le moment inoubliable où elle a senti cette petite vie bouger en elle : « Il m'a donné cinq coups de pied ! »

Visiblement, elle n'avait pas l'intention de ralentir la cadence après l'arrivée du petit nouveau. Comptait-elle emmener son enfant partout ? lui demanda-t-on. « Oui, je pense. Ça vous étonne ? Ma vie va changer, bien sûr, je vais devoir faire quelques compromis, mais je ne vois pas ce qui pourrait m'empêcher de prendre mon petit bout de chou avec moi. »

Elle n'avait pas l'intention de changer, et encore moins de devenir une mère obsessionnelle : « J'ai la tête sur les épaules. Je ne perdrai pas de vue la personne que je suis. » Elle a gardé à l'esprit que la grossesse était un événement normal dans la vie d'une femme. « Tout ne sera pas évident, je le sais. Parfois, mon enfant m'en voudra, comme j'ai pu en vouloir à ma mère, mais ce sera parce que je l'aime. Je suis prête. Prête pour le prochain chapitre. »

Elle avait décidé de tenir tous ses engagements à l'étranger jusqu'au début de l'année suivante. En septembre, elle fonça à Londres avec Tina pour présenter aux Anglais la nouvelle collection de House of Deréon. Main dans la main, la mère et la fille s'avancèrent sur le podium du magasin Selfridges, sur Oxford Street. Le teint hâlé par son séjour en Italie, des mèches blondes dans les cheveux, Beyoncé semblait toujours aussi radieuse. Escarpins vertigineux, tailleur-pantalon noir à paillettes lui allant à ravir… « Ce que je porte aujourd'hui fait partie de la collection. On ne l'a pas fait exprès, mais ces vêtements conviennent très bien aux femmes enceintes », gloussa-t-elle. Le choix d'une garde-robe spéciale grossesse était devenu pour elle un véritable hobby. « Maintenant que je peux assumer ma fierté et mon excitation, ça m'amuse beaucoup de chercher des fringues qui me vont. J'adore ça ! »

Quand on demanda à Tina ce qu'elle ressentait à l'idée de devenir grand-mère, elle répondit : « Je suis enchantée, vous ne pouvez pas savoir à quel point. » Dans le magazine *Life & Style*, elle déclara que Beyoncé allait être « une mère fantastique » et que le couple était « très, très heureux, et même carrément rayonnant. C'est magnifique à voir ». Tina parla aussi des terribles nausées matinales dont sa fille avait souffert pendant les trois premiers mois de sa grossesse. « Elle en a bavé, mais elle a surmonté ce sale moment. Maintenant, elle a tout le temps envie de gaufres. C'est classique. Elle a faim tout le temps ! »

Également ravie à l'idée de devenir tante, Solange était persuadée que Beyoncé n'avait pas veillé en vain pendant des heures sur son fils Julez. « Elle l'a emmené à Disneyland, dans des magasins de jouets, à la foire... Elle sait déjà tout, grâce à lui ! Elle est extrêmement patiente. Elle va faire une mère géniale, c'est évident. » Solange apprit aux lecteurs du site instyle.com qu'elle aidait sa sœur à choisir les vêtements du bébé. « Je vais directement sur un site de vente en ligne que je connais, je copie les adresses URL des pages qui m'intéressent et je les lui envoie. Nous faisons aussi du shopping ensemble. Elle grossit, c'est normal. Quand ça se voit vraiment et qu'on peut commencer à en jouer, ça devient très amusant. »

En septembre, les deux sœurs assistèrent à la Fashion Week de New York. Pour une fois, les conversations ne tournaient pas autour de ce que portaient les mannequins maigrichons arpentant mollement les podiums. Les fashionistas du premier rang étaient bien plus excitées par la présence de « Babyoncé », comme l'avaient surnommée les médias. Avec son ventre bien planqué sous une robe portefeuille dorée, elle faillit causer une émeute dans les défilés de J. Crew, Vera Wang et Rodarte. « Ce matin, je me suis levée en me disant : *Tu veux vraiment aller à un défilé de mode ?* Mais j'avais envie de passer un peu de temps avec ma sœur... »

Combinant leur goût pour la mode et leur nouvel intérêt pour tout ce qui touchait de près ou de loin aux bébés, Tina et Beyoncé décidèrent de se lancer dans un nouveau projet : une collection de vêtements de maternité sous le label House of Deréon. « Je trouve les courbes des femmes enceintes magnifiques », déclara Beyoncé. Elle-même incarnation de la jolie maman, elle évita tout ce qui pouvait sembler trop lugubre et opta pour des tissus doux et fluides, pour une allure féminine et funky. Elle s'amusa aussi à mélanger différentes textures, des vestes de costume, des blazers. « C'est très excitant... J'adore créer des pièces qui me donnent l'impression d'être audacieuse et sexy malgré ma grossesse. Les étoffes fluides sont toujours flatteuses, et tant que je peux mettre mes talons aiguilles… »

Aussi affairée que d'habitude, malgré sa grossesse avancée, elle sortit un nouveau single en octobre, *Countdown*, extrait de l'album *4*. Elle apparaît avec son petit ventre dans la vidéo du morceau inspirée des sixties, ce qui n'était pas prévu au départ, nous apprend la réalisatrice Adria Petty. « Quand nous avons tourné les premiers plans, elle n'avait pas encore annoncé la nouvelle, et elle ne tenait pas à ce que cela se sache. » Dans le *making-of* de la vidéo accompagnant la chanson, Beyoncé s'exclame : « Salut ! Nous sommes le 23 septembre et je tourne en ce moment la vidéo de *Countdown*. Je suis enceinte de six mois, je porte des justaucorps, et je dois faire semblant que mon ventre est tout plat ! »

Chaque fois qu'une célébrité tombe enceinte, une meute d'observateurs zélés se relaie pour émettre des commentaires plus ou moins bienveillants sur le ventre en expansion de la dame. Ils furent à l'origine de l'énorme polémique qu'allait entraîner l'apparition de Beyoncé dans une émission de télé australienne en octobre de cette année-là. « Je remercie le Seigneur de m'avoir offert le plus beau cadeau dont peut rêver un être humain, déclara-t-elle pendant cet entretien. Je me sens libre. Je me sens en pleine possession de mes moyens. » Malheureusement, à ce stade, personne ne l'écoutait plus : la tempête se déchaînait déjà sur le web. Quand Beyoncé s'était assise en face de l'animateur, son ventre avait inexplicablement paru se tasser, comme si le bébé venait de se « volatiliser » en direct. La réaction fut immédiate : les téléspectateurs l'accusèrent de porter un faux ventre, et, sur les réseaux sociaux, le bruit se répandit qu'elle avait « mimé » toute sa grossesse. Cette rumeur scandaleuse la blessa terriblement – même quand quelques commentateurs plus indulgents firent remarquer qu'il ne s'agissait sans doute que d'un effet d'optique malheureux. La vidéo virale déferla sur le web, suscitant des débats enflammés et des hypothèses encore plus délirantes, comme celle de la mère porteuse recrutée pour porter l'enfant de Beyoncé afin de lui éviter tout problème physique éventuel. Une autre rumeur enfla bientôt : le couple avait décidé d'adopter un enfant et Beyoncé mimait sa grossesse pour faire croire qu'elle en serait la mère biologique.

La séquence vidéo du « ventre aplati » donna lieu à des discussions sans fin dans les journaux, les magazines, les émissions de télé. Aux États-Unis, une émission alla jusqu'à demander à deux femmes enceintes de s'asseoir pour comparer ce qui se passait avec la vidéo mettant en cause Beyoncé. Il n'en ressortit aucun résultat concluant, constatèrent les téléspectateurs ahuris.

En revanche, Yvette Noel-Schure, l'attachée de presse de Beyoncé, n'avait pas le moindre doute en la matière. Dès que la rumeur éclata, elle publia un communiqué féroce dans lequel elle affirmait que cette histoire de prothèse ventrale était « stupide, ridicule et non fondée ».

Oui, cette histoire était dingue, et complètement fausse, mais Beyoncé reconnut plus tard, au cours d'une interview accordée à *Vogue*, que ces accusations l'avaient consternée. « Quel intérêt d'inventer un truc pareil ? Bah, il vaut mieux en rire. » Longtemps après, elle qualifia cette rumeur de « ragot stupide, le plus ridicule qu'on n'ait jamais raconté sur mon compte. Penser que je puisse être aussi futile... »

Jay-Z admit aussi qu'il s'était senti bouleversé pour sa femme quand il avait entendu la cruauté de certains commentaires. « C'est tellement débile, déclara-t-il à *Vanity Fair*. Vous savez, moi, ça ne m'a pas fait grand-chose, j'ai juste trouvé ça ridicule, mais je n'ose pas imaginer ce qu'elle a ressenti, elle. Vous me direz, nous avons une vie vraiment privilégiée, alors on ne va quand même pas se plaindre. Mais quand on y réfléchit un peu, nous sommes humains nous aussi. Même dans le milieu hip-hop, les blogueurs... Ils se sont déchaînés. Pourtant, on est comme eux, je leur ai dit. On les représente. Et je leur ai demandé pourquoi ils reprenaient cette rumeur. Pourquoi ils alimentaient ces ragots ridicules. » Ce couple, qui s'était toujours montré si prudent vis-à-vis des médias, traversait une mauvaise passe.

Beyoncé décida de prendre un peu de recul. En novembre, elle leva le pied. Mais comme elle refusait de vivre comme une ermite, elle partit sur la route avec Jay-Z et Kanye West pour les soutenir pendant leur tournée *Watch the Throne*. Elle assista à presque tous leurs concerts, ce qui lui posa parfois quelques problèmes, par exemple à Fort Lauderdale où elle dut se rendre quatorze fois aux toilettes. Lors d'un autre concert, on la voit sur une photo en train de danser au premier rang, préférant la compagnie du public à la loge des VIP. Elle porte une robe rouge et son ventre énorme est bien visible, désormais.

Le même mois, Jay-Z fut intronisé « roi de l'année » par le magazine *GQ*, avec une interview à la clé. Il y affirmait qu'il serait un bien meilleur père avec son enfant que le sien l'avait été avec lui. « Nous ne sommes pas faits du même bois, lui et moi. Moi, j'ai des principes. » Lorsque les journalistes lui demandèrent s'il comptait couvrir son enfant de cadeaux, il répondit que l'argent ne réglait pas tout. « Donner, ce n'est pas de l'amour. Être présent, ça, c'est important. » Quand il fit remarquer qu'il avait bien l'intention d'être là « à cent pour cent » y compris pour changer les couches, le journaliste lui demanda si celles-ci seraient cousues d'or. « Non, elles seront en cuir ! » répliqua le rappeur hilare.

Dans le magazine *People*, il confia aux lecteurs qu'il ne quitterait jamais Beyoncé et leur enfant : « À mon avis on ne s'engage pas dans une relation si on est persuadé qu'on va quitter un jour la personne qu'on aime ou bien qu'on ne sera pas présent pour elle. »

La fièvre suscitée par la grossesse de « Babyoncé » atteignit un pic lorsque sa meilleure amie Kelly laissa glisser par accident que Beyoncé et Jay-Z attendaient une petite fille. Interrogée en novembre au cours de la cérémonie de remise des Cosmopolitan Awards, à Londres, elle déclara : « Je suis très heureuse pour ma sœur et son mari. Ils baignent dans le bonheur, et il y a de quoi.

Ils vont être parents… Je suis très impatiente qu'ils vivent ça. » De fil en aiguille, elle aborda le sujet des idées de cadeaux pour le bébé : « Je ne sais pas encore ce que je vais offrir à Beyoncé pendant la *baby shower*, parce que Jay va acheter tout ce qui est possible et imaginable à cette petite fille. Ils ne vont pas la gâter, mais ils vont très bien s'occuper d'elle. »

Pour leur plus grand bonheur, les journalistes venaient de mettre la main sur un énorme scoop. Kelly répéta la même chose à *US Weekly*. « Je crois qu'elle sera très sage. Ses parents y veilleront. » Plus tard, on apprit qu'elle avait offert au futur bébé de ses amis une minibaignoire design pour se faire pardonner sa gaffe. Conçu par la designer californienne Lori Gardner, l'objet était décoré de 45 000 cristaux Swarovski dont l'application à la main avait pris deux mois. D'après ABC News, Kelly avait opté pour la baignoire rose – 5 200 dollars.

Tout ce luxe allait faire partie de la vie du bébé dès le jour de sa naissance. Le bruit courut que Beyoncé et Jay-Z avaient embauché un architecte d'intérieur pour créer non pas une, mais trois chambres d'enfant dans leurs différentes maisons. Celle de Manhattan était gigantesque – presque 200 m^2 –, mais dans les maisons de Miami et Scarsdale, les futurs parents optèrent pour des versions plus petites. Gwyneth Paltrow leur suggéra l'idée de prévoir des chambres identiques, pour donner des repères à cette enfant amenée à changer si souvent de domicile. Chacune de ces trois chambres d'enfant coûta autour d'un quart de million de dollars pour l'ameublement et la décoration. Le lit d'enfant fantaisie en cèdre et bouleau, pièce maîtresse de ces chambres, coûtait à lui seul 21 000 dollars. Dans le tabloïd américain *Star*, une source anonyme déclara : « Beyoncé veut de l'or dix-huit carats partout. Le berceau ressemble à un petit lit à baldaquin avec des rideaux en soie, et je ne vous parle même pas des dessus-de-lit en cachemire. Il y a aussi le top du top de la chaîne stéréo, avec une station d'accueil pour iPod s'ils veulent passer des berceuses au bébé et une télé à écran plat qui descend du plafond. »

Ils avaient choisi avec soin les couleurs de la chambre ; Beyoncé et Tina avaient passé des jours à feuilleter des catalogues et des livres de décoration intérieure. « Ils se sont décidés pour un mélange de teintes apaisantes et de glamour assumé », nous apprend encore cette source anonyme. Ils dépensèrent aussi beaucoup d'argent pour acquérir d'autres articles comme une chaise haute à 16 000 dollars ornée de cristaux Swarovski, un cheval à bascule doré fait main par le bijoutier japonais Ginza Tanaka à 600 dollars, et une robe Jean Paul Gaultier à 290 dollars « pour le rot du bébé ».

Fin décembre, les deux futurs parents étaient aussi prêts qu'on pouvait l'être ; Beyoncé avait même consenti à échanger sa luxueuse voiture contre un van Mercedes beaucoup plus pratique. Sauf que celui-ci sortait de l'ordinaire, bien sûr : elle avait dépensé la coquette somme d'un million de dollars pour le faire customiser à l'intention de son futur bébé. Il était maintenant équipé de sièges italiens cousus main, mais aussi d'une salle de bains complète, d'une stéréo à 150 000 dollars et d'une télé à écran plasma.

La fin de l'année fut marquée par une flambée de faux communiqués annonçant la naissance d'une petite Tiana-May. Un canular élaboré, mais pas si loin de la vérité, finalement : le premier enfant de Beyoncé et Jay-Z naquit à peine huit jours plus tard.

CHAPITRE DIX-SEPT

Baby Blue Ivy Carter fit sa grande entrée dans le monde à New York, le 7 janvier 2012. Voici la déclaration officielle des heureux parents : « Hello Hello Baby Blue ! Nous avons le plaisir de vous annoncer l'arrivée de notre superbe petite fille, Blue Ivy Carter, née ce samedi 7 janvier 2012. Sa naissance a été source d'intenses émotions, mais s'est déroulée sans problème. Elle fait 3,5 kg, et elle a pu venir au monde par voie naturelle. Nous sommes au septième ciel ! Nous venons de vivre le plus beau moment de notre vie. Merci pour vos prières, vos vœux, votre amour et votre soutien. Beyoncé & Jay-Z. »

Contrairement à beaucoup d'autres mamans célèbres, Beyoncé n'avait donc pas eu recours à une césarienne, et elle tenait à le faire savoir ! Précisons que la césarienne permet de remédier, grâce à un petit coup de bistouri bien placé, à la présence d'un « petit ventre » disgracieux. L'accouchement s'était déroulé en douceur : « Chaque fois que j'avais une contraction, je visualisais mon enfant en train de pousser une porte très lourde, raconta-t-elle à *Vogue*. Et comme c'était lui qui faisait tout le boulot, j'ai oublié ma douleur. On a parlé ensemble. Je sais, ça peut paraître fou, mais j'ai senti qu'on communiquait. Toutes mes frayeurs étaient restées à l'extérieur de la pièce, donc j'ai pu lâcher prise et vivre chaque contraction… J'ai vécu le plus beau jour de ma vie. »

Quelqu'un lança le bruit que Jay-Z avait réservé un étage entier de l'hôpital, moyennant la jolie somme de 1,3 million de dollars… Mais tout ce bonheur le valait bien, non ? Un porte-parole de l'établissement se chargea pourtant de démentir cette rumeur ; Beyoncé n'avait occupé qu'une suite du sixième étage, précisa-t-il. Tina, Mathew et Solange se succédèrent à son chevet, les bras chargés de fleurs et de ballons roses noués de ruban noir et argent. Et pendant les heures précédant la naissance, la famille se fit livrer des repas et quelques bouteilles de vin.

La sécurité fut renforcée au maximum, bien évidemment. Une équipe se chargea d'occulter les caméras de sécurité pour éviter que des images ne fuitent, et Beyoncé entra à l'hôpital sous un faux nom, Ingrid Jackson. La nuit de l'accouchement, plusieurs vigiles armés montèrent la garde aux abords du bâtiment. Enfin, une porte à l'épreuve des balles fut installée à l'entrée de la suite. Le secret fut si jalousement gardé et l'intimité du couple si efficacement préservée que certaines familles se plaignirent d'avoir été « évacuées » sans explication vers d'autres ailes du bâtiment.

Confortablement installée dans sa suite, Beyoncé ne se laissa aller à aucun moment, se donnant même beaucoup de mal pour se montrer à son avantage. « Avant de foncer à l'hôpital, je me suis bouclé les cheveux et je me suis mis du gloss, confia-t-elle à *People*. Je tenais vraiment à être belle jusqu'au bout. J'ai même enfilé des petits talons ! » Vint le moment où elle cessa de se soucier de son apparence : « Au bout de plusieurs heures de travail, je m'en moquais complètement, de la tête que j'avais ! »

Quand on déposa le bébé dans ses bras, elle éclata en sanglots irrépressibles, immensément soulagée. Jusqu'à ce jour, elle avait vécu dans la terreur de l'accouchement. « C'était l'une de mes plus grandes peurs, raconta-t-elle dans le magazine *Shape*. Blue m'a permis de surmonter cette peur. »

Dans les heures qui suivirent l'annonce de l'heureuse nouvelle, le prénom de la petite déclencha une avalanche de théories toutes plus loufoques les unes que les autres. En voici une, particulièrement saugrenue : à l'envers, Blue Ivy s'épelle

Eulb Yvi, autrement dit, selon certains, le nom latin de la fille de Lucifer. Une élucubration risible, et pourtant la rumeur enfla et les internautes se déchaînèrent sur Twitter. Fort à propos, le site *Examiner* rappela que la Bible n'attribuait aucune fille au diable. Une autre théorie concernant le choix de ce prénom, plus logique celle-là, tournait autour du chiffre 4, que Jay-Z et Beyoncé aimaient tant. Le IV, en chiffres romains… c'est-à-dire le début du prénom *Ivy*. Quant au mot *Blue*[1], Jay-Z et Beyoncé l'avaient sans doute choisi parce que le bleu était leur couleur préférée ; d'autre part, le rappeur avait sorti en dix ans trois albums dont le titre comprenait le terme *Blueprint*.

En fin de compte, Beyoncé livra elle-même un indice beaucoup plus probant sur ce qui avait pu motiver leur choix : elle publia sur son compte Tumblr un extrait d'un livre de Rebecca Solnit intitulé *A Field Guide to Getting Lost*. Dans ce passage consacré à la signification de la couleur bleue, on lit : « Le monde est bleu à ses confins et dans ses profondeurs » ; et plus loin, la dernière phrase : « La lumière qui se perd nous révèle la beauté du monde, dont la couleur bleue détient la plus grande part. »

Tina éprouva une joie intense en découvrant sa première petite-fille. À ceux qui lui demandaient comment était le bébé, elle répondit : « Superbe ! En pleine forme. » Et son nouveau rôle de grand-mère ? « Fantastique… le second job le plus chouette de ma vie ! » Mathew, le grand-père, réfuta quelques semaines après la naissance les rumeurs qui prétendaient que Beyoncé voulait le tenir éloigné du bébé. Il assurait la promotion d'un de ses groupes à Londres quand il déclara dans une émission d'ITV : « J'ai vu Blue Ivy il y a deux jours. Je l'ai prise dans mes bras et je lui ai fredonné une chanson que je chantais déjà à sa mère… Quand je me suis tu, elle a poussé un petit "Aaah" (…) Elle est à croquer. On n'a qu'une envie, c'est de lui faire des bisous partout, mais ce qu'il y a de super avec les petits-enfants, c'est qu'on peut les rendre à leurs parents. »

1. *Blue* = bleu.

Tout aussi heureuse de rencontrer le bébé, Solange posta un tweet dans lequel elle déclara que Blue Ivy était la plus jolie fille au monde. Gwyneth Paltrow l'imita, avec un : « Bienvenue sur terre, Blue ! Nous t'aimons déjà. » Puis ce fut le tour de Rihanna, qui posta : « Bienvenue sur cette planète, princesse Carter ! Je t'adore, Tata Rih. »

Trois jours après la naissance, B et Jay-Z rentrèrent chez eux avec leur précieux fardeau. Pour enfumer les paparazzi, ils quittèrent l'hôpital à 1 h 45 du matin, entourés par un convoi de voitures de sécurité qui les escorta pendant le court trajet jusqu'au penthouse de Tribeca. Oprah Winfrey offrit toute une collection de livres pour enfants à la petite Blue, l'un des premiers cadeaux qu'elle reçut, puis Gwyneth enchaîna avec une poussette Bugaboo, et Kelly avec un pyjama Babygro Bob Marley et des couvertures en cachemire à 300 dollars pièce. Venues voir toute la petite famille, Kelly et Michelle entonnèrent un petit air avec Beyoncé, « comme au bon vieux temps ». Michelle, qui avait trouvé Blue « absolument adorable », adressa un tweet aux fans pour leur demander de laisser respirer les Carter : « Ces deux personnes vivent un moment merveilleux, précieux, intime. L'intérêt que vous leur portez est tout à fait respectable, mais respectez-les vous aussi ! »

Le président Obama, un autre ami du couple, fut parmi les premiers à féliciter les nouveaux parents. Sur une radio locale de Cleveland, il déclara qu'il avait appelé Jay-Z pour lui offrir quelques conseils d'un père à un autre père : « Je voulais m'assurer qu'il aiderait Beyoncé, qu'il ne laisserait pas tout le boulot à sa femme et à sa belle-mère. » Beyoncé semblait tout à fait satisfaite de son mari, puisqu'on rapporte qu'elle lui offrit une bague ornée d'un saphir d'une valeur de 500 000 dollars ; pour le beau bébé qu'il lui avait donné, sans doute, et aussi pour son amour et son soutien sans faille tout au long de la grossesse de sa femme.

Enfant de deux énormes stars de la pop, ce bébé suscitait tant de fascination que certains entreprirent des recherches généalogiques à son sujet. Le site de généalogie *findmypast.co.uk* découvrit une parenté entre Blue et le duc et à la duchesse de Cambridge. Autrement dit, le premier bébé royal qui naîtrait – le prince George, plus d'un an plus tard – serait cousin de Blue Ivy au vingt-troisième degré ; une parenté probablement due à des origines françaises communes.

Ce couple, qui tenait tant à son intimité et qui avait toujours tenu les médias à distance, accepta pour une fois de livrer une photo de son bonheur à la presse. On y voit la jeune mère épuisée qui berce un bébé aux yeux noirs et aux épais cheveux foncés. Blue Ivy fixe calmement l'objectif ; elle ressemble à ses parents, cela saute aux yeux. Un bref message accompagnait la photo : « Nous vous invitons à partager notre joie, et vous demandons de respecter notre vie privée pendant ces moments merveilleux de notre vie. Merci d'avance. » Le petit mot était signé « La famille Carter ».

Démarche assez inhabituelle, le couple tenta plus tard de déposer la marque Blue Ivy. Jay-Z s'en expliqua : « Des gens voulaient exploiter le nom de notre enfant ! Ils voulaient créer des produits Blue Ivy ! On ne pouvait pas laisser faire. » Leur demande fut rejetée, car une société organisatrice d'événements existait déjà sous le même nom.

Pour célébrer l'arrivée de la petite Blue dans le clan Carter, l'heureux papa eut l'idée originale de poster sur son blog un rap plein de douceur intitulé *Glory*. On y entend les premiers battements de cœur du bébé, qui n'avait qu'une semaine quand la chanson apparut dans les charts. D'une certaine façon, Blue est donc la personne la plus jeune à avoir figuré dans un classement du Billboard.

The most amazing feeling I feel – J'éprouve un sentiment stupéfiant
Words can't describe the feeling, for real – Que les mots ne peuvent décrire, vraiment
Baby I'll paint the sky blue – Bébé, je vais peindre le ciel en bleu
My most greatest creation was you – Ma plus belle création, c'est toi.

Lui qui est resté sur sa réserve pendant toute la grossesse, il va même jusqu'à décrire dans ce morceau Blue Ivy dansant dans le ventre de sa mère. Débordant de tendresse, il lui demande : « As-tu remué les mains pour elle ? » Plus loin, il ajoute avec humour :

You're a child of destiny – Tu es une enfant du destin
You're the child of my destin – Tu es l'enfant de mon destin
You're my child of a child from Destiny's Child – Tu es l'enfant que j'ai eue d'une enfant de Destiny's Child.

Son bébé nouveau-né, c'est lui en plus malin, plus rapide (*A smarter faster me*), c'est Jay-Z tout craché quand il était petit (*Looking like little me*), et le papa va avoir du mal à ne pas le gâter (*Hard not to spoil you rotten).*

Dans *Glory,* Jay-Z parle de sa vie privée comme jamais. Il y révèle que Blue a été conçue à Paris au printemps précédent, dans une chambre de l'hôtel Meurice, entre deux séances photo pour l'album *4*.

Daddy's little girl – La petite fille de son papa
You don't yet know what swag is – Ne sait pas encore ce que veut dire swag
But you was made in Paris – Mais on t'a faite à Paris
And Mama woke up the next day – Et quand ta maman s'est levée le lendemain
And shot her album package – Elle est partie poser pour son album.

La chanson évoque aussi cette fausse couche de Beyoncé qui leur a brisé le cœur avant la conception de Blue (*Last time, the miscarriage was so tragic*), puis décrit la peur des futurs parents pendant la grossesse à l'idée que cet événement tragique se reproduise, et leur immense soulagement (*We was afraid you disappeared, but nah, dear, you magic*).

Dans *Glory*, Jay-Z s'exprime avec une grande sensibilité, une facette de sa personnalité qu'il met rarement en avant. Comme le fit remarquer un critique radio sur Twitter : « Ce doit être la première fois qu'un rappeur parle de fausse couche ! »

Dès la sortie de *Glory*, la nouvelle de cette fausse couche tenue secrète jusqu'alors fit les gros titres dans le monde entier. Pendant quelques mois, les parents refusèrent d'en dire plus ; Beyoncé, notamment, resta totalement muette à ce sujet. Mais un an plus tard, dans *Life Is but a Dream*, un documentaire déchirant diffusé sur HBO en février 2013, elle accepte enfin de se livrer : « Il y a environ deux ans, je suis tombée enceinte une première fois. Ce petit cœur qui battait en moi, je n'avais jamais entendu de musique aussi belle. » Comme toutes les femmes dans son état, elle s'est imaginé comment serait son enfant, elle lui a cherché un prénom… « Je me sentais très maternelle. » Elle compare la grossesse à l'état amoureux : « On voit tout différemment, on déborde de joie… Il n'y a pas de mots pour décrire ce que vous éprouvez quand un bébé grandit en vous. On a envie de le crier sur tous les toits, on voudrait que tout le monde le sache ! »

Mais dès le début de la grossesse, des complications surviennent pour le pire. « Quand je suis retournée à New York pour y subir les examens d'usage… le cœur ne battait plus. Une semaine avant, chez le premier docteur, tout allait bien, et puis tout d'un coup, plus rien. » Ayant réalisé qu'elle avait perdu son bébé, Beyoncé surmonta son chagrin en mettant ses émotions en musique : « Je suis allée en studio et j'ai écrit ma chanson la plus triste à ce jour. Ce fut une sorte de thérapie ; la meilleure, pour moi, parce que c'était ce que j'avais vécu de plus triste dans la vie. » La chanson s'appelle *Heartbeat* et ses paroles sont poignantes :

I guess love just wasn't enough for us to survive – L'amour n'a pas suffi à nous faire survivre, je crois
I swear, I swear, I swear I tried – Je jure que j'ai essayé

You took the life out of me – Tu m'as pris la vie en moi
I'm longing for your heartbeat, heartbeat – Je me languis de ton cœur qui bat.

Heaven, une chanson plus récente, semble aussi faire allusion à cette fausse couche.

Heaven couldn't wait for you – Le ciel n'en pouvait plus de t'attendre
I fought for you the hardest – Pour toi, je me suis battue bec et ongles
It made me the strongest – Et je suis devenue la plus forte
So tell me your secrets – Alors dis-moi tes secrets
I just can't stand to see you leaving – Je ne supporte pas ton départ.

Dans un entretien accordé à Oprah Winfrey pour la promotion de *Life Is but a Dream*, Beyoncé explique pourquoi elle a décidé de raconter cet événement malheureux : « je l'ai fait pour tous ces couples qui traversent cette épreuve. Et puis c'est un chapitre important de mon histoire, une des choses les plus dures qui me soient arrivées. Voilà pourquoi j'ai attendu si longtemps pour annoncer ma seconde grossesse : parce qu'on ne sait jamais ce qui peut se passer. Mais on a eu du mal à garder le secret. Toute ma famille et tous mes amis étaient au courant et se réjouissaient. »

Naturellement, elle avait commencé sa grossesse terrorisée à l'idée d'avorter à nouveau : « J'avais si peur… Mais mon docteur m'a dit que j'étais en parfaite santé, et il m'a conseillé d'oublier mes idées noires et ma paranoïa. Il m'a dit de vivre ma vie. Et c'est ce que j'ai fait. »

Un mois après la naissance de Blue Ivy, Jay-Z interpréta *Glory* pendant un concert au Carnegie Hall, à New York. « Levez une main pour Blue ! » cria-t-il à son public. À la fin de la chanson, on entend les premiers geignements de la petite. « J'ai cru que j'allais craquer avant la fin du morceau, ce soir-là, nous apprend Jay-Z. C'était dur. » Beyoncé fit sa première apparition en public depuis son accouchement à l'occasion de ce concert. Des photos d'elle circulèrent sur internet et dans les magazines people et le monde entier s'extasia devant ce corps de jeune maman d'une minceur improbable. Juchée sur ses Louboutin, elle porte sur ces photos une robe orange moulante de la créatrice Alice Temperley. Visiblement, elle avait déjà éliminé ses kilos superflus... Et pourtant elle avait pris presque 30 kilos pendant sa grossesse.

Comment s'y était-elle prise pour maigrir aussi vite ? Elle en parle avec une franchise plutôt rafraîchissante dans ce milieu : « Pour retrouver ma silhouette, j'ai dû bosser comme une dingue. » La plupart des mamans célèbres prétendent que leur poids est redescendu tout seul, mais Beyoncé ne tient pas à idéaliser la maternité. « Je suis la preuve qu'on peut retrouver son corps d'avant si on travaille dur pour ça. Je pesais 88,6 kg quand j'ai accouché. J'en ai perdu 30... Même avec un enfant, on peut continuer à s'éclater, être sexy, avoir encore des rêves et une vie à soi. »

Elle allaitait son bébé au sein, ce qui contribua d'après elle à lui faire perdre des kilos ; mais ce résultat remarquable, elle le doit avant tout à l'entraîneur Marco Borges, qui lui imposa deux séances de gym par jour et un régime très strict : omelette de blancs d'œufs au petit déjeuner, boissons protéinées ou émincé de dinde au déjeuner et sashimi de limande à queue jaune pour le dîner. Et pour les petites faims : fèves de soja, baies et pommes vertes. Beyoncé et Marco se levaient tous les jours à cinq heures du matin pour deux heures d'exercices physiques, puis ils remettaient ça à dix-sept heures. « La séance mélange cardiotraining, Pilates, pliométrie, yoga, et de la danse, bien sûr », nous apprend une source anonyme dans le magazine *Star*.

Son incroyable silhouette et sa perte de poids rapide suscitèrent un deuxième round de rumeurs l'accusant d'avoir simulé sa grossesse. En mars, Beyoncé participa à une collecte de fonds organisée par Michelle Obama pour la réélection de son mari. Tina, sa mère, était également de la fête, ainsi que l'acteur

Roberto De Niro. Bey s'y rendit dans une robe bleu marine signée Victoria Beckam qui soulignait avantageusement ses courbes et un ventre déjà plat. Dès que les photos de l'événement apparurent en ligne, la polémique repartit de plus belle. Les tweets accusateurs se succédèrent : « Plus mince que jamais. Que la mère porteuse se dénonce ! », « Je suis toujours convaincu qu'elle a fait semblant », etc. Puis le site TMZ s'empara à son tour de l'hypothèse de la mère porteuse dans une vidéo humoristique énumérant d'autres théories du complot : « Qui a tué JFK ? Beyoncé a-t-elle vraiment accouché ? Des mystères qui ne seront peut-être jamais résolus ! » La vidéo se termine ainsi : « Puisqu'on vous dit que c'est son bébé ! Bon, OK, elle a retrouvé sa ligne un peu vite… »

Sur le moment, Beyoncé opposa un silence méprisant à ces commentaires grotesques. Plus tard, elle avoua qu'elle regrettait profondément de s'être soumise à une telle pression si tôt après son accouchement. Elle s'en expliqua au magazine *Shape* : « J'ai dû maigrir très vite, car j'avais un concert prévu quelques mois après la naissance, ce que je ne referai plus jamais ! » Elle nous apprit aussi qu'elle se battait en permanence avec les kilos superflus : « Je ne suis pas mince de nature. Je dois travailler dur pour conserver ma ligne. » L'interview est accompagnée de photos d'elle dans des bikinis minimalistes. « J'ai dû faire un régime basses calories avant cette séance photo : pas de viande rouge, beaucoup de poisson, les pâtes et le riz remplacés par du quinoa. » Le plus dur à ses yeux avait été de renoncer aux glucides raffinés.

Comme elle le soulignait dans l'article, si elle avait tout fait pour maigrir vite, c'était parce qu'elle devait bientôt reprendre le travail. Originalement prévu en février, le tournage du remake d'*Une étoile est née*, dont elle avait accepté le rôle principal, avait été repoussé à plus tard pour permettre à Beyoncé de s'adapter à son nouveau statut de mère. Son grand comeback se déroula donc à Atlantic City, dans le New Jersey, avec quatre concerts organisés pour le lancement du nouveau

Revel Resort & Casino, un complexe hôtelier de 2,5 milliards de dollars. Bey posta une vidéo sur son site alors qu'elle se préparait pour les spectacles en question : « J'adore être maman, mais je me réjouis tout autant de reprendre le travail. Cela peut sembler un peu étrange, mais je trouve important de ne pas oublier ce qu'on est. Je suis de retour. De retour aux affaires. » On la voit également assise par terre avec ses danseurs, en train de parler du spectacle : « Ce que je voudrais faire comprendre avec ce show, c'est que OK, j'ai eu un bébé, mais que cela ne m'empêche pas d'avoir les pieds sur terre, bien au contraire. »

Beyoncé reprenait doucement le travail quand une autre rumeur vit le jour : on racontait que Simon Cowell, le magnat de la télé, lui avait proposé la somme mirobolante de 500 millions de dollars pour devenir pendant cinq ans l'un des jurés de *X Factor* aux États-Unis. Il venait de virer Paula Abdul, ainsi que Nicole Scherzinger, la chanteuse des Pussycat Dolls, et il rêvait de recruter Beyoncé. Invité dans une autre émission, il réduisit en miettes : « *X Factor* ne dispose pas d'un budget suffisant pour embaucher Beyoncé. Ça n'aura jamais lieu. Ces rumeurs sont complètement absurdes. Et je vous assure que nous n'avons jamais abordé cette question, elle et moi. »

Beyoncé faisait un tabac chaque fois qu'elle était invitée dans *X Factor* et Simon était l'un de ses plus fervents admirateurs. Quelques mois plus tôt, il avait déclaré à son sujet : « [Elle est] ambitieuse, talentueuse, et elle en veut. Elle incarne cette nouvelle génération d'artistes que j'appelle les superpopstars. Que des filles, en ce moment… comme une sorte de superespèce qui veut diriger le monde. »

Si Beyoncé ne semble pas très pressée de travailler pour Simon, c'était peut-être parce qu'il l'avait offensée autrefois : « Un jour, j'ai émis quelques critiques à son sujet. Son père est venu me voir et j'ai passé un sale quart d'heure, je peux vous le dire. Environ un an plus tard, elle est venue dans l'émission que je présentais à l'époque au Royaume-Uni. J'ai vu tout de suite qu'elle m'en voulait toujours et je lui ai présenté mes excuses.

Ce jour-là, elle a chanté merveilleusement bien, mieux que personne à ma connaissance en *live*. À un moment, elle s'est tournée vers moi et j'ai lu dans ses yeux : "Alors ? Toujours envie de me critiquer ?" »

Les médias posèrent directement la question à l'intéressée : y avait-il une chance qu'elle devienne un jour l'un des jurés *X Factor*, comme sa consœur Kelly dans la version britannique de l'émission ? « *X Factor*, demande un engagement énorme, répondit Beyoncé. Ce n'est pas un simple show, on change la vie des gens. Si j'acceptais, ce serait pour m'impliquer à fond. Je ne pense pas que ce soit envisageable avant quelques années. »

Avant son come-back à Atlantic City, Beyoncé et Jay-Z décidèrent de renouveler leurs vœux. En avril, à l'occasion de leur quatrième anniversaire de mariage, ils prirent part à une émouvante cérémonie qui se déroula à minuit en présence d'amis de toujours, dont Oprah Winfrey et Will Smith. Ils échangèrent des anneaux d'or et se promirent à nouveau un amour éternel. Quelques jours plus tard, ils emmenèrent la petite Blue à Saint-Barth, pour des vacances exotiques. Il existe une photo de Bey en train de bercer le nourrisson enveloppé dans des couvertures au moment d'embarquer à bord d'un yacht somptueux. Le bébé n'avait que trois mois. C'était le premier voyage à l'étranger de la minuscule jet-setteuse. Il y en aurait beaucoup d'autres.

En mai, les concerts s'enchaînèrent et Beyoncé retrouva sans effort son rythme d'avant le bébé, avec les effets pyrotechniques, les explosions de lumière, et surtout les chorégraphies survitaminées qui faisaient sa réputation. Présent au premier concert et béat d'admiration devant le retour énergique de sa femme, Jay-Z posta le tweet suivant : « Sur scène, Beyoncé est la meilleure artiste au monde. Point barre. » Tout aussi enthousiastes, les spectateurs hurlaient comme des damnés à chaque mouvement suggestif de son postérieur joliment vêtu par Ralph & Russo. « J'en ai bavé pour être là ce soir ! cria-t-elle à son public. J'avais 30 kilos à perdre ! J'ai cavalé pendant des kilomètres sur un tapis de marche, et je me suis empiffrée de laitue ! Mais qu'est-ce que c'est bon de retrouver la scène ! »

Ces quatre concerts lui donnèrent l'occasion de rendre hommage à Whitney Houston, dont la mort brutale, quelques semaines plus tôt, avait bouleversé le monde entier. Elle interpréta le début de *I Will Always Love You*, la chanson la plus connue de Whitney, en l'enchaînant avec *Halo*, l'un de ses morceaux à elle. Whitney Houston avait été l'une des idoles de Beyoncé, et quelqu'un qui avait beaucoup compté à ses yeux. En février 2012, on la retrouva noyée dans une baignoire suite à une probable overdose. Quand Bey apprit sa mort, elle publia une émouvante déclaration sur son site web :

« J'avais quinze ans la première fois que j'ai rencontré Whitney. C'était un mythe. C'était la femme dans toute sa splendeur. Sûre d'elle, équilibrée, incroyablement belle et intelligente, mais aussi sincère et gentille. Elle prenait le temps de s'intéresser à tout le monde. Moi, je rêvais de lui ressembler, bien sûr. Sa voix était parfaite. Forte, mais apaisante, émouvante, classique… J'ai beaucoup de souvenirs liés à l'une ou l'autre de ses chansons. C'est notre reine à toutes. Elle nous a ouvert des portes et nous a montré la voie. Que Dieu la bénisse. »

Michelle Obama assista dans le public à l'un de ces spectacles, avec ses deux filles, Sasha et Malia, toutes trois chantant les paroles à l'unisson. La première dame n'avait jamais caché qu'elle adorait Beyoncé. « Si j'avais du talent, je serais Beyoncé. Je serais une grande chanteuse », venait-elle d'avouer aux lecteurs de *People*. À défaut, elle faisait de la gym sur la musique de B. C'était une admiration réciproque, comme le comprirent ceux qui lurent sur le site de Beyoncé la lettre manuscrite qu'elle avait adressée un mois plus tôt à Michelle. Pour elle, la première dame était « l'exemple ultime de l'Afro-Américaine indépendante et forte ». « Je suis fière que ma fille grandisse dans un monde où des femmes comme vous peuvent lui servir de modèle », écrivait-elle. Plus loin, elle parle ainsi de

Michelle : « C'est une mère attentionnée, une épouse aimante, et la première dame, par-dessus le marché ! (...) Malgré la pression, malgré le stress de cette vie observée, observée à la loupe, elle est humble, aimante et sincère (...) Michelle, merci du fond du cœur pour tout ce que vous faites pour nous. »

Michelle lui répondit sur Twitter : « À mon tour de vous remercier pour cette lettre magnifique. Vous êtes vous aussi un exemple pour tous les enfants de ce pays. » Elle signa le message de son surnom : « MO ».

Cet échange entre les deux femmes tombait particulièrement bien à quelques mois de l'élection présidentielle, prévue en novembre de la même année. D'autre part, Beyoncé avait accepté de participer avec Michelle à *Let's Move !*, une importante campagne de lutte contre l'obésité chez les enfants. La vidéo tournée pour illustrer cette campagne commence comme un *flash mob*, puis se poursuit avec Beyoncé faisant de la gym entourée de dizaines d'enfants qui l'imitent. « Je suis enchantée de pouvoir prendre part à la lutte contre ce grave problème de santé publique. C'est tout à l'honneur de la première dame de vouloir s'y attaquer de front. »

CHAPITRE DIX-HUIT

Au mois de mai, Beyoncé célébra sa première fête des Mères en envoyant une lettre ouverte à Tina :

« Maman chérie,

Tout ce que je suis, je te le dois. Tu es la première voix qui ait chanté pour moi. À chaque tournant de ma vie, tu m'as poussée à être meilleure. Tu m'as appris à me respecter et à respecter ceux que j'aime. Et ce que je lis dans tes yeux me rend si fière ! Maintenant que je suis mère, je réalise tout ce que tu as fait pour nous. Mes mots ne peuvent exprimer à quel point je t'aime. Heureuse fête des Mères !

Avec tout mon amour, B. »

Un peu plus tard, Jay-Z célébra en grande pompe sa première fête des Pères. La nouvelle se répandit que Beyoncé lui avait offert un Challenger 850 : un jet privé d'une valeur de 40 millions de dollars, équipé d'un salon, d'une cuisine et de deux salles de bains. En raison des frais d'entretien très élevés de cet avion exceptionnel, le couple devait débourser au moins 20 000 dollars par vol. De son côté, le papa poule avait déjà offert à Blue une paire de boucles d'oreilles en diamants et un bracelet de platine. Interviewé par son amie Oprah, il en plaisanta : « J'imagine que je vais appliquer ce que j'ai appris de ma mère et de mes neveux. Jusqu'au jour où je réaliserai que j'ai la pire gosse qui existe, la plus gâtée pourrie... » Il savait aussi qu'il finirait sans doute par exaspérer sa fille : « Tous les pères se figurent qu'ils sont formidables jusqu'à ce que leurs enfants deviennent ados. Là, ça devient : "Lâche-moi un peu, papa ! Tu me gênes, là !" »

D'innombrables anecdotes circulaient sur leur train de vie pharaonique, mais à la moindre occasion Beyoncé affirmait son intention d'élever Blue Ivy tout à fait normalement, loin des feux de la rampe. Elle confie à *Vogue* ce qu'elle voulait pour Blue : des cavalcades sous les jets d'eau, des soirées-pyjamas mémorables avec ses copines, des litres et des litres de limonade en cruche... Exactement ce qu'elle avait connu quand elle était petite.

L'emploi du temps de Beyoncé était si chargé qu'elle dut pourtant recourir à des aides extérieures pour s'occuper du bébé. Dès la naissance de Blue, elle recruta deux nounous qui suivaient partout la famille. Les premiers jours, elle se reposa énormément sur Tina ; on apprit plus tard qu'elle avait sans doute souffert d'une petite dépression postnatale, ce que semblent confirmer les paroles de *Mine*, une chanson composée ultérieurement : *Depuis la naissance du bébé, je ne me sens plus moi-même* (*I'm not feeling like myself since the baby*). Pour peu qu'on s'intéresse d'un peu près aux paroles de cette chanson, il y avait de quoi se poser des questions sur l'état de leurs relations :

Now I'm even more lost – Je suis vraiment perdue, maintenant
And you're still so fine oh my, oh my – Alors que toi, tu es toujours aussi charmant
Been having conversations about breakups and separations – Même quand on parle de rupture ou de séparation
... Are we gonna even make it ? – ... Est-ce qu'on pourra surmonter ça ?

Beyoncé ne s'est jamais livrée à aucun commentaire sur cette dépression ni sur une éventuelle mésentente conjugale. En tout cas, elle trouvait la maternité très gratifiante, bien plus précieuse à ses yeux que tout ce qu'elle avait connu jusqu'alors : « J'adore être mère, j'adore quand la petite dit "Maman", et j'adore l'entendre m'appeler quand elle a besoin de quelque chose. »

Puis vint le jour où on lui posa une question inévitable : avait-elle l'intention d'agrandir bientôt le cercle familial ? « Oui, j'aimerais bien, déclara-t-elle dans *Vogue*. À une époque, je ne voulais pas d'enfants. Enfin, ça dépendait des jours. Parce que parfois, je me voyais en élever quatre ! Aujourd'hui, je sais que j'en veux un deuxième, mais quand, c'est un autre problème. »

En avril, quelques mois à peine après la naissance de Blue, le magazine *People* attribua à Beyoncé le titre de plus belle femme du monde. Abasourdie, elle déclara : « J'en reste sans voix. Je suis même un peu gênée. C'est ma mère, la plus belle femme du monde. Et elle est aussi un exemple incroyable… Les femmes sont comme les bons vins : nous nous bonifions avec l'âge. »

Cette jeune maman sans peau fatiguée ni cernes géants sous les yeux attribua cette victoire à l'arrivée du bébé : « Je me sens plus belle que jamais parce que j'ai donné la vie. Je ne me suis jamais sentie aussi bien, en fait. J'ai quelque chose à faire sur cette terre, maintenant, quelque chose qui me remplit d'orgueil. » Plus loin, elle révéla aux lectrices son secret de beauté : Aquaphor Healing Ointment, une crème à 4 dollars… « Je m'en sers pour me démaquiller les yeux, et aussi pour m'hydrater les lèvres et les paupières. »

Lorsqu'on lui demanda auquel de ses parents Blue ressemblait le plus, elle répondit : « Blue ne ressemble qu'à Blue… C'est la petite fille la plus craquante du monde ! » Le prix décerné par *People* l'avait sans doute un peu tourneboulée, car elle osa dire sur CNN qu'elle considérait la corvée des couches comme… un plaisir ! « J'adore changer Blue Ivy, je vous assure ! J'en savoure chaque instant, c'est tellement beau… » Et elle ajouta que Jay-Z « se débrouillait très bien » aussi.

Délaissant pour un temps son rôle de maman, elle assista à la cérémonie annuelle des BET Awards, à Los Angeles, au début du mois de juillet. Cette belle soirée fut quelque peu ternie par les rumeurs d'une querelle l'opposant à la nouvelle petite amie de Kanye West, Kim Kardashian. Ceux qui observaient Beyoncé, Jay, Kanye et Kim, tous les quatre assis au premier rang, perçurent une certaine tension entre les deux jeunes femmes. Pendant les quatre heures que dura la cérémonie, elles s'adressèrent à peine la parole. Kanye sortait depuis peu avec la star de la téléréalité aux courbes généreuses et c'était la première fois que leur couple se montrait en public. Selon certaines sources, Beyoncé ne tenait pas à ce qu'on s'imagine qu'elle était proche de Kim, le cauchemar de ses fans les plus convaincus. Kim était devenue célèbre en partie grâce à une sextape, à l'opposé de la carrière sans tache de Beyoncé.

Puis on apprit que Bey avait refusé de se rendre à la fête organisée pour les quarante ans d'un vieil ami de Jay-Z, Tyran Smith, parce que Kim y accompagnerait Kanye. La fête devait se dérouler à Londres où la tournée de Jay et Kanye faisait escale. Gwyneth et Rihanna s'y montrèrent toutes deux, mais Beyoncé resta à New York. Quelques semaines plus tard, TMZ démentit toute brouille entre Kim et Bey : on les avait vues rire et s'embrasser à Philadelphie, lors d'un concert de leurs hommes. Mais des dizaines de récits contradictoires inondaient les réseaux ; avait-on affaire aux « deux meilleures ennemies du monde » ?

Quand MTV l'interrogea sans détour sur ses problèmes avec Beyoncé, Kim répondit : « Il n'y a pas une once de vérité dans tout ça. Beyoncé est adorable. Ce sont des ragots, rien de plus. Les gens aiment bien inventer ce genre de rivalités. C'est beaucoup plus excitant. » Quoi qu'il en soit, les relations de Beyoncé avec la star de *L'Incroyable Famille Kardashian* allaient être passées au crible les mois suivants, en particulier au moment des noces extravagantes et opulentes de Kim et Kanye, au printemps 2014.

Excédés par ces ragots malveillants, Beyoncé, Jay-Z et une petite Blue de six mois s'installèrent pour tout le mois d'août dans les Hamptons, sur Long Island. La propriété qu'ils avaient choisie – d'une valeur de 43,5 millions de dollars – leur coûta la somme exorbitante de 400 000 dollars rien que pour un mois de location, mais les prestations étaient à la hauteur : douze suites, une bibliothèque, un bowling, une salle de projection, une salle de gym, un spa, des courts de tennis et de squash, ainsi qu'un parcours de golf virtuel, un mur d'escalade et une rampe de skate. Comme Chris et Gwyneth possédaient dans le coin une propriété en bord de mer, l'actrice se retrouvait en première ligne pour prodiguer ses conseils éclairés à la jeune mère. Régulièrement, elle donnait des nouvelles de la petite famille au Hollywood Life : « Beyoncé s'en sort formidablement bien, on dirait qu'elle a été mère toute sa vie. Blue Ivy est étonnante. Elle a des yeux absolument magnifiques. Et il émane d'elle cette aura que Beyoncé possède aussi. »

Pour Gwyneth, la voie de Blue était toute tracée : « Ce sera une artiste, comme sa mère. » Qu'en pensaient les parents ? Quand CBS avait interrogé Beyoncé à ce sujet, quelques années plus tôt, elle avait répondu qu'elle ne ferait rien pour empêcher sa fille, si elle en avait une, d'embrasser la même carrière qu'elle : « Si c'est vraiment ce qu'elle veut… mais j'aurais pris soin d'abord de lui expliquer la somme de travail qui l'attend ! »

Ils étaient venus se détendre dans les Hamptons, mais, sous le couvert de ce congé de maternité bien mérité, Bey caressait un projet secret qui ne demandait qu'à se concrétiser. Loin de ses fans et de l'industrie musicale, et tout en s'occupant de Blue, elle commençait à réfléchir à son cinquième album solo. Très simplement intitulé *Beyoncé*, il allait s'avérer son œuvre la plus ambitieuse. Elle avait déjà beaucoup d'idées nouvelles sur la façon dont elle allait aborder ce projet. Il lui demanda dix-huit mois de travail, mais il allait marquer l'histoire de la musique.

Dans un petit film qui accompagna la sortie de l'album, elle se remémore ces journées bénies dans les Hamptons : « Les cheveux tressés, je donnais le sein à mon bébé. Et parce que je me consacrais avant tout à son bien-être, je me réservais quelques heures par jour pour enregistrer. Dans la vie réelle, j'étais avant tout cette femme et cette mère, qui s'efforce de ne pas perdre de vue qui elle est, et de se recentrer sur ses rêves. » Évoquant l'effet apaisant qu'avait sur elle le fait de composer dans un endroit si tranquille, elle ajoute : « C'était comme une colo, comme un week-end prolongé. On pouvait sauter dans la piscine, faire du vélo... l'océan, l'herbe, le soleil... Un endroit protégé. »

Elle bricolait tranquillement son album quand Jay et elle s'engagèrent aux côtés d'Obama qui se présentait à nouveau devant les électeurs. Ils le reçurent à New York, au 40/40, pour une collecte de fonds. Le prix d'entrée pour voir le président était de 40 000 dollars par tête. Beyoncé le présenta au public en précisant que Jay-Z et elle « croyaient en sa vision ». S'emparant du micro à son tour, Obama la remercia pour son soutien sans faille et ajouta qu'elle était « un exemple parfait » pour ses filles. Puis il s'adressa à Jay-Z : « Nous avons tous les deux des filles et nos épouses sont plus célèbres que nous ! Le genre de choses qui créent des liens, c'est sûr... Ce n'est pas toujours facile, mais c'est comme ça. »

Lors d'une émission de radio, Obama renouvela ses compliments : « Ce sont des gens bien. Malgré leur succès phénoménal, ils gardent les pieds sur terre. Beyoncé est toujours adorable avec Michelle et les filles, qui sont très fans de ce qu'elle fait. Je les considère comme des amis, tous les deux. J'aborde avec eux tous les sujets dont on parle entre amis. » Il confirma son intérêt pour la musique de Jay-Z : « *My First Song* est l'un de mes morceaux préférés. Il me donne de la force. Il nous rappelle que nous devons conserver notre détermination, quelles que soient les circonstances. »

Leur admiration mutuelle transpire également dans un clip de deux minutes à la gloire du président. On y voit Jay-Z qui déclare : « Pendant très longtemps, une voix s'est tue, celle des sans-grade qui n'exerçaient pas leur droit de vote… Elle s'est tue parce que ces gens avaient perdu l'espoir, persuadés que leur opinion n'avait pas d'importance et que leur vote ne comptait pas. Mais ils ont repris le chemin des urnes, et ils ont constaté comme nous tous le pouvoir de leur vote. Pour la première fois, beaucoup ont repris espoir : l'homme qui dirige notre pays comprend la puissance de leur voix. »

Beyoncé adressa carrément une lettre à Obama :

> « Tous les jours, nous découvrons votre cœur et votre caractère, et cela nous incite à donner le meilleur de nous-mêmes. Vous êtes le leader qui nous prend d'où nous sommes pour nous mener où nous devons être. Vous êtes la raison pour laquelle ma fille et mon neveu vont grandir en sachant qu'ils pourront devenir la personne qu'ils veulent être. »

En septembre, pour célébrer les trente et un ans de Beyoncé, la famille entreprit une croisière discrète en Méditerranée, sur un yacht que Jay-Z avait décoré de ballons et de serpentins. Une photo de Bey en train de boire un verre de vin blanc la montre détendue comme jamais, souriante, sans l'ombre d'un maquillage. Sur son site web, elle publia les messages de vœux envoyés par ses proches, notamment celui de Tina : « Dieu m'a offert l'un des plus beaux cadeaux de ma vie le 4 septembre 1981. Heureux anniversaire. » Solange lui écrivit quelques mots affectueux : « Tu es unique, ma sœur. Quand je pense à toi, ce qui vient en premier à l'esprit, avant toutes ces choses incroyables que tu as déjà accomplies, c'est ta gentillesse. Ton sens de l'humilité, ton souci du bien-être d'autrui et ta générosité magnifique. Je suis fière d'être ta sœur et ton amie. »

Gloria, la mère de Jay-Z, lui envoya un message particulièrement touchant : « Une douce fille du Sud a débarqué un jour dans ma vie… C'était toi, B. Tu es devenue une femme remarquable. Je t'admire parce que tu gardes les pieds sur terre, tu restes humble et tu refuses que le succès te change. Maman

Carter. » Quant à Gwyneth, elle lui fit parvenir un petit mot écrit à la main : « À notre douce et chère BB, pour son anniversaire (...). Nous t'aimons énormément. Affectueusement, Gwyneth, Chris, Apple et Moses. »

Un peu plus tard, en octobre, Gwyneth fêta ses quarante ans au *Elio's*, un restaurant italien de New York, entourée de toute une brochette de stars. Parmi elles, le mannequin Christy Turlington, les acteurs Cameron Diaz et Ethan Hawke, et, bien sûr, Beyoncé. Elle arriva sans Jay-Z, et les cheveux dénoués, ce qu'elle se permettait rarement dans ces circonstances. Le lendemain soir, à Brooklyn, elle rejoignit Jay-Z sur scène, pendant le dernier concert de la tournée de son mari. Devant un public ravi, elle interpréta trois morceaux avec lui, puis annonça qu'elle voulait souhaiter un heureux anniversaire à « une amie très spéciale ». « Gwyn, je t'aime ! » s'exclama-t-elle. Cette dédicace inattendue suscita d'innombrables commentaires, mais moins qu'un autre sujet brûlant. Ce soir-là, Bey portait un blouson de cuir informe, un short minuscule et une casquette des Brooklyn Nets. Le lendemain, elle se retrouva propulsée en une des rubriques potins : pourquoi ce blouson fermé ? Voulait-elle cacher son ventre ? Attendait-elle vraiment un autre enfant ? Le site *hollywoodlife.com* venait d'annoncer qu'elle était probablement enceinte, s'il fallait en croire ces photos où elle portait une robe moulante à imprimé léopard soulignant un petit ventre déjà bien arrondi.

Tout cela était faux, bien entendu.

Le même mois, Beyoncé renonça au projet de remake d'*Une étoile est née*, dont le tournage avait été repoussé une première fois pour lui permettre de s'occuper de son bébé nouveau-né. Depuis, son emploi du temps s'était à nouveau étoffé et elle n'arrivait plus à y caser ce film. Elle publia un communiqué pour expliquer les raisons de son désistement : « Je me réjouissais de participer au tournage d'*Une étoile est née* et de travailler avec Clint Eastwood. Depuis des mois, nous tentons de faire concorder nos emplois du temps, en vain. Je renonce à ce film, mais cela ne remet pas en cause notre envie de travailler ensemble dans le futur. »

En décembre, elle signa un contrat mirobolant de 50 millions de dollars pour Pepsi. Elle collaborait depuis 2002 avec cette multinationale, mais là, ils venaient de franchir un seuil : c'était l'un des plus gros chèques de tous les temps versés à une célébrité. Elle put donc se permettre de gâter Jay-Z pour ses quarante-trois ans. D'après certaines sources bien informées, elle lui offrit l'une des montres les plus chères jamais conçues : la Big Bang, une Hublot sertie de 1282 diamants. Cette petite attention lui coûta la bagatelle de 5 millions de dollars.

Son visage apparut sur d'innombrables supports pendant cette campagne de Pepsi : cannettes, pubs télé, pubs dans les magazines… Dans *Mirrors*, une vidéo de promo à gros budget, elle chante un inédit, *Grown Woman*, en reprenant plusieurs de ses anciennes incarnations ; elle y porte notamment le fameux justaucorps de *Single Ladies*. La vidéo s'achève sur des miroirs qui volent en éclats, et Beyoncé qui déclare : « Sans renier le passé, vivez le moment présent ! »

Ce contrat lui valut les critiques acerbes de ceux qui lui reprochaient de saper ainsi son projet précédent, *Let's Move*, concocté avec Michelle Obama. Le propos était alors de lutter contre l'obésité des enfants. Voici ce qu'écrit un commentateur dans le *New York Times* : « À propos de *Let's Move*, elle a déclaré un jour qu'elle était enchantée de pouvoir prendre part à la lutte contre ce grave problème de santé publique. Et la voici qui vante un produit qui n'est pas pour rien dans ce même problème de santé publique. »

Beyoncé ne se laissa pas démonter. « J'ai grandi en voyant tous mes héros collaborer avec Pepsi, déclara-t-elle dans le magazine *Flaunt*. Cette entreprise respecte les musiciens et les artistes. Cela ne veut pas dire que j'encourage les gens – en particulier les enfants – à vivre sans surveiller leur poids. » Consommée avec modération, cette boisson n'avait aucune incidence sur la santé, ajouta-t-elle. « Quand on travaille d'arrache-pied, qu'on prend soin de son corps et qu'on répète aussi dur que moi dans la pub, j'estime qu'on peut se permettre une cannette de Pepsi de temps en temps. Et personne ne vous oblige à en boire. » D'après les clauses du contrat, Pepsi prenait en charge la promotion de la tournée mondiale prévue l'année suivante et Beyoncé empochait la mi-temps du Super Bowl en février 2013. Ce spectacle prestigieux sponsorisé par Pepsi était déjà en cours de préparation.

Les fidèles de longue date apprirent avec ravissement que Destiny's Child allait sortir une compilation fin janvier 2013. Sur son site web, Beyoncé confirma elle-même la nouvelle, ajoutant : « Je suis très heureuse de vous annoncer la sortie d'un nouveau morceau de Destiny's Child pour la première fois depuis huit ans. » Produit par Pharrell Williams, *Nuclear*, l'inédit en question, figure donc sur la compilation *Love Songs* composée de morceaux choisis avec soin par les trois filles. Selon Michelle, cet album était surtout destiné aux fans. « On s'est éclatées tout du long, raconte-t-elle à propos de l'enregistrement de *Nuclear*. Comme si on ne s'était jamais quittées. Quel pied ! J'en avais la chair de poule… »

Les résultats furent décevants : l'album se hissa péniblement à la soixante-douzième place du Billboard 200 et à la quarante-quatrième des charts en Grande-Bretagne. On peut sans doute attribuer ces chiffres de ventes médiocres aux trajectoires très différentes des trois filles depuis leur séparation. Devenue une énorme star en solo, Beyoncé ne jouait plus dans la même catégorie. En revanche, la vie n'avait pas fait de cadeau à Michelle, qui évoque pour la première fois, dans une interview accordée au *Huffington Post*, les moments très durs qu'elle a vécus après l'euphorie Destiny's Child : « J'ai fait une dépression. Tous les matins je devais me battre pour sortir de mon lit. » Le sport, une psychothérapie et une attitude positive l'ont aidé à surmonter ses problèmes. « On nous répète tout le temps que si on va prier à l'église, le Seigneur nous guérira. Eh bien moi, je pense que ce sont les docteurs, les chirurgiens et les thérapeutes qui nous guérissent. Vous le trouverez là, votre salut. Il faut en tirer parti. Allez voir un professionnel qui pourra vous aider. C'est ce qu'on peut faire de mieux quand on traverse une épreuve. La dépression, c'est moche, mais il faut se faire aider. Parfois, on se lève du mauvais pied, ou on se met à broyer du noir... il faut réagir tout de suite et décider d'être heureux. »

Pour Kelly non plus, tout n'avait pas été rose : « Le bonheur m'a échappé pendant longtemps, mais Beyoncé n'y est pour rien, déclare-t-elle dans le magazine *Essence*. J'ai mis du temps à mettre de l'ordre dans ma vie, à réfléchir à ce qui serait le mieux pour moi. » Mais elle a beau faire, elle ne peut s'empêcher d'envier la réussite de sa meilleure amie. « Quand je vois toutes ces choses merveilleuses qui lui arrivent, je suis heureuse pour elle, bien sûr. Mais je veux trouver ma voie. Je veux réussir moi aussi. »

Dirty Laundry, son single sorti en 2013, nous en dit plus sur la teneur de ses sentiments :

*While my sister was on stage, killing it like a motherf****r – Pendant que ma sœur faisait un malheur sur scène*
*I was enraged, feeling it like a motherf****r – Moi j'enrageais, comme la pauvre conne que j'étais...*
Bird in a cage, you would never know what I was dealing with – Comme un oiseau en cage. Vous ne pouvez pas savoir ce que j'endurais
Went our separate ways, but I was happy she was killing it – On s'était séparées, mais j'étais heureuse pour elle
Bittersweet, she was up, I was down – Sentiment doux-amer, elle avait tout, je n'avais rien
No lie, I feel good for her, but what do I do now ? – Sans mentir, je me réjouis pour elle, mais que vais-je devenir ?

Kelly a subi les violences d'un compagnon indélicat à l'époque où Destiny's Child jetait ses derniers feux. Dans *Girl*, l'un des derniers morceaux du groupe, Beyoncé nous donne un aperçu de la vulnérabilité de son amie :

Take a minute girl, come sit down – Arrête-toi une minute, viens t'asseoir
And tell us what's been happening – Et dis-nous ce qui t'arrive
In your face I can see the pain – Sur ton visage, je lis de la souffrance
Don't try and convince us you're happy. – Tu ne nous feras pas croire que tu es heureuse.

Choisie en 2011 pour remplacer Dannii Minogue au poste très convoité de juré dans la version britannique de *X Factor*, Kelly n'y trouva pas son compte et se lassa très vite de ce qu'elle considérait comme un « cirque ». Elle se plaisait si peu dans cette émission d'ITV qu'en octobre de cette année-là, elle resta aux États-Unis au lieu de rentrer en Grande-Bretagne pour participer au direct du samedi soir : « Je suis malade… Je ne sais pas ce qui cloche, mais j'ai horriblement mal à la gorge. » Sur les réseaux sociaux, le bruit se répandit qu'elle avait menti. Et lorsqu'elle quitta l'émission en 2012, personne ne comprit si elle avait été virée ou pas. Simon Cowell la recruta pour la version américaine du show, mais la Fox supprima l'émission début 2014, faute d'audience.

À l'inverse, tout ce que touchait Beyoncé semblait se transformer en or. Triomphalement réélu en novembre 2012, le président Obama lui demanda de chanter *The Star Spangled Banner*, l'hymne national, lors de sa seconde cérémonie d'investiture en janvier 2013. L'événement se déroula au Capitole, à Washington, par une journée glaciale, sous l'œil des caméras qui la retransmirent en direct pour des millions de foyers dans le monde entier.

Beyoncé savait qu'elle allait vivre un grand moment de sa carrière, et elle s'était habillée en conséquence. Elle portait une sobre robe en velours noir et mousseline griffée Pucci lui arrivant aux chevilles, ainsi que de splendides boucles d'oreilles serties d'émeraude – quatre-vingts carats, 1,8 million de dollars, une création de Lorraine Schwartz, à qui Bey devait déjà sa célèbre bague de mariage.

Elle avait sans doute un trac gigantesque, mais n'en laissa rien paraître. Elle s'avança vers le podium d'un pas déterminé, porta le micro à ses lèvres dès les premières notes de musique et entonna ces paroles immortelles : « Oh, say can you see by the dawn's early night »... Elle chantait parfaitement juste. La main sur le cœur, Obama fixait fièrement l'horizon, et, à l'arrière-plan, la foule agitait des drapeaux. Au milieu de son interprétation, Beyoncé parut gênée par le retour son et retira vivement son oreillette, sans rater une seule note pendant qu'elle faisait ce geste. Plus tard, un reporter d'ABC commenta l'incident : « Elle a clairement eu un problème de retour, mais il n'a eu aucune incidence sur sa prestation. Il est passé totalement inaperçu. »

Lorsqu'elle s'exprima après la cérémonie, elle ne fit aucune allusion à ce problème audio : « C'était une retransmission en direct, un moment extrêmement émouvant pour moi, et l'un de ceux dont je resterai le plus fière. » Puis quelques personnes l'accusèrent d'avoir commis l'impensable, c'est-à-dire d'avoir chanté toute la chanson en play-back. La preuve ? Son attitude pendant l'incident technique... La question était maintenant sur toutes les lèvres : avait-elle vraiment chanté en direct ? Aux États-Unis, mais aussi au Royaume-Uni, l'opinion se divisa. Jim Shelley, un journaliste du *Guardian*, énonça la seule vraie question qui se posait : « Si nous ne pouvons même pas compter sur Beyoncé pour déployer la Bannière étoilée[1], quel espoir avons-nous de voir encore des spectacles en direct ? Le play-back tue la musique ! » Et le *New Yorker* se montra tout aussi cinglant : « Comment a-t-elle osé simuler une telle émotion à la cérémonie d'investiture, un événement censé exprimer les vraies valeurs de l'Amérique et toute son histoire ? »

1. The Star Spangled Banner.

Aretha Franklin, qui ne portait pourtant pas Beyoncé dans son cœur, prit sa défense sur ABC News : « Ce soir, quand j'ai entendu la nouvelle qu'elle avait chanté en play-back, j'ai vraiment ri de bon cœur. Il faisait froid et la plupart des chanteurs sont incapables de chanter par un temps pareil. Ça m'a fait hurler de rire que tout le monde s'emballe avec ça. Elle s'en est magnifiquement tirée avec son play-back ! La prochaine fois, je ferai sans doute comme elle. »

Après moult confirmations puis dénégations véhémentes – play-back pas play-back ? –, la vérité éclata enfin : Beyoncé avait demandé à chanter en play-back parce qu'elle n'avait eu pas le temps de répéter avec l'orchestre. On doit ce scoop à la fanfare de la marine des États-Unis, dont le chef, le colonel Michael J. Colburn, déclara dans les colonnes du *Washingtonian* : « Elle ne se sentait pas à l'aise sans répétition, et moi non plus, d'ailleurs. »

Dix jours après l'investiture, Beyoncé donna une conférence de presse à La Nouvelle-Orléans pour y parler du show prévu trois jours plus tard pendant la mi-temps du Super Bowl. Pour faire taire la polémique, elle commença par demander aux centaines de journalistes de se lever et attaqua aussitôt une version *a capella* de l'hymne national, qu'elle termina sous les acclamations du public.

Après avoir prouvé qu'elle était tout à fait capable de chanter *The Star Spangled Banner* en direct, elle expliqua pourquoi elle avait estimé nécessaire de recourir au play-back : « Je suis une perfectionniste, je ne supporte pas l'approximation. Les conditions météo et audio étant déplorables, je n'ai voulu prendre aucun risque. Il s'agissait du président et de son investiture, tout de même ! Pas question de le décevoir ! Alors j'ai décidé de chanter en play-back, ce qui se pratique très couramment dans l'industrie musicale. Et je suis extrêmement fière de mon interprétation. »

La plupart des gens apprécièrent sa franchise. Sans doute en signe de solidarité féminine, Jennifer Lopez prit elle aussi sa défense : « Dans certains stades ou dans des conditions particulières, on est parfois obligé de chanter en play-back. »

Au cours de la conférence de presse, Beyoncé insista beaucoup sur le fait qu'elle allait chanter en *live* pendant le Super Bowl : « Je suis prête. J'attends ce moment depuis toujours. » Le scandale du « *playbackgate* » allait entraîner un intérêt redoublé pour sa prestation. La pression était plus forte que jamais. Elle se devait de réussir.

CHAPITRE DIX-NEUF

Sa prestation de quatorze minutes au Super Bowl le 3 février 2013 à La Nouvelle-Orléans figure au pinacle de sa carrière. Ce moment, elle l'avait attendu toute sa vie. En à peine plus de huit cents secondes, elle a prouvé au monde qu'elle est une authentique superstar, du bout de ses vertigineux escarpins Proenza Schouler jusqu'à celui du moindre cheveu de sa crinière blonde indomptée.

Cette mi-temps d'anthologie débute par un spectaculaire son et lumière : la silhouette géante de Beyoncé émerge d'un bouquet de flammes, dans une explosion d'éclairs rouges et blancs. Soudain elle apparaît, d'abord dans l'ombre, tendue comme un ressort, prête à se donner toute entière. *Baby It's You*, chante-t-elle aux 70 000 spectateurs déchaînés du stade, un poing ganté crânement posé sur sa hanche. Puis c'est *Crazy in Love* qui s'enchaîne sans à-coups. Dans les gradins, Jay-Z la dévore des yeux en battant la mesure quand son rap se déverse des monstrueux haut-parleurs. Soutenue par les Mamas, Beyoncé chante en direct, c'est évident, et gomme ainsi tous les points d'interrogation qui flottaient encore autour d'elle. Cent millions de téléspectateurs la regardent aux États-Unis, des millions d'autres à travers le monde. Elle pourrait s'effondrer sous le poids de toutes ces attentes, mais non, elle resplendit. Sa voix est pleine de fougue, et la chorégraphie, peaufinée à l'extrême, atteste des innombrables heures que son équipe et elle ont consacrées aux répétitions. Vêtue d'un justaucorps en cuir noir, elle se déchaîne dans *End of Time* et *Baby Boy* ; et puis soudain Kelly et Michelle, ses complices de Destiny's Child, surgissent sur la scène par deux trappes dérobées. Toutes trois vêtues de tenues sexy en cuir noir, elles entonnent un extrait de *Bootylicious*, puis d'*Independent Women 1*, qu'elles interprètent derrière un rideau de flammes. Kelly et Michelle se joignent ensuite à Bey sur *Single Ladies* avant de la laisser boucler son minishow avec *Halo*, une chanson toujours chargée d'émotion. Quand elle réapparaît *backstage*, vêtue d'une robe noire, c'est pour se jeter dans les bras de Jay-Z. Saisie par un appareil photo indiscret, leur tendre étreinte se retrouve illico sur Instagram.

Beyoncé évoqua la joie de se retrouver sur scène avec Destiny's Child pour la première fois depuis 2006 : « Ce fut une soirée merveilleuse pour nous trois. » De son côté, Michelle tweeta : « Je viens de vivre un moment fabuleux avec mes sœurs ! On a essayé de garder le secret jusqu'au bout ! Je vous aime tous… Que Dieu vous bénisse !! »

Quelques esprits chagrins gâchèrent un peu leurs retrouvailles en soutenant sur Twitter que le micro de Beyoncé avait bénéficié d'un réglage plus avantageux que ceux de Kelly et Michelle. CBS News en rajouta une couche : « Pendant *Independent Woman 1*, nous avons à peine entendu Rowland et Williams. Leurs voix ont disparu dans le décor. »

Pourtant, de l'avis général, c'était l'un des meilleurs spectacles jamais vus pendant le Super Bowl. Le *Washington Post* le qualifia de « mi-temps la plus sexy depuis 2004 ». Cette année-là, celle du *Nipplegate*, on n'avait parlé que de l'incident du téton de Janet Jackson. Pour le *New York Times*, Beyoncé avait « cloué le bec à ceux qui doutaient d'elle » : « Dans tout ce bruit et cette fureur, nous avons compris à de petits détails qu'elle répondait à ses détracteurs, très calmement, mais avec une efficacité redoutable. La machine Beyoncé a mis les points sur les i. Elle est plus vivante que jamais. » Et le *Daily Telegraph* résuma le sentiment général en quelques phrases tout aussi flamboyantes : « Après la prestation discrète de l'investiture, nous avons assisté au triomphe de l'agressivité, victimes consentantes d'un assaut impitoyable de nos sens, dans le tonnerre et les éclairs. Ce fut à couper le souffle. Une réussite absolue. »

Beyoncé n'avait pas subjugué que les médias : plus de 5 millions de tweets circulèrent après ce show. Et parmi eux, ceux de Kim Kardashian – « OMG, Beyoncé a mis le feu !!! Et le retour de Destiny's Child... Bonheur total ! *Bootylicious* ! » et de Michelle Obama – « Je suis très fière d'elle ! » –, qui déclara avoir assisté à un spectacle « phénoménal ».

Jay-Z publia lui aussi sa réaction : « Extinction des feux !!! Vous avez des questions ? » plaisanta-t-il. C'était une allusion à la panne de courant qui avait plongé tout le stade dans le noir après la prestation de sa femme. L'équipe technique avait mis plus d'une demi-heure à régler le problème, avant la deuxième mi-temps. Les officiels parlèrent d'une anomalie de l'alimentation électrique, mais d'autres experts imputèrent l'incident aux éclairages et aux effets vidéo extravagants de Beyoncé. *USA Today* raconta qu'une alarme incendie s'était déclenchée dans la tribune de presse, tout en haut des gradins, peu après sa sortie de scène. Le stade était-il vraiment en état de supporter tant d'effets pyrotechniques ? Pendant les répétitions, le système avait disjoncté à deux reprises ; les infrastructures de La Nouvelle-Orléans n'avaient peut-être pas retrouvé leur intégrité après les dégâts causés par l'ouragan Katrina.

Beyoncé révéla qu'elle avait préparé pendant des mois cette prestation maîtrisée au millimètre près. Personne ne fut surpris de l'apprendre. « Je suis très fière de ce que j'ai fait. Quelle journée splendide ! Cinq mois de préparation, mais ça valait le coup. Le résultat ? Grandiose ! » Quelque huit cents danseurs avaient été auditionnés pour ce show. La confection du justaucorps en cuir noir de la star avait nécessité quatorze petites mains, cinq essayages et deux cents heures de travail au moins. Création du styliste new-yorkais Rubin Singer, il était incrusté de bandes de python et d'iguane, de soie, de plastique et de dentelle noire. Tout au début du show, Beyoncé s'était débarrassée d'un blouson de motard aux épaules rembourrées et d'une jupe à volants et ourlet de dentelle. Rubin avait aussi conçu les vestes des cent vingt choristes et danseuses.

Il y avait eu un petit hic : pendant les répétitions, le justaucorps de Bey avait dû être ajusté en permanence, car sa taille s'était affinée tous les jours. « Quand une artiste travaille avec une telle intensité, elle se donne à fond et maigrit régulièrement. Beyoncé perdait du poids sans arrêt. Nous n'avons pas cessé de retoucher sa tenue », raconte Rubin.

Évidemment, celle-ci scandalisa les défenseurs de la cause animale, qui avaient déjà eu maille à partir avec la chanteuse. « Si Beyoncé visionnait nos vidéos, nous sommes prêts à parier qu'elle renoncerait définitivement aux vêtements en peau de serpent, lézard, lapin et autres animaux morts dans la souffrance, s'indigna la PETA. Les modes actuelles se tournent vers le végétarisme, et Beyoncé, comme le SuperBowl, a raté le coche à cette occasion. » Sur les réseaux sociaux, et notamment Facebook, d'autres spectateurs jugèrent la tenue de Beyoncé et sa façon de danser beaucoup trop provocantes pour un spectacle censé convenir à toute la famille.

Elle connaissait bien le milieu du showbiz, et elle savait qu'elle devait s'attendre à quelques retombées négatives. Mais elle n'avait pas prévu le décryptage en règle qui suivrait le Super Bowl. Le site *Buzzfeed* décida de publier une série de photos d'elle extrêmement peu flatteuses, prises au milieu de sa prestation. On l'y voit en train de grimacer sous toutes les coutures, façon Sasha Fierce. Lorsque Yvette, son attachée de presse, découvrit ces clichés, elle adressa un message au site pour lui demander d'en retirer certaines – sept en tout. Mais sa requête lui revint comme un boomerang en pleine figure. *Buzzfeed* posta son email : « (...) nous vous demandons de bien vouloir retirer certaines photos peu flatteuses visibles en ce moment sur votre site. Je suis sûre que vous en trouverez de meilleures. Les pires sont la 5, la 6, la 10, la 11, la 12, la 19 et la 22. Merci d'avance. » Malheureusement pour elle, l'incident fit boule de neige et les photos se répandirent sur tout le net par le biais d'autres blogs et sites de potins trop contents de publier des photos de Beyoncé à son désavantage. Peu intéressés jusque-là, quelques journaux et magazines se les arrachèrent. Ce fut une opération de relations publiques ratée de la Team Beyoncé.

En dehors de ces problèmes mineurs, l'événement fut globalement perçu comme une immense réussite. Au grand soulagement de Beyoncé : « Ça fait du bien. Ça veut dire que quand on travaille dur, on est récompensé. Ce show est retransmis en direct, et c'est le plus important dans le genre aux États-Unis. En plus, on ne sait jamais ce qui peut se passer pendant les directs... Dieu était de mon côté, ce soir-là. » Elle avoua avoir fêté son succès d'une façon plutôt inhabituelle : « J'ai mangé de l'alligator, de la tortue... Et pour la première fois, j'ai pris un verre avec ma mère. Elle ne boit jamais ! »

Tout de suite après le Super Bowl, elle livra aux fans quelques détails sur sa tournée mondiale imminente, suscitant une vague d'excitation dans le monde entier. D'abord, le nom de la tournée, dont la première date était prévue en Serbie à la mi-avril : *The Mrs Carter Show World Tour*, une allusion à son statut de femme mariée. Ensuite, l'affiche : Beyoncé y pose debout devant un trône, vêtue d'un corset doré incrusté de joyaux ; la couronne dans ses cheveux est un clin d'œil évident à la reine Élisabeth. Certains remirent en cause ses convictions féministes dès qu'ils eurent vent du titre de la tournée. Le *Daily Mail* lança même un débat autour de la question suivante : « Beyoncé trahit-elle le féminisme en baptisant sa tournée *The Mrs Carter Show* ? » Celle-ci argua pour sa défense qu'il ne fallait y voir aucune idée de soumission, mais une simple allusion à son amour pour Jay-Z. « Mrs Carter, c'est moi, mais une version de moi plus audacieuse et plus intrépide. » Beyoncé n'avait jamais cherché à tromper son monde, de toute façon. Elle était fière d'être une femme de couleur puissante et indépendante, et fière de son immense réussite, mais elle avait des principes qui comptaient tout autant à ses yeux : le mariage, les enfants, la vie de couple… Elle n'avait pas à s'excuser d'être qui elle était.

Son public n'était pas du genre à se laisser rebuter par ce genre de considérations : les billets des onze dates prévues en Grande-Bretagne s'écoulèrent en dix petites minutes. Mais quand Yvette, l'attachée de presse, annonça l'exclusion de tous les photographes de presse sur toutes les dates de la tournée, ce fut la consternation générale dans les médias. Seul Frank Micelotta, qui suivait la star depuis des années, serait autorisé à la photographier. Une mesure radicale, après le fiasco des « photos peu flatteuses » diffusées sur le web dans les jours qui avaient suivi le Super Bowl.

L'année 2013 commença donc sur les chapeaux de roues, d'autant plus qu'en janvier Blue Ivy fêta son premier anniversaire. D'après le *Sun*, ses parents émus lui offrirent une poupée Barbie incrustée de cent soixante diamants pour la modique somme de 80 000 dollars, et lui organisèrent une fête somptueuse à New York. Les petites copines de Blue reçurent toutes un sac rempli de cadeaux : bijoux, costumes de princesse, maisons de poupées… 25 000 dollars en tout.

Blue grandissait, sa personnalité s'affirmait, et son oreille musicale se développait de plus en plus, confia Jay-Z à *Vanity Fair*. Beyoncé clamait partout que leur bout de chou préférait la musique de son papa, mais le rappeur était persuadé du contraire : « C'est faux. Blue aime surtout la musique de sa mère… elle regarde ses concerts tous les soirs sur l'ordi. » Cela dit, la petite appréciait aussi le rap de Papa. Jay avait testé sur elle l'album qu'il préparait : « Dès qu'une chanson était terminée, elle voulait entendre la suivante : "Encore, papa, encore !" C'est ma plus grande admiratrice. »

Son vocabulaire s'enrichissant de jour en jour, la petite s'intéressait de plus en plus à ce qui l'entourait. Elle avait un sacré caractère, raconta Larry Beyincé, le frère de Tina, au site *Celebuzz*. « Elle adore les dessins animés, et Rue Sésame, surtout.

Un jour, au téléphone, elle m'a dit "salut" et ensuite "toutou", et puis "meuh", "miaou" et "ouaf ouaf". Et ensuite elle a juste ajouté "bye bye". » Quant à Beyoncé, sa fille la faisait complètement craquer. « C'est une source de joie constante, confia-t-elle à Oprah Winfrey. Et c'est aussi ma meilleure amie. Elle est tordante, elle déborde d'énergie... Je ne m'y attendais pas, à toute cette énergie. Ça promet ! Elle est splendide. »

Pour marquer l'anniversaire de Blue, Beyoncé posta sur son compte Tumblr une photo de la mère et de la fille à la plage. Toutes deux pataugent dans l'eau, et la maman en bikini exhibe des abdos impeccables. Ce joli cliché pris sur le vif était sans doute destiné à faire taire tous ceux qui prétendaient que les photos d'elle parues dans le dernier *GQ* avaient été retouchées. Nommée l'une des cent femmes les plus sexy du siècle par ce magazine masculin, elle en ornait la couverture, vêtue d'un polo coupé sous la poitrine et d'un short riquiqui avec vue plongeante sur des abdos harmonieux. L'accusation avait touché une corde sensible. Beyoncé ne supporte pas les photos retouchées. Elle est fière de son corps, et fière des sacrifices auxquels elle consent pour rester dans une forme olympique. Dans la même veine, un terrible bras de fer l'opposa quelques mois plus tard à la marque H & M. Elle avait accepté de poser pour les maillots de bain de la collection été 2013, mais lorsqu'elle découvrit ces photos, elle constata qu'elle avait bizarrement minci : toutes ses courbes avaient été effacées des clichés. Furieuse, elle en interdit la diffusion et exigea la publication des photos originales. La question de ces normes physiques abusivement imposées aux femmes allait devenir centrale dans sa musique. Elle explorait déjà ce thème dans son album en préparation.

Dans *Life Is but a Dream*, documentaire tourné pour HBO et enfin diffusé en février après des mois d'attente, elle aborde ce problème et parle du féminisme tel qu'elle le conçoit et le vit. Pendant une heure et demie, filmée en gros plan, elle se livre sans retenue. La question de l'égalité des sexes la passionne : « Pour réussir dans la vie, les femmes doivent travailler beaucoup plus dur que les hommes. Elles n'ont pas les mêmes opportunités qu'eux, et ça me fout en rogne. Elles ne gagnent même pas autant ! Or, l'argent, c'est le nerf de la guerre. C'est l'argent qui me permet de mener ma barque comme je l'entends. Et qui permet aux hommes de définir nos valeurs, et de décider de ce qui est sexy et féminin. C'est n'importe quoi. En fin de compte, l'égalité des droits, OK, mais il s'agit avant tout de ce que nous pensons. Nous devons nous affirmer en tant que femmes. Nous devons prendre notre destin en main. »

Elle insiste sur l'importance des amitiés entre filles : « J'adore mon mari, mais rien ne vaut les conversations entre filles. On se comprend, entre filles. Moi, ces conversations m'ont fait grandir. J'ai besoin de mes sœurs. »

Personne ne peut mettre en doute l'amour qu'elle porte à son enfant, et voilà qu'elle nous révèle son manque d'instinct maternel. Elle dit qu'elle n'a rien à voir avec ces femmes qui attendent toute leur vie d'être mères. Bien plus, elle avoue que l'idée d'être enceinte l'a terrorisée jusqu'à l'arrivée de Blue, mais que celle-ci lui a permis d'assumer une nouvelle facette de sa féminité. Elle en parle également dans *Vogue* : « Je perçois mon corps tout à fait différemment. Je lui fais beaucoup plus confiance. Avec ou sans kilos en trop, peu importe. Je me sens beaucoup plus femme. Plus féminine, plus sensuelle. Et je n'en éprouve aucune honte. »

Dans *Life Is but a Dream*, elle revient longuement sur la rupture avec son père. Elle sait qu'elle a eu raison de l'éloigner, mais elle en souffre toujours. Elle aborde beaucoup de sujets douloureux dans cette vidéo, qui semble avoir eu sur elle un effet cathartique. Elle le dit elle-même, d'ailleurs : « Ce film a pansé mes plaies… Ça me donne envie de pleurer. » Mais quand on lui demande si elle a renoué avec son père, elle répond tristement : « Non, j'ai dû sacrifier cette relation. J'ai été obligée d'y renoncer. » Entre eux, ça ne sera plus jamais comme avant.

Life Is but a Dream nous dévoile quelques vidéos familiales tournées pendant l'enfance de Beyoncé, ainsi que des aperçus de sa vie privée avec Jay. Une scène les montre en train de dîner en Croatie : Beyoncé enlace le cou de son mari et tous deux se fredonnent amoureusement *Yellow*, un morceau de Coldplay diffusé dans le restaurant. « *Jay-Jay, I love you so* », chante-t-elle avec un tendre sourire. On est à dix mille lieues des innombrables précautions qu'ils prenaient autrefois pour préserver leur vie privée.

Honnête et rafraîchissant, ce documentaire reçut un accueil très convenable. Après sa diffusion, voici ce que dit de Beyoncé le magazine *Billboard* : « Cette machine bien huilée qui squatte les médias et le sommet des charts, cette machine bien huilée a un cœur. Et il est énorme. »

Deux semaines avant le début du *Mrs Carter Show World Tour*, Beyoncé et Jay-Z partirent fêter leur cinquième anniversaire de mariage à Cuba. Pendant trois jours, les deux amoureux explorèrent les vieux quartiers de La Havane au milieu d'une population subjuguée ou lézardèrent au bord de la piscine installée sur le toit du luxueux hôtel *Saratoga*, quand ils ne goûtaient pas aux merveilles de la musique traditionnelle cubaine. Des vacances innocentes, en apparence, mais qui déclenchèrent la fureur des républicains. À leurs yeux, le couple avait transgressé les règles très strictes de l'embargo des États-Unis contre Cuba. Ils demandèrent donc l'ouverture d'une enquête, persuadés que Jay-Z et Beyoncé avaient bénéficié de faveurs spéciales grâce à leurs liens avec le président. Interrogé à ce propos dans l'émission *US News Today*, Obama ne se laissa pas démonter : « Je n'étais pas au courant de leur voyage… La Maison-Blanche n'a rien à voir avec ça, vous savez. Nous avons mieux à faire. »

Beyoncé ne put cacher sa surprise en apprenant la pagaille qu'avait provoquée leur excursion cubaine. « Nous avons passé trois jours merveilleux, vous savez. J'ai rencontré des gamins géniaux et des gens incroyablement débrouillards. J'ai trouvé ce face-à-face très instructif. J'ai appris des tas de choses sur ces gens et sur leur pays. »

Regonflée à bloc par ses minivacances à Cuba, Beyoncé se lança dans son *Mrs Carter Show World Tour* avec une première date à Belgrade, le 15 avril ; la première des cent trente-deux prévues au programme. Comme d'habitude, son show cassa la baraque. Surfant sur le thème de la royauté, elle incarna plusieurs souveraines grâce aux différents costumes créés pour elle par la crème des créateurs de mode. Sous cet aspect, ce spectacle était le plus ambitieux de tous. Presque tous les stylistes célèbres avaient mis la main à la pâte : Roberto Cavalli, Pucci, Givenchy, Kenzo, Ralph & Russo, Julien Macdonald et David Koma, pour ne citer qu'eux. Et Stuart Weitzman s'était chargé de toutes les chaussures de Beyoncé, des Mamas et des danseuses.

Créé par les Blonds, un duo de stylistes latinos, l'un des costumes les plus élaborés du spectacle était un body chatoyant brodé de 30 000 cristaux Swarovski et reprenant tous les détails de la poitrine, y compris les tétons, d'une façon presque obscène. À elle seule, la broderie des cristaux avait demandé six cents heures de travail, et Beyoncé en possédait deux versions, l'une à manches longues et l'autre, à manches courtes. Pour le magazine *InStyle*, c'était le costume « le plus scandaleux » de Beyoncé depuis le début de sa carrière.

Dans ce show démentiel, dont Frank Gatson Jr, le directeur artistique de toujours, assurait la fluidité, les chorégraphies étaient plus importantes que jamais. « Le Super Bowl nous a permis de procéder à l'audition de huit cents danseuses, explique-t-il dans le magazine *Dance Spirit*. Nous en avons sélectionné une centaine, dont il nous a fallu évaluer le professionnalisme et le charisme. Beyoncé sait très bien ce qu'elle veut, elle ne rigole pas avec ça. (...) Elle ne supporte pas les chorés mollassonnes. Elle, elle peut tout faire, du moment qu'elle reste une lady. Mais elle a toujours de la classe, même quand elle remue les fesses. Elle sait qu'avec une bonne technique, n'importe quel mouvement reste élégant. La marque de fabrique de Beyoncé, c'est un mélange de danse classique et de hip-hop. Nous, on appelle ça le "poulet frit-sauce piquante". » Mais ces vigoureux mouvements de danse faisaient le désespoir des costumiers, qui croulaient sous les déchirures et les agrafes cassées après chaque spectacle.

Le show comprenait une sélection de morceaux extraits des quatre premiers albums. En 2014 s'y ajoutèrent dix titres extraits du cinquième, qui sortit vers la fin de la tournée. Il fallut donc refondre complètement le spectacle, mais Beyoncé fit face, comme toujours. Elle tenait tant à la qualité de ce spectacle que, pendant le passage de la tournée en Grande-Bretagne, elle resta toute une nuit debout : elle se précipita de Glasgow à Londres pour une apparition aux Brit Awards, puis prit un vol retour vers l'Écosse pour y peaufiner les chorés du premier de ses deux concerts là-bas. Comme le dit Todd Tourso, l'un des créatifs de son équipe : « Son obstination ne connaît pas de limite quand elle vise la perfection. Ça va sûrement vous sembler débile, mais c'est pour ça que je me défonce pour elle. Quand on a une patronne, une muse, un mentor de ce genre, la seule limite, c'est le ciel. »

Plus qu'aucune autre, cette tournée illustra l'esprit perfectionniste de Beyoncé. « Sur scène, c'est la femme la plus puissante que je connaisse, souligne Gwyneth Paltrow. Elle ne l'a jamais dit et ne l'avouera jamais, mais je sais au fond de moi que tout son être lui crie qu'elle est la meilleure au monde dans ce métier. » Son envie implacable de surpasser ses rivales la poussait, soir après soir, à visionner dans sa chambre d'hôtel le DVD du concert du jour. Avant de se coucher, elle regardait le spectacle et repérait tout ce qui n'allait pas chez elle, mais aussi chez les danseurs, les Mamas et les cameramen. Le lendemain, tout le monde recevait des pages de notes à lire pendant le petit déjeuner.

Elle avait expliqué à GQ qu'elle pratiquait ses spectacles comme un athlète de haut niveau pratique son sport : en étudiant à fond le moindre de ses mouvements. « J'observe tous mes shows, mais pas pour le plaisir, hélas. Moi, la seule chose que je vois, c'est telle ou telle lumière qui s'est allumée trop tard, ou bien je me dis : *Oh Seigneur ! Cette coiffure, ça ne va pas !* Ou alors : *Je ne dois plus jamais faire ce truc.* J'essaye de me perfectionner, quoi. » Mais cette discipline quasi militaire réservait quand même quelques franches parties de rigolade, comme nous le raconte l'une des danseuses : « On était en Amérique du Sud, ce soir-là... sur une scène en plein air. Il tombait des cordes et certaines d'entre nous ont glissé... Et pas qu'une fois ! Au bout d'un moment, à force de nous voir nous ramasser, elle a été prise d'une crise de fou rire. Elle ne nous a pas engueulées, cette fois-là. La scène était une gigantesque flaque ! »

Pendant onze mois, le *Mrs Carter Show World Tour* visita six continents et engrangea 230 millions de dollars, ce qui en fit la tournée de Beyoncé la plus lucrative à ce jour, et l'un des plus gros succès en *live* de la décennie. Les critiques en ressortirent abasourdis. *The Independent* : « Ce show est un fragile mastodonte qui ne respire que grâce à l'engagement physique sans faille de Beyoncé. Elle a créé une œuvre totale. » *The Observer* avait trouvé les rouages de ce spectacle « à couper le souffle du début à la fin ». « Elle a touché son public et atteint son but, sans laisser paraître le moindre effort, put-on lire dans le *New York Times*. C'est une superwoman qui chante pour toutes les femmes. »

Jay-Z ne put l'accompagner tout au long de la tournée, mais Blue Ivy s'en chargea. « Elle me suit partout, confia la maman à *Vogue*. On s'adore, c'est ma meilleure copine. » D'après des membres de l'équipe, Blue commençait à imiter certains pas de danse de sa mère et elle aimait bien « remuer le popotin comme une petite Lolita ». Blue aidait sa mère à tenir le coup, mais les dates se succédaient à un rythme d'enfer, et il y avait une limite à tout, même pour Beyoncé. En mai, elle dut annuler un concert en Belgique, victime d'épuisement et de déshydratation. Les médecins lui imposèrent un repos forcé qui raviva les spéculations sur une grossesse éventuelle. N'était-ce pas la seule chose qui pouvait arrêter l'infatigable Mrs Carter ? Le moulin à rumeurs s'était remis en branle un peu plus tôt ce mois-là, à New York, pendant le Met Gala. Beyoncé y était apparue dans une robe Givenchy qui lui dissimulait l'estomac, la taille rehaussée comme pour masquer un changement dans ses mensurations.

D'autre part, elle avait déclaré peu de temps avant à ABC News qu'elle voulait avoir d'autres enfants, car sa fille avait « besoin de compagnie ». Considérant ces propos comme la preuve indiscutable qu'ils attendaient, les médias annoncèrent une nouvelle grossesse. Une fausse alerte, comme d'habitude.

Dès qu'elle eut récupéré ses forces, Beyoncé se produisit en tête d'affiche de *Chime for Change*, énorme concert organisé par Gucci en juin 2013 au stade de Twickenham à Londres. Un événement qui lui permettait de combiner sa philanthropie et ses idées féministes : il s'agissait de donner un coup de projecteur sur les droits des femmes et de réclamer une amélioration de l'éducation, de la santé et de la justice partout dans le monde, en particulier dans les pays sous-développés. La liste des stars participant à *Chime for Change 2013* était impressionnante : Madonna, Jennifer Lopez, Florence + the Machine, Ellie Goulding, Jessie J, etc. Retransmis sur six continents dans plus de cent cinquante pays, le concert permit de récolter un milliard de dollars. Lors de la prestation de Beyoncé, Jay-Z la rejoignit sur scène pour *Crazy in Love* et conclut la chanson par un baiser et une étreinte fougueuse.

Très fière de son rôle de marraine dans cette campagne, Bey s'adressa avec enthousiasme à la foule : « C'est une soirée incroyable pour nous ! Grâce à vous, nous avons récolté plus de 4 millions de dollars ! Les droits des femmes me tiennent à cœur depuis toujours et je suis maman, à présent. Je me battrai pour faire entendre ma voix. Partout dans le monde, des femmes n'ont pas le droit à la parole. Nous devons parler en leur nom, éveiller les consciences et user de notre influence partout où nous pouvons aider à améliorer ce monde. »

Madonna prit la parole elle aussi, pendant une dizaine de minutes : « Je répète sans arrêt que j'espère une révolution, mais ma révolution à moi peut se faire sans répandre le sang, et sans recourir à la violence. Ma révolution commence avec l'éducation. Ma révolution, c'est un niveau de conscience accrue, auquel on ne pourra parvenir qu'à travers l'éducation. »

Rita Ora, étoile montante de la pop et nouvelle protégée de Jay-Z, faisait elle aussi partie de l'affiche. Complètement subjuguée par le couple de superstars, elle confia à *Grazia* qu'elle devait son succès naissant à son mentor : « Jay-Z me rassure énormément, mais, en même temps, il m'a fait comprendre que j'avais du pain sur la planche. Il a des années d'expérience derrière lui alors que moi, je viens de débuter. J'espère que ma carrière sera aussi grandiose que la sienne. Musicalement, c'est mon idole. Beyoncé m'a dit de rester moi-même, car ils m'apprécient telle que je suis… Ils me considèrent comme une petite sœur, j'imagine. » Mais comme avec Rihanna, on prêta à Rita une relation avec Jay-Z qui allait bien plus loin que la simple relation de travail. Cette rumeur la mit en rage, surtout quand Holly Hagan, une starlette de la téléréalité, publia le tweet suivant : « Il paraît que Rita Ora se tape Jay Z. Je dis bien : IL paraît. » Par la suite, elle effaça ce post, mais Rita, furieuse, lui avait déjà balancé un tweet en retour : « Je n'ai rien dit pour une de ces rumeurs de merde, mais, là, faut que je parle. Je ne laisserai personne et encore moins une sale garce aux cheveux rouges raconter des conneries sur ma famille et moi, c'est pigé, Holly machin-truc ? »

Beyoncé resta soigneusement à l'écart de ces commérages. En août, après *Chime for Change*, elle participa au V Festival, toujours en Grande-Bretagne. Jay-Z et elle s'installèrent dans une luxueuse caravane et firent les gros titres après leur énorme commande au *Nando's* de Chelmsford pour leur équipe affamée et eux. L'addition frôla les 1 500 livres : quarante-huit poulets entiers, quarante-huit portions de frites et cinquante-huit plateaux d'ailes de poulet. Malheureusement, la prestation de Beyoncé n'arriva pas à la cheville de celle de Glastonbury, deux ans plus tôt. Annoncée comme la star du festival, elle arriva sur scène avec vingt minutes de retard, alors qu'elle devait interpréter dix-sept titres. Il tombait des cordes, et, en l'attendant, la foule furieuse s'était mise à crier : « Bouh-yoncé ! Bouh-yoncé ! » Quand elle surgit enfin sur scène, le mal était fait. Malgré ses sept changements de costumes et sa nouvelle coupe de cheveux au carré, elle ne parvint pas à retenir les spectateurs trempés qui s'en allèrent en masse, excédés par un ultime incident technique. Désabusé, l'un d'eux déclara au journal *Metro* : « Le son était tellement catastrophique que des gens sont partis au milieu du concert. » Quant aux fans qui espéraient y assister bien au chaud chez eux, leur déception fut à la mesure de leur attente : Channel 4 annula la retransmission à la dernière minute. Les présentateurs se dépêchèrent d'en imputer la faute à Beyoncé, qui selon eux avait refusé la retransmission télé de son concert. L'annulation déclencha sur Twitter un torrent de protestations, celles de tous ces téléspectateurs qui estimaient qu'on s'était moqué d'eux.

Beyoncé était loin de chez elle, et ça l'arrangeait bien, elle avait un très bon prétexte pour ne pas se rendre au mariage de son père. Car cet été-là, à Huston, Mathew épousa sa nouvelle compagne, Gena Charmaine Avery, un ancien mannequin. Solange snoba elle aussi la cérémonie. Quant à Mathew, il minimisa l'absence de ses filles. « Beyoncé et Solange n'ont pas pu se libérer, leur emploi du temps était trop chargé », déclara-t-il au site TMZ.

Tina, son ex-épouse, avait tourné la page, elle aussi. Lors d'une soirée de gala, à New York, elle s'afficha au bras de l'acteur Richard Lawson, son nouveau petit ami. Le fossé s'élargissait entre Beyoncé et son père, mais elle était toujours aussi attachée à sa mère, et elle tenait à le lui faire savoir : elle lui offrit une propriété somptueuse à Piney Point Village, une ville prospère du comté de Harris, au Texas. Mélangeant les baroques français et italien, cette vaste demeure possède des sols en marbre et un escalier en spirale desservant six chambres à coucher. Quelques mois plus tard, Solange et Beyoncé organisèrent pour les soixante ans de leur mère une fête costumée à La Nouvelle-Orléans, chez *Muriel's*, sur Jackson Square. Le bruit courut que l'événement avait coûté plus de 100 000 dollars. Des célébrités s'y succédèrent dans une ambiance décadente, parmi lesquelles

Kelly Rowland, Jennifer Hudson et le producteur The-Dream, tous masqués. Tina et Richard, eux, arrivèrent en calèche.

En septembre, Beyoncé fêta ses trente-deux ans dans un endroit paradisiaque : Jay-Z et elle louèrent un yacht à Stromboli, en Italie, et consacrèrent le plus gros de leur semaine à siroter du champagne à bord ou à nager dans les eaux cristallines de la Méditerranée. On les aperçut enlacés sur le pont, ou encore main dans la main, ou jouant, avec Blue Ivy, vêtue d'un maillot de bain très stylé à imprimé léopard.

Pour Beyoncé, c'était l'occasion ou jamais de recharger ses batteries après quelques mois bien remplis. D'autant plus qu'en cette fin d'année 2013, Jay-Z et elle avaient décidé de relever un défi particulièrement ardu : se lancer dans une cure détox strictement végétalienne. Jay-Z annonça leur décision sur son site web : « Le 3 décembre, veille de mes quarante-quatre ans, je vais m'embarquer dans une aventure de vingt-deux jours dont je devrais revenir végétalien à cent pour cent ou, comme je préfère le dire, amateur de fruits et légumes ! » Et il ajoutait : « Les psychologues disent qu'il faut vingt et un jours pour prendre ou perdre une habitude. Le vingt-deuxième, vous avez trouvé votre voie. » Ajoutant qu'il s'agissait avant tout de « purifier son esprit et son corps », il précisa en post-scriptum : « B est de la partie avec moi. »

Beyoncé adopta très vite l'état d'esprit qui convenait : elle se mit à poster sur Instagram les photos des plats sains qu'ils mangeaient, champignons portobellos, mac'n'cheese végétalien, etc. Mais à l'occasion d'un déjeuner avec Jay-Z dans un restaurant végétalien de LA, elle commit un énorme faux pas : elle s'y rendit dans une veste Christopher Kane… ornée d'un col en renard. Les photos de ses lentilles au curry et de sa salade de chou frisé n'intéressèrent pas grand-monde. Par contre, celles des paparazzi attisèrent aussitôt la colère des défenseurs de la cause animale : décidément, côté fourrure, Beyoncé était incorrigible.

CHAPITRE VINGT

Tout le monde avait entendu dire que Beyoncé travaillait sur de nouvelles chansons depuis dix-huit mois ; mais elle évitait soigneusement d'en parler, et aucun détail n'était sorti dans la presse. Alors quand l'album se retrouva brutalement disponible sur iTunes un soir de décembre 2013, la nouvelle fit sensation dans le monde entier. À la surprise générale, il sortait sans aucune promotion préalable, sans aucun single pour l'annoncer et, surtout, rien n'avait fuité sur internet. Autre surprise, les quatorze chansons de *Beyoncé* étaient accompagnées de dix-sept clips filmés dans une discrétion absolue aux quatre coins du monde. Grâce à ce système de diffusion exclusive en ligne, les utilisateurs allaient pouvoir partager ses vidéos sur des plates-formes comme Twitter, Instagram et Tumblr.

Beyoncé avait si bien ficelé son projet que les membres de son équipe de production eux-mêmes ne connaissaient ni la date ni l'heure exacte de la sortie de l'album : le 13 décembre à minuit. Commentaire de *Rolling Stone* : « En quinze années d'hégémonie sur le marché de l'industrie musicale, Beyoncé n'a jamais été avare de surprises ; mais là, c'est un missile qu'elle vient de lâcher. Queen Bey a réveillé le monde entier à minuit avec un "album visuel" qui vient de pulvériser iTunes sans avertissement. Toutes ces chansons célèbrent la Beyoncé Philosophy, que l'on peut résumer ainsi : Beyoncé peut tout se permettre. »

Mais pourquoi lui avait-il fallu autant de temps pour réaliser ce projet secret ? Elle voulait garder le contrôle sur la façon dont les gens recevraient sa musique, tout simplement. En écoutant le disque en entier avec les vidéos en parallèle, ses fans allaient s'immerger dans une vision complète et concentrée de son art. « Cette expérience d'immersion me manque : en général, les gens n'écoutent que quelques secondes d'une chanson sur iPod, sans jamais s'y plonger vraiment. Je ne voulais pas m'adresser à tout le monde. Je voulais que ce disque sorte au bon moment comme un message destiné à mes fans. »

Elle avait enregistré quatre-vingts chansons en tout, mais n'en avait conservé que les plus spontanées, celles qui lui avaient coûté le moins d'effort. Avec son ton sexuellement explicite, cet album était de loin son plus personnel. Il explorait, selon elle, « (son) sentiment d'insécurité, tous (ses) doutes, toutes (ses) peurs » et tout ce qu'elle avait retenu de ses expériences. Elle était donc plus anxieuse que jamais : comment le public allait-il réagir en entendant ces chansons ? « J'étais terrifiée et complètement sur les nerfs, parce que je savais que j'avais pris un énorme risque. Dans mon esprit, je me suis imaginé les pires catastrophes. »

Elle n'avait pourtant aucune inquiétude à se faire. Quelques jours plus tard, Apple révéla que Beyoncé avait battu le record de vitesse des ventes d'albums numériques sur iTunes, avec plus de 5 millions de téléchargements en cinq jours à peine. Elle pulvérisait ainsi un record mondial et surpassait même les ventes astronomiques du groupe One Direction. Elle était la première femme dans l'histoire à avoir occupé la première place des charts avec ses cinq premiers albums studio. Et cerise sur le gâteau, l'album décrocha la première place dans une centaine de pays, de la Belgique au Bostwana et de l'Ukraine à l'Ouzbékistan.

Les critiques furent dithyrambiques, beaucoup de commentateurs considérant même *Beyoncé* comme le meilleur album de l'année 2013. Le *Guardian* baptisa « Beyoncégeddon » le choc de sa sortie, le décrivant comme un triomphe majeur et « une leçon magistrale de maîtrise et de renoncement au contrôle, les deux en même temps. » Le *Los Angeles Times* déclara : « Là où ce disque nous enthousiasme, au-delà des conditions de sa sortie, c'est dans ce mélange d'intimité et d'extravagance qui le nourrit. »

En plus de l'album, Beyoncé sortit un documentaire en cinq parties sur le processus de son enregistrement, intitulé *Eponyme*. Elle y explique pourquoi le contenu vidéo a tant d'importance à ses yeux : « La musique ne s'arrête pas à ce que j'entends. Quand quelque chose me touche vraiment, je visualise aussitôt une série d'images liées à une sensation ou une émotion, un souvenir d'enfance, mes pensées sur la vie, mes rêves ou mes fantasmes. Et toutes ces images sont liées à la musique. »

Et plus loin : « Je crois que c'est l'une des raisons pour lesquelles je tenais tant à réaliser un album visuel. Je voulais que les gens entendent ces chansons avec l'histoire qui se déroule dans ma tête, parce que c'est l'ensemble qui fait ma spécificité. Je voulais qu'ils découvrent mon univers mental. »

Les dix-sept vidéos furent filmées entre juin et novembre 2013 lors du *Mrs Carter Tour*. On y reconnaît une plage brésilienne, une boîte de nuit parisienne, Coney Island à New York, un château en France et une église d'Amérique latine. Ces prises de vues sensuelles, souvent osées, visuellement excitantes composent le portrait d'une femme indépendante, amoureuse et mère.

L'album et les vidéos étaient tellement ambitieux dans leur réalisation que beaucoup de gens se demandèrent comment l'équipe avait réussi à garder le secret jusqu'au bout. En fait, toutes les personnes impliquées dans les tournages avaient dû s'engager par contrat à n'en rien révéler ; quant aux collaborateurs les plus proches de la star, leur loyauté leur avait tout naturellement imposé le silence. « Nous sommes une famille très unie, explique Ty, le styliste, chargé sur ce projet de superviser les vidéos. "Quand je revois le résultat de nos efforts, j'ai du mal à croire qu'on y ait survécu. On a réussi à produire tout ça avec une démarche tout à fait inédite. C'est une consécration pour toute l'équipe." L'entière responsabilité du look de Beyoncé sur ces vidéos a reposé sur les épaules de Ty. Il a dû veiller à faire expédier les tenues choisies par ses soins au moment précis et à l'endroit précis où on les attendait. "Je n'avais plus qu'à prier pour que les colis soient bien acheminés vers le bon pays et le bon hôtel." »

La Team B avait relevé un sacré défi : organiser les tournages en respectant le calendrier de la tournée. La responsable marketing, Melissa Vargas, en frémit encore : « Je lui disais tout le temps : "Hein ? Tu veux faire QUOI ?" Pendant le tournage dans les Hamptons, on se serait cru dans l'émission *Survivor*. On a dormi là-bas, tout le monde avait sa chambre. Comme on n'était pas nombreux, si on était sur la même longueur d'onde qu'elle et si tout se passait bien, on avait le droit de rester. Il y avait un chef en cuisine ! Et tout le monde dînait à la table de Jay et Beyoncé. Techniciens, producteurs, scénaristes… »

Beyoncé reconnaît que vers la fin du projet, elle a cru qu'elle allait craquer : « J'enregistrais, je tournais et j'assurais chaque soir la tournée, tout ça en même temps. À un moment, je me suis demandé ce que j'étais en train de faire. Je me suis même dit : *C'est pas un peu trop ambitieux, tout ça ?* »

L'album aborde des sujets beaucoup plus sombres que ceux des disques précédents : la peur, le sentiment de perte, le désir, le féminisme, la boulimie, la dépression postnatale, le mariage, la maternité… Pour une habituée des charts, ce nouveau matériau marquait une sacrée différence. Plus terre à terre, les paroles sont aussi plus intimes et moins ciselées que d'habitude. « Il y a de la beauté dans l'imperfection, voilà le message sous-jacent de l'album, déclare son auteure. J'ai pris tout ce que je n'aime pas chez moi, tout ce que j'aurais voulu changer, et je l'ai mis dans mes chansons. Je suis fière de ma musique, c'est vrai, mais je suis encore plus fière d'être la femme que je suis… C'est ça, le message : nous devons aimer nos défauts, les petites choses qui nous rendent intéressantes. Je refuse de me laisser enfermer dans un rôle. »

Enregistré alors qu'elle souffrait d'une sinusite, le morceau *XO* a suscité un certain étonnement. « Je l'ai bouclé en quelques minutes. C'était une simple démo, au départ, et puis j'ai décidé de garder les voix… J'adore ces imperfections », a-t-elle confié au magazine *Out*.

L'album accueille aussi un nouveau personnage nommé Yoncé, une idée de The-Dream, producteur de longue date de Beyoncé. L'idée lui est venue lors d'une séance de brainstorming en studio. Dans *Yoncé*, Justin Timberlake cogne en rythme sur un seau retourné. « Je n'étais pas convaincue, au départ, raconte Beyoncé. Je ne comprenais pas où ils voulaient en venir. Mais maintenant, j'adore. »

Elle tient à préciser que ses différentes identités ont fusionné : « Beyoncé, c'est Beyoncé, et aussi Mrs Carter, et Sasha Fierce. Elles sont toutes en moi, et j'en suis arrivée à un stade où je n'ai plus besoin de les séparer. Ce sont les différentes facettes de la personnalité d'une femme parmi tant d'autres. Nous sommes compliquées, nous, les femmes. »

Un producteur assez peu connu nommé Boots a joué un rôle déterminant dans les choix de Beyoncé et leur mise en forme. Jordy Asher de son vrai nom, ce musicien qui fuit la notoriété, lui a écrit les chansons *Haunted*, *Heaven* et *Blue*. Cette dernière, une ballade, est bien sûr dédiée à Blue Ivy. Elle parle du sentiment de liberté que ressent Beyoncé depuis qu'elle est mère. « Je me sens libérée, prête à donner mon cœur aux autres », dit-elle dans l'une des vidéos consacrées à l'enregistrement de l'album.

Sur *Beyoncé*, Boots chante dans les chœurs et joue de nombreux instruments. Au fil du temps, leur collaboration s'est renforcée, si bien qu'il peut être considéré comme responsable à quatre-vingts pour cent de la production de l'album. Beyoncé a toujours gardé le contrôle sur sa musique, bien sûr, mais Boots est devenu comme un moteur pour elle, et il lui a insufflé une confiance telle qu'elle n'a pas hésité à se lâcher comme jamais, à dévoiler ses sentiments les plus intimes.

Partition fait partie des morceaux les plus crus de cet album dont la charge érotique est évidente. Sa vidéo comprend une scène de préliminaires à l'arrière d'une limousine, et une allusion classée X au scandale de l'affaire Monica Lewinsky. « Ça me rappelle des souvenirs… Ma rencontre avec mon mari, notamment. Il a essayé de m'emballer, comme si j'avais le feu aux fesses, raconte Beyoncé. Ça me gêne beaucoup d'avoir enregistré ce morceau. Je n'ose même pas le faire écouter à mon mari. Et je ne l'ai pas encore fait écouter à ma mère. Elle va être furax. »

Le clip de *Partition* a été tourné au *Crazy Horse*, à Paris, là où Beyoncé a emmené Jay-Z le jour de leurs fiançailles. Ce jour-là, en voyant ces filles sur la scène, elle s'est dit : « Je voudrais être là-haut, à leur place. Je voudrais faire ça pour mon homme. » Et elle l'a fait dans *Partition*, dont la vidéo illustre les fantasmes d'une épouse délaissée qui réfléchit aux moyens de séduire son mari : dessous affriolants, pole dance, parfois quasi-nudité devant la caméra…

Pretty Hurts, un autre single de l'album, critique frontalement l'obsession actuelle pour les corps parfaits. Sa vidéo de sept minutes décrit les mesures extrêmes auxquelles sont prêtes à se soumettre certaines femmes pour obtenir l'apparence et la silhouette idéales. Dans un concours de beauté, une jeune femme pas plus épaisse qu'une brindille tente de pincer ses « bourrelets » inexistants. Beyoncé joue le rôle d'une concurrente qui se frotte les dents avec de la vaseline – un truc du métier pour aider les filles à se souvenir de sourire sur scène. Ensuite, elle surgit des toilettes en s'essuyant la bouche pour suggérer qu'elle vient de se faire vomir. Désemparée, elle se pèse à plusieurs reprises et se soumet à plusieurs soins de beauté, épilation de la moustache, injections de Botox… « C'est l'âme qui a besoin d'une chirurgie », chante-t-elle tout du long. L'action se transporte dans une chambre imaginaire où elle détruit des trophées exposés sur des étagères. Ce thème revient souvent dans ses vidéos, souvenir de tous ces concours remportés quand elle était petite. « Cette image du trophée a surgi en moi, et ensuite je me suis imaginée acceptant toutes ces récompenses et puis m'entraînant pour être cette championne. À la fin de la journée, quand on en a fini avec tout ça, on se demande si ça en vaut vraiment la peine… Un trophée, très bien, mais si c'est pour crever de faim, délaisser tous ceux que j'aime, et se conformer à ce que les autres voudraient qu'on soit, quel intérêt ? »

C'est Melina Matsoukas, une réalisatrice de clips vidéo bien connue, qui s'est chargée de ce tournage. Selon elle, Beyoncé a un peu hésité avant d'accepter ce scénario audacieux. « Moi, au début, je voulais qu'elle joue le rôle d'une fille souffrant de troubles de l'alimentation, raconte Melina dans *New York Magazine*. Beyoncé n'était pas très chaude, mais, le troisième jour, elle m'a dit qu'elle voulait aller encore plus loin… C'est là qu'on a ajouté les pilules minceur. Elle a demandé qui avait des Tic Tac ou de l'Advil dans l'équipe… »

Melina précise que Beyoncé redoutait la réaction du public face aux scènes de boulimie. Elle avait peur qu'il s'imagine qu'elle les cautionnait, ou que les gens la confondent avec son personnage. « Finalement, je crois qu'elle a laissé courir : "C'est une vidéo. Je joue un rôle." »

Pour en revenir à la métaphore des trophées, Melina raconte à quel point Beyoncé était contente de les détruire : « Elle a adoré cette scène. Elle aime beaucoup faire ce genre de trucs. Elle s'est vraiment éclatée. Ça volait partout, mais heureusement, personne n'a été blessé. En tout cas, quand elle y va, elle y va à fond. C'est pour ça que j'aime tant travailler avec elle. »

L'un des plus gros succès de l'album, *Drunk in Love*, est un duo avec Jay-Z. Ce morceau, le dix-septième de Beyoncé en solo à être entré dans le classement des dix meilleures ventes de singles au Royaume-Uni, décrit très crûment la passion amoureuse. Ils y parlent même de faire l'amour dans la cuisine ! Surprenant, pour un couple jusqu'alors aussi jaloux de son intimité. « On s'est amusés comme des fous. C'était super ! Pas de rivalité d'ego, on s'en moquait que le morceau marche ou pas… On s'est éclatés, voilà tout… et je pense que ça s'entend. »

Dans cette vidéo tranquille et sensuelle, il fait nuit, des vagues s'écrasent sur une plage, et Beyoncé danse en nuisette transparente. Sur les premières images, elle marche sur le sable, un trophée à la main. Elle nous explique ce qu'il représente : « Il symbolise tous les sacrifices que j'ai faits quand j'étais gamine, tout le temps que j'ai perdu sur la route et dans les studios au lieu de vivre mon enfance. » Et elle ajoute : « Je veux exploser toute cette merde. J'ai gagné énormément de récompenses, de trophées… et c'est fantastique, parce que je me suis décarcassée pour ça, j'ai sans doute travaillé plus dur que quiconque pour les obtenir, mais ça ne vaut pas ce que je ressens quand ma petite fille m'appelle "Maman". Ça ne vaut pas ce que je ressens quand je regarde mon mari dans les yeux, ou quand je monte sur scène et que je vois le respect que me renvoient les gens parce que je rends leur vie plus gaie. Ce sont ces choses-là qui comptent. Et à ce stade de mon existence, c'est pour ces choses-là que je me bats. Grandir, aimer, être heureuse et m'amuser. Profitez de la vie, elle est courte. Voilà, c'est mon message. »

Mais un passage de *Drunk in Love* a fait scandale et suscité une grosse polémique :

I am Ike Turner, turn up – Je suis Ike Turner, viens là
Baby no I don't play – Non bébé je ne joue pas
Eat the cake, Anna Mae – Mange le gateau, Anna Mae.

Ces mots en apparence innocents sont extraits d'une scène de violence conjugale elle-même tirée du biopic *What's Love Got to Do with It ?*, qui raconte la vie de Tina Turner. Dans cette scène, Ike Turner écrase un morceau de gâteau sur le visage de Tina (dont le vrai nom est Anna Mae) pour l'obliger à le manger, avant de s'en prendre à une amie qui tente de s'interposer. Les critiques ont encensé l'album de Beyoncé – « son plus féministe à ce jour » –, mais beaucoup ne comprennent pas cette allusion à la violence conjugale dans un album qui célèbre l'amour et le sexe. Dans le *Huffington Post*, l'écrivain Ellie Slee, qui commente cette apparente contradiction, s'adresse à Bey avec des mots cinglants : « Beyoncé, quand vous chantez ces paroles en souriant si tendrement, vous perpétuez un cycle d'humiliations, de viols et de violence qui reste horriblement réel pour nombre de femmes à travers le monde. Votre confiance en vous et votre indépendance sont admirables, elles ont vraiment leur place dans ce combat féministe en pleine évolution qui nous concerne toutes. Mais vous ne pouvez pas décider ainsi de cesser le combat quand cela vous arrange. Banaliser la violence conjugale, écouter sans rien dire votre homme parler du gâteau d'Anna Mae comme si c'était une friandise qui vous tente, ça ne passe pas. »

Les paroles de ce morceau ont provoqué des réactions tellement offusquées qu'une radio de Londres, Bang, a décidé d'en diffuser une version expurgée : le vers incriminé n'y figurait plus. *Flawless* a soulevé un tollé comparable. Cette chanson est sortie plus tôt en 2013 sous le titre *Bow Down/I Been On* avec un refrain différent, qui disait : *Bow down, bitches – Prosternez-vous, salopes.* Fallait-il prendre ces paroles au premier ou au second degré ? Le vers suivant soutient la deuxième hypothèse : *Don't think I'm just his little wife – N'allez pas vous imaginer que je ne suis que sa petite femme.* Mais le *bow down* restait sur l'estomac de certains. Une journaliste du *Daily Telegraph* écrivit : « En une seule nuit, Beyoncé a fait de nous, ses célibataires chéries, ses femmes indépendantes, ses survivantes adorées… des salopes. Le changement est en marche : on est passées de *Les femmes indépendantes, levez la main !* à *Prosternez-vous, les salopes !* et ça laisse un goût amer dans la bouche. »

Horrifiée par les réactions qu'elle avait provoquées, Beyoncé chercha à clarifier sa position : sa chanson était en fait un hymne à l'émancipation. Elle s'expliqua sur iTunes Radio : « Je vais vous dire pourquoi j'ai écrit *Bow Down* : ce jour-là, je me suis réveillée et je suis allée au studio avec ces paroles dans la tête, des paroles agressives, parce que j'étais en colère… j'étais une autre Beyoncé, pas celle qui se réveille chaque matin. Plutôt celle qui est en colère et qui éprouve le besoin de se défendre. Et je vais en studio, comme ça, juste pour voir, et tant pis si la chanson n'est pas bonne. Et puis je l'écoute, et je me dis : *Elle est démente ! OK, je la sors, mais sans la vendre.* Les gens l'aiment ? Super. Ils ne l'aiment pas ? C'est pareil. Et je ne ferai pas ça tous les jours, parce que je ne suis pas comme ça. Mais je me sens forte, j'assume. Et à ceux qui me reprochent mon manque de respect, je réponds : Pensez à une personne qui vous hait. Pensez à une personne qui ne croit pas en vous. Regardez-vous dans le miroir et dites *Prosterne-toi, salope* comme si c'était elle qui vous le disait. Je vous garantis que vous allez voir rouge. Si vous n'avez pas aimé cette chanson, réécoutez-la dans cet état d'esprit. »

Beyoncé et Jay-Z ont interprété *Drunk in Love* pour la première fois devant un public en janvier 2014, à Los Angeles, pendant la cérémonie de remise des Grammy Awards. Une soirée heureuse, pour eux : récompensé pour sa collaboration avec Justin Timberlake sur son album *Holy Grail*, Jay-Z a dédié cette victoire à Beyoncé, vêtue ce soir-là d'une robe blanche ajourée qui ne cachait rien de ses formes. « Je tiens à remercier Dieu, un peu pour cette récompense, bien sûr, mais surtout pour cette belle jeune femme qui éclaire ma vie. Et maintenant, un petit mot pour Blue : Regarde, papa te ramène un gobelet d'or ! » Plus tard, quand Beyoncé et Jay-Z ont interprété leur duo tant attendu, elle est apparue en collant et justaucorps de cuir, les cheveux faussement humides, assise à califourchon sur une chaise. Puis elle s'est lancée dans une danse provocante, au milieu des volutes de fumée, sur une scène plongée dans la pénombre. En costume et nœud pap, Jay-Z a scandé son rap à sa belle, et tous deux ont conclu cette chanson si sensuelle par un doux baiser avant de quitter la scène, tendrement enlacés. Duo « torride » ou « à vous donner la chair de poule », s'est extasiée la presse. Le *New York Post*, de son côté, a jugé ce spectacle « alléchant ».

Le même mois, Beyoncé s'est produite à la Maison-Blanche au cours d'une réception très chic organisée pour les cinquante ans de Michelle Obama. Portant une tenue beaucoup plus convenable qu'aux Grammy – une minirobe à paillettes dorées – et accompagnée d'une Blue vêtue de sa plus belle robe blanche à volants, elle a chanté pendant une trentaine de minutes avant de céder le micro à d'autres invités prestigieux : Stevie Wonder, Samuel L. Jackson, Jennifer Hudson, Sir Paul McCartney, les Clinton... Interdiction de tweeter, interdiction de poster des photos de l'événement. Tous les téléphones avaient été contrôlés à l'entrée de la Maison-Blanche, mais Beyoncé a posté plus tard des clichés d'elle et de Blue posant avec Sunny, le chien des Obama.

En janvier, pour ses deux ans, Blue a eu droit à deux fêtes. La première en Floride, à Miami, où la famille a privatisé une partie du zoo de la ville, offrant ainsi à la petite une journée merveilleuse au milieu des pingouins, kangourous et autres lémuriens. Pour clore ce joli moment, tout le monde s'est retrouvé dans un restaurant du coin, le *Joey's*, pour une pizza party. La seconde fête s'est déroulée à New York, en présence de deux invitées très spéciales, Kelly et Michelle, grimées pour l'occasion comme tous les autres invités. Sur des photos de la fête, on les voit qui posent joyeusement en compagnie de Beyoncé et de l'héroïne du jour. En apprenant ces retrouvailles, les fans de Destiny's Child ont tout de suite compris que quelque chose se tramait. Ils n'ont pas été déçus : Beyoncé et Kelly ont profité de l'occasion pour poser leurs voix sur *Say Yes*, un gospel que Michelle a sorti au printemps 2014. Le trio a même tenté de tourner une vidéo en secret... sauf que la nouvelle s'est immédiatement ébruitée : « Les habitants de la maison dans laquelle on tournait ont appelé leurs cousins, leurs amis, etc., et bien sûr, toute la ville a débarqué, raconte Michelle. Le lendemain, quand je me suis réveillée, j'ai appris que la chanson circulait déjà sur le web. C'est nul ! Cette version n'était pas au point ! En même temps, elle a reçu un si bon accueil que ça m'a fait chaud au cœur. Je sais que rien n'arrive jamais par hasard. »

Michelle est enchantée d'avoir pu retravailler avec Beyoncé et Kelly, comme elle l'explique à *People* : « Je me fiche de ce que les gens racontent. On se manque, elles et moi. Il y a entre nous une sorte de lien spirituel qui nous permet de savoir quand l'une de nous est vraiment fatiguée, quand elle a besoin de notre présence ou d'un simple coup de fil qui lui prouve qu'on pense à elle. Je les appelle mes âmes sœurs. »

Beyoncé reprit sa tournée et Jay-Z termina la sienne – le *Magna Carter Tour* – après quatre mois sur la route. Il put donc rejoindre sa femme pour les dernières dates du *Mrs Carter Tour.* Pendant les six concerts londoniens, il interpréta *Drunk in Love* avec elle, et ce fut aussi le cas à Lisbonne, le 27 mars 2014. C'était l'ultime concert de la tournée de Beyoncé. Très émue, celle-ci adressa ces mots au public : « Ce soir, c'est le cent trente-deuxième et dernier concert de cette tournée. On a démarré il y a un an… Quel voyage incroyable ! Et tout ce qu'on a fait ensemble, l'année dernière ! Le Super Bowl, le tournage des vidéos, tous ces shows… Quand la tournée a commencé, mon bébé ne marchait pas encore. Je voulais juste que vous sachiez que je suis consciente de ma chance… » L'émotion la submergea et elle éclata en sanglots : « Pardon, c'est plus fort que moi… Merci encore à vous tous ! Merci de m'avoir offert cette carrière. Quand je trébuche, vous me relevez. Quand j'ai faim, vous me nourrissez. Et je veux vous donner ma lumière… Je vous dédie cette chanson, à vous tous ! »

Après le spectacle, la crise de larmes se transforma en allégresse. Jay-Z ouvrit une bouteille d'Armand de Brignac, leur champagne préféré, et tous deux prirent la pause en coulisses avec les danseuses, les Mamas et toute l'équipe.

Dans la foulée, le couple s'envola vers la République dominicaine pour y célébrer son sixième anniversaire de mariage. Beyoncé posta sur Tumblr des photos d'elle en pleine partie de minigolf, en train de jouer avec Blue Ivy, de faire le poirier en bikini ou de boire du vin avec Jay-Z au bord d'un océan idyllique.

Après ces quelques jours de détente, ils reprirent le travail sans un temps mort dans leur emploi du temps. En avril, ils annoncèrent qu'ils allaient entreprendre ensemble une nouvelle tournée intitulée *On the Run*. Débutant en juin 2014, elle comprendrait vingt dates et ferait escale aux États-Unis et au Canada avant de s'achever à Paris. Les deux concerts parisiens seraient filmés par HBO pour une diffusion ultérieure sur la chaîne. Deux bêtes de scène ayant une grande expérience des tournées... *On the Run* semblait une suite logique à tout ce qu'ils avaient fait jusqu'alors. Jay-Z l'avait d'ailleurs laissé entendre dès l'année précédente, l'idée d'une série de concerts conjoints « mûrissait de jour en jour, lentement mais sûrement ».

Sur l'affiche d'*On the Run*, qui reprend le thème de *03 Bonnie & Clyde*, leur tout premier single ensemble, Jay-Z et Beyoncé portent des cagoules noires qui leur donnent une dégaine de hors-la-loi sinistres. Démarche quelque peu inhabituelle, ils postèrent également sur YouTube une fausse bande-annonce intitulée *Run*, dans laquelle Sean Penn, Jake Gyllenhaal et Blake Lively font une courte apparition. Melina Matsoukas réalisa ce clip spectaculaire truffé d'explosions, de danseuses et de coups de fusil. Au départ, Jay-Z n'était pas très chaud à l'idée de jouer dans cette vidéo, nous apprend Melina. « Beyoncé, elle, était au comble de l'excitation. Jay n'y croyait pas vraiment, mais on a réussi à le convaincre. Il n'avait pas envie de faire l'acteur, j'imagine. » Pour Beyoncé, c'était tout l'inverse : « L'action, elle adore ça, et c'est une dure à cuire dans la vie réelle, ajoute Melina. Alors pourquoi pas dans une vidéo ? L'idée, au départ, c'était surtout de s'éclater et de produire des images sympas. Je crois que ça lui donne un grand sentiment de liberté. Elle fait des choses qu'elle n'aurait jamais osé faire il y a encore quelques années. Maintenant, Beyoncé, c'est : « J'accepte les rôles que je veux et ce que les gens en pensent, je m'en moque. »

Les billets d'entrée s'écoulèrent en quelques minutes à peine dans de nombreux points de vente. À l'heure où nous publions[1], la tournée *On the Run* devrait engranger 100 millions de dollars de recettes, dont 4,5 millions pour Beyoncé et la même somme pour Jay-Z. Ils viennent chacun de terminer une tournée à guichets fermés, mais le public semble plus demandeur que jamais de leurs ébats sur scène.

1. (*NdT*) En octobre 2014.

CHAPITRE VINGT ET UN

Si vous avez encore des doutes sur l'incroyable rayonnement culturel de Beyoncé, un nouveau cours créé début 2014 dans une université américaine devrait les dissiper. L'université Rutgers, dans le New Jersey, vient de lancer un module intitulé *Politiser Beyoncé*. Il s'agit d'explorer les questions de race, de genre et de politiques sexuelles aux États-Unis par le prisme de la carrière de Beyoncé. Le professeur Kevin Allred a bâti son cours sur l'analyse des vidéos et des textes de ses chansons, en parallèle avec les textes de féministes de couleur. Qu'en est-il de l'image sexy de Beyoncé ? Est-ce un puissant symbole d'émancipation ou un simple stéréotype ? Kevin veut aider les étudiants à développer une pensée critique en les incitant à réfléchir à la façon dont les médias traitent du cas Beyoncé. « Ce n'est pas un cours sur l'engagement politique de cette chanteuse, ni sur ses prestations pendant le week-end d'investiture du président Obama », nous assure-t-il. Il ajoute que son cas est bien plus intéressant que celui de la majorité des popstars. « Elle repousse les frontières, c'est certain. Alors que d'autres artistes se contentent de sortir des disques à intervalles réguliers, Beyoncé construit un grand récit, celui de sa vie, de sa carrière et de son personnage. »

Au magazine *L*, qui lui demande sur le ton de la blague si les étudiants qui reproduiront à la perfection la choré de *Single*

Ladies auront les meilleures notes, Kevin répond : « Une de mes étudiantes a tenté le coup. Elle connaît la danse par cœur, m'a-t-elle dit, mais j'ai refusé de lui accorder des points supplémentaires pour ça. Ensuite elle m'a demandé si elle pouvait s'en servir pour sa présentation finale. Je lui ai proposé qu'on l'apprenne tous ensemble, à la place. »

Cette anecdote illustre parfaitement l'énorme influence qu'exerce Beyoncé dans les pays occidentaux. Et pourtant, un incident spectaculaire survenu au printemps 2014 a failli mettre à bas tout l'édifice si bien huilé des relations publiques du couple Knowles-Carter. Le 5 mai, tout ce qui se fait de plus prestigieux dans le showbiz se rassemble à New York pour l'un des événements les plus courus de l'année : le Met Gala, surnommé « les Oscars de la mode ». Destiné à collecter des fonds pour l'Institut du costume du Metropolitan Museum, cet événement annuel attire la crème de la crème d'Hollywood. Les acteurs s'y pressent en masse, dans des tenues époustouflantes qui empruntent chaque année à un thème différent. 2014 ne fait pas exception à la règle. Les stars qui se ruent au gala comprennent dans leurs rangs Victoria Beckham, Kim Kardashian, Rihanna, Reese Witherspoon, Sarah Jessica Parker et Kate Bosworth. Beyoncé et Jay-Z font bien sûr partie de la liste des invités, tout comme Solange. Le thème de la soirée étant « Tenue de soirée exigée », Beyoncé porte une splendide robe kimono noire Givenchy ouverte presque jusqu'au nombril. Une voilette devant ses yeux, de volumineux pendants d'oreilles et une bague fantaisie complètent sa tenue. Sa bague tombe accidentellement alors qu'elle s'avance sur le tapis rouge. Sentant là l'occasion d'un cliché idéal, Jay-Z – lui-même en smoking blanc – plonge au secours de sa belle, ramasse le bijou et s'incline devant elle avant de lui repasser la bague au doigt. Beyoncé sourit tendrement à son espiègle mari, sous l'œil des appareils photo frénétiques.

La soirée semble se dérouler dans le calme. Le photographe Mario Testino poste sur Instagram un cliché du couple profitant du dîner, le bras de Jay-Z enlaçant tendrement les épaules de sa femme. La soirée se poursuit de façon plus informelle au *Standard Hotel*, et c'est là que les événements prennent une tournure bizarre : alors que le couple bavarde autour d'une table dans la *Boom Boom Room*, le luxueux bar situé au dernier étage de l'hôtel, Beyoncé se joint soudain à un groupe de célébrités comprenant notamment l'actrice Lupita Nyong'o, qui vient de remporter un Oscar. D'après le magazine *US Weekly*, Jay-Z va s'asseoir tranquillement dans son coin, tandis que Beyoncé et Solange dansent avec Naomi Campbell.

Et puis soudain, vers 2 h 30, Jay-Z et les deux sœurs quittent précipitamment le bar et se ruent dans l'ascenseur qui doit les ramener au rez-de-chaussée. Une violente dispute éclate alors dans l'ascenseur. Elle n'est pas censée parvenir aux oreilles du public, mais les caméras de sécurité l'enregistrent, et le site people TMZ la poste sur le web quelques jours plus tard. Dans cette séquence vidéo stupéfiante, qui se répand aussitôt sur internet comme une traînée de poudre, Beyoncé entre la première dans la cabine, suivie de Solange, Jay-Z et un garde du corps. Les portes ont à peine eu le temps de se refermer que Solange s'en prend à Jay-Z. Ensuite, elle le bouscule et tente de le frapper, tandis qu'il s'efforce de la garder à distance. Le garde du corps s'en mêle, il la retient, mais elle continue à frapper Jay-Z à coups de poing et de pied. Elle le tape même avec sa pochette, dont le contenu s'éparpille par terre. Son beau-frère tente d'éviter les coups, mais n'essaye ni de la repousser ni de lui rendre la pareille.

La vidéo n'étant pas sonorisée, nous ne connaissons pas le motif de la dispute. Mais elle a duré presque quatre minutes : le garde du corps a eu la présence d'esprit d'appuyer sur le bouton d'arrêt d'urgence pour circonscrire l'incident dans la sphère privée.

Pendant toute cette regrettable scène, Beyoncé reste imperturbable ; visiblement, elle refuse d'intervenir. On la voit à un moment soulever la longue traîne de sa robe, sans doute pour lui éviter de souffrir dans la bagarre. Pendant quelques instants de calme, alors que le garde bloque Solange, Beyoncé semble s'adresser froidement à Jay-Z. Pourquoi n'a-t-elle rien fait pour retenir sa sœur ? C'est l'un des mystères les plus troublants de toute cette affaire.

Quand l'ascenseur arrive au rez-de-chaussée, Beyoncé et le gorille en sortent les premiers ; Solange se déchaîne à nouveau sur Jay-Z, le frappant une dernière fois de son sac. Le garde du corps s'interpose, la retient, et tous les quatre se dirigèrent vers la sortie de l'hôtel. Des photos prises dans le hall d'entrée les montrent au sortir de l'ascenseur. Solange semble extrêmement contrariée. Un petit sourire serein aux lèvres, Beyoncé est étrangement calme, étant donné les circonstances ; quant à Jay-Z, il paraît en état de choc, et il se tient la joue. Beyoncé et Solange grimpent dans une voiture avec chauffeur tandis que Jay-Z embarque dans une autre. *People* cite une source affirmant que Solange « avait vraiment l'air furax » et que Jay-Z « a longé le pâté de maisons pour monter dans une autre voiture ».

Dès l'apparition de la vidéo sur le net, les réseaux sociaux s'emballèrent. L'incident fit la une de Twitter pendant des jours et des jours. Le hashtag *#WhatJayZSaidToSolange* devint l'un des plus populaires du site et les hypothèses concernant la teneur des propos échangés dans l'ascenseur se multiplièrent. Des dizaines de photos détournées se répandirent à la vitesse de l'éclair sur la Toile, ridiculisant la prise de bec. La réaction massive du public à cette vidéo – l'une des plus assassines pour des célébrités, de mémoire de fan – suscita d'innombrables analyses sur les raisons de cet intérêt. Commentant l'engouement du public, le *Washington Post* s'interroge : « S'agit-il du plaisir malsain de voir confirmé ce que nous pressentions ? À savoir que le couple Knowles-Carter, qui nous présente toujours une image si lisse, peut subir les mêmes ravages et les mêmes indignités que tous les autres ? »

Quelle était l'étincelle qui avait mis le feu aux poudres ce soir-là ? Les jours suivants, un flot de théories circula sur le web.

Un témoin prétendit avoir vu Jay-Z flirter avec une designer du nom de Rachel Roy, provoquant l'indignation de Solange. Autrefois mariée à un ancien associé et ami de Jay-Z, Damon Dash, Rachel connaissait la famille Knowles depuis des années. Apparemment, Solange s'était disputée avec Rachel, plus tôt dans la soirée, et Beyoncé était intervenue pour demander à la designer de ne pas parler à sa sœur. Mais selon la même source, la colère de Solange ne s'était pas calmée après cette confrontation. Et vers la fin de la soirée, elle avait « pété les plombs ». « Dès qu'ils sont montés dans l'ascenseur, ça a été l'escalade, comme ça se produit souvent en famille. Oui, on peut dire que ça a chauffé. »

D'après certaines agences de presse, les rapports de Solange et de Jay-Z n'étaient plus au beau fixe depuis qu'elle avait quitté Roc Nation pour lancer son propre label, Saint Records. Le *New York Post* reprenait les propos d'une autre source : « Quand elle a quitté le label de Jay-Z, il y a un an, elle a aussi quitté Brooklyn pour s'installer avec son fils à La Nouvelle-Orléans. Elle passe encore beaucoup de temps à New York, mais elle est forcément moins présente, et ça peut créer des problèmes. »

Autres allégations, publiées sur le site *radaronline.com* : Solange était furieuse contre son beau-frère, car il l'avait écartée de la première tournée du couple, *On the Run*. « Elle s'attendait vraiment à faire la première partie du show de Beyoncé et Jay, rapporte le site. Pour elle, cela allait de soi. » D'après une autre source, lors de la fameuse soirée, Solange « avait trop bu, elle cherchait la bagarre », elle était « comme une Cocotte-Minute sur le point d'exploser ».

Entretemps, le *New York Daily News* publia sa propre version des faits : tout commence quand Jay-Z découvre que deux amis de sa belle-sœur cherchent à se joindre à la fête organisée au *Standard Hotel* en se faisant passer pour des amis à lui. Un témoin raconte : « Ils ne voulaient pas s'en aller et n'arrêtaient pas de citer le nom de Jay-Z. D'après ce qu'ils disaient, c'était Jay-Z qui les avait invités, pas Solange. » Quand le rappeur apprend la nouvelle, il va voir sa belle-sœur, furieux, et lui demande de ne plus jamais se servir de son nom. Ensuite, il annonce qu'il se rend à la soirée privée de Rihanna, à deux pas de là, ce qui exaspère Solange : « Pourquoi tu ne rentres pas à la maison ? » Elle se tourne ensuite vers Beyoncé et lui crie : « Pourquoi est-ce qu'il va là-bas, là, tout de suite ? » Jay-Z répond : « Tu peux causer, toi ! », et Solange entre dans une rage folle que grâce à TMZ nous avons pu visionner des millions de fois.

En fait, personne n'était sûr de rien, et pour résoudre l'énigme quelques sites web se mirent en quête d'indices probants. *Buzzfeed* posta une série de vidéos où Solange dit tout haut ce qu'elle a sur le cœur. Dans l'une d'elles, elle s'en prend à un reporter télé qui a le culot de lui poser des questions sur le 40/40, le club de Jay-Z : « Je n'ai absolument rien à voir avec la famille et l'établissement de mon beau-frère. » Juste après la naissance de Blue Ivy, elle a du mal à cacher son agacement face aux intrusions de la presse : « Ça prend des proportions démesurées, tweete-t-elle. J'essaye de fermer ma gueule, mais ça me fait mal de me comporter comme si de rien n'était (...) Je ne suis pas Wonderwoman. Je suis incapable de regarder ceux que j'aime se faire calomnier et ridiculiser sans bouger le petit doigt. Je ne peux pas accepter ça. » Dans une interview, elle évoque aussi son inébranlable loyauté à l'égard de sa sœur aînée : « Comme j'ai moi-même souvent eu à me défendre, je protège ma sœur à l'extrême. C'est un sujet sensible, pour moi. Ça me rassure un peu, de surveiller ses arrières. C'est une réaction humaine. »

D'autres sites web firent observer que Solange avait brutalement annulé sa tournée européenne l'été précédent. En juillet 2013, elle déclare sur son site : « Je suis complètement à bout (...) Je devais prendre cette décision pour protéger ma santé physique et mentale et la stabilité de mes proches. » Elle a aussi admis s'être droguée autrefois, et, le même mois, de nombreux témoins l'ont entendue dire à son public, lors du Pitchfork Music Festival : « Ça sent un peu l'herbe, par ici. Si vous en avez, c'est le moment de vous rouler un joint. » En 2009, elle tweete : « Je ne fume pas souvent, mais quand je fume je ne me souviens de rien. » En 2011, elle poste, à l'intention de ses fans : « Est-ce que l'herbe est taboue à NYC ? C'est vrai ça, j'arrive jamais à en trouver ! »

Parmi toutes les énigmes entourant cet incident, il y avait celle qui concernait la vidéo elle-même : comment s'était-elle retrouvée aux mains de TMZ ? D'après la rumeur, le site l'avait acquise pour un million de dollars. Elle constituait à ce jour la plus grosse faille de sécurité du *Standard Hotel*, qui fit appel à un avocat du showbiz, Marty Singer, pour l'aider à découvrir le ou la responsable de la fuite. « Le Standard a identifié l'individu qui a enfreint les règles de sécurité de l'hôtel et enregistré la vidéo confidentielle diffusée par TMZ, déclara Brian Philipps, le porte-parole de l'établissement. L'individu en question a été immédiatement licencié et nous avons déposé plainte contre lui. »

Cette affaire – bientôt surnommée l'*Elevatorgate* – avait de quoi susciter bien des interrogations, mais le public n'était pas encore au bout de ses surprises. Le lendemain de l'apparition sur TMZ de la vidéo de l'ascenseur, Solange supprima Beyoncé de toutes ses photos Instagram, à l'exception d'une seule, prise en 2013. Au contraire, l'aîné des deux sœurs posta plusieurs photos très gaies les montrant toutes les deux, certaines tirées d'un album de vacances et d'autres prises au cours d'une cérémonie de remise de récompenses. L'un des clichés provenait du festival Coachella, qui s'était déroulé en Californie le mois précédent ; Beyoncé y avait rejoint Solange sur scène en tant qu'invitée surprise, et les deux sœurs avaient dansé sans une ombre au tableau.

Puis Beyoncé ajouta sur sa page Instagram une prière sibylline qui compliqua encore la résolution du problème : « Aidez-moi à choisir prudemment mes amis pour ne pas quitter le droit chemin. Donnez-moi le discernement et la force de me séparer de toute personne de mauvaise influence. Je Vous confie mes relations et prie pour que Votre volonté soit faite en chacune d'elles. » Curieusement, Solange posta le tweet suivant : « J'ai sûrement passé les dix meilleurs jours de ma vie », ce que d'aucuns prirent pour une réponse ironique.

Deux jours à peine après la prise de bec, Beyoncé et Jay-Z réduisirent à néant les rumeurs de problèmes entre eux en assistant ensemble au Barclay's Center de New York à un match opposant leurs bien-aimés Brooklyn Nets au Miami Heat. Visiblement heureux et détendus, tous deux sourient sur les photos, et Jay-Z serre contre lui le fils de Solange, Julez. Quelques observateurs à la vue perçante remarquèrent cependant que le tatouage ornant l'annulaire de Beyoncé avait nettement pâli, comme s'il avait subi les premiers stades d'un effacement au laser. Quelques semaines plus tôt, Beyoncé avait posté sur Tumblr un cliché où l'on voyait ce même doigt avec un pansement dessus. Citons une source anonyme, reprise dans les médias : « D'après Jay, Beyoncé veut faire disparaître son tatouage, celui de leur mariage... Mais il s'en fout, apparemment. Il a juste haussé les épaules, l'air de penser : *Tout a une fin.* »

Quatre jours après l'accrochage, Beyoncé et Solange assistèrent toutes les deux au mariage de Kelly – ex-star de Destiny's child – avec son manager Tim Witherspoon. Cette cérémonie intime se déroula au Costa Rica. Selon un témoin présent au mariage, les deux sœurs étaient arrivées ensemble en jet privé. Ensemble, mais sans Jay-Z...

Les jours passaient et l'incident de l'ascenseur ne trouvait toujours aucune conclusion. Puis la famille se résigna enfin à rompre le silence et publia un communiqué de presse : « Le lundi 5 mai, une caméra de sécurité a filmé un incident malheureux survenu dans l'ascenseur d'un hôtel. Suite à la diffusion de cette vidéo auprès du grand public, de nombreuses hypothèses ont été émises quant aux causes de cet incident. Il n'y a pourtant qu'une seule chose à en retenir : notre famille a surmonté ses différends. Jay et Solange assument chacun leur part de responsabilité dans cette affaire privée malencontreusement tombée dans le domaine public. Ils se sont mutuellement excusés et notre famille poursuit sa route, aussi unie qu'avant. »

La famille précisa également que Solange n'était pas ivre, ce soir-là : « Il n'y a eu ni intoxication ni comportement erratique de sa part. Ces rumeurs sont tout simplement infondées. » Le communiqué se termine ainsi : « Toutes les familles ont des problèmes et la nôtre n'est pas différente. Nous nous aimons profondément, comme la famille que nous sommes. L'incident est clos. Nous avons tourné la page, et nous espérons que tout le monde nous imitera. »

Puis la famille, qui faisait tout pour montrer un front uni, se fit paparazzer en terrasse d'un restaurant de La Nouvelle-Orléans, *La Petite Amélie*, et Beyoncé mit en ligne une série de photos les montrant elle et Jay-Z avec Blue Ivy, Tina et Solange, plus le petit ami de celle-ci, Alan Ferguson, et Julez. Parmi les séquelles de l'*Elevatorgate*, des rumeurs non confirmées firent état d'une visite de Solange et Jay-Z réconciliés chez un joaillier de New York, le Flawless.

Ils avaient reconstruit avec soin l'image d'une famille unie, mais le mal était fait. Toute l'affaire avait infligé un coup sévère au label Knowles-Carter. Et leurs attachés de presse semblaient avoir le plus grand mal à réparer les dégâts. Howard Bragman, l'expert chargé de la communication de crise, s'en expliqua sur CNN : « Jay-Z et Beyoncé ont beau posséder tout l'argent et tout le pouvoir du monde, ils n'ont pas pu étouffer le scandale. C'est vous dire... » Pour lui, il n'existait qu'une seule façon d'éviter ce genre de piège : ne pas se livrer en pâture au public. « Vous ne vous déplacez qu'en limousine privée conduite par un chauffeur qui a signé un accord de non-divulgation, vous vous enfermez dans votre résidence sécurisée, et vous ne sortez jamais en public. Dès que vous faites un pas hors de ce cocon, vous devenez du gros gibier, la proie des paparazzi et de la presse qui a mis votre tête à prix. La curée peut commencer. »

Alors que la famille s'efforçait de réparer les pots cassés, le désastre tourna à la farce : la célèbre émission *Saturday Night*

Live diffusa plusieurs sketchs inspirés de l'incident, avec l'actrice Maya Rudolph (*Mes meilleures amies*) dans le rôle de Beyoncé, et Jay Pharoah, un habitué de l'émission, dans celui de Jay-Z. Dans l'un de ces sketchs, Jay-Z dit de sa femme absente qu'elle est « en plein tournage d'un clip sexy et agressif sur une relation monogame ». Dans un autre, ils ajoutent une bande-son à la vidéo de sécurité pour prouver qu'il s'agit d'un malentendu et que Solange voulait simplement débarrasser son beau-frère… d'une araignée sur sa veste.

Deux mois plus tard, la vraie Solange s'exprima enfin sur la dispute qui l'avait opposée à son beau-frère. Dans un entretien accordé au magazine *Lucky* en juin 2014, elle appelle l'incident « cette chose » et précise qu'il n'existe aucune rancune entre eux. « Ce qui compte avant tout, c'est que tout va bien entre nous. Nous avons dit ce que nous avions à dire dans notre communiqué et nous nous sentons en paix avec ça. »

Résolues ou non, ces tensions familiales avaient ouvert la voie à d'incessantes spéculations sur l'état du mariage de Beyoncé et Jay-Z. On racontait maintenant que, dans l'ascenseur, Solange avait tenté de prendre la défense de Beyoncé, écœurée par la façon dont Jay-Z la traitait… Un commentaire du rappeur remontant à 2010 refit alors surface. Un commentaire désinvolte et plutôt inquiétant : « Je pense que les relations parfaites, ça n'existe pas. » C'était ce qu'il avait répondu au magazine *Kingsize*, quand celui-ci lui avait demandé le secret de sa relation avec Beyoncé. « Soyons réalistes. Quand on attend trop de la vie de couple, on est forcément déçu. Pas la peine de se mettre la pression. Nous avons nous aussi nos disputes et nos problèmes. »

En mai 2014, ils ne se rendirent pas au mariage hyper médiatisé de Kanye West et Kim Kardashian en Italie, suscitant de nouvelles rumeurs sur l'état hypothétiquement branlant de leur couple. Pourquoi cette absence au mariage d'un de leurs meilleurs amis ? Le site *hollywoodlife.com* émit l'hypothèse qu'ils cherchaient à éviter Rachel Roy, qu'on avait soupçonnée un temps d'être indirectement à l'origine de l'*Elevatorgate* et qui était une bonne amie de Kim. Au moment du mariage, une source anonyme publiée sur *hollywoodlife.com* déclara que les Knowles-Carter ne tenaient pas à se retrouver plongés malgré eux dans la fièvre Kardashian : « N'y voyez aucune critique. Ils n'ont pas envie d'y aller, c'est tout. Ils préfèrent rester chez eux avec Blue Ivy. Ils se détendent un peu, se préparent pour leur tournée. Un mariage à cette échelle implique toutes sortes de contraintes qu'ils préfèrent éviter... Et Beyoncé ne recherche pas le genre de notoriété que Kim a faite sienne. » Une autre source citée par le *New York Post* souligna qu'ils évitaient ainsi « une cérémonie bien trop bling-bling pour le label Jay-Z/ Beyoncé ». Et la source d'ajouter : « Beyoncé ne tient pas à laisser une Kardashian se servir d'elle comme d'un marchepied pour se hisser dans l'échelle sociale. »

En outre, le bruit courait que Bey avait poliment refusé d'être l'une des demoiselles d'honneur de Kim, tout comme elle déclina par la suite l'invitation à sa fête prénatale... mais à cette occasion, elle envoya au futur bébé une chaise haute incrustée de cristaux Swarovski, création de Carla Monchen, d'une valeur de 15 000 dollars.

Au lieu de participer aux noces extravagantes de leurs amis à Florence, le couple battit en retraite dans les Hamptons. Et Beyoncé adressa à Kim un message public de félicitations *via* Instagram. À côté d'une photo empruntée à *Vogue* de Blue Ivy et de ses parents, Beyoncé avait écrit : « Avec tous nos vœux de bonheur, pour vous une vie entière d'amour inconditionnel. Que Dieu bénisse votre belle famille. » Message signé d'une émoticône d'abeille.

Leur absence à cette fiesta organisée au Forte di Belvedere pour la modique somme de 12 millions de dollars enchanta ceux des fans de Beyoncé qui ne voulaient pas la voir fréquenter Kim. En 2013, sur *change.org*, ils avaient créé une pétition intitulée « Contre la présence de Beyoncé au mariage de Kim Kardashian ». En voici l'argumentaire : « *Vous* connaissez tous à présent la triste nouvelle : Kim Kardashian et Kanye West vont se marier (…). Nous devons faire tout ce qui est en notre pouvoir pour empêcher Beyoncé d'assister à cette cérémonie. » Dans les commentaires, quelqu'un qui redoutait sans doute de voir le cirque médiatique entourant la famille Kardashian emporter son idole, avait écrit : « Il faut que B. reste à l'écart. »

Beyoncé avait fort à faire, de toute façon : Gwyneth Paltrow – qualifiée dans le documentaire *Life Is but a Dream* de « femme incroyable » et de « grande amie sur tous les plans » –, Gwyneth, donc, traversait des moments très durs : Chris Martin et elle avaient annoncé leur séparation au printemps 2014, et elle tentait maintenant de s'adapter à sa nouvelle vie de mère célibataire. Ils avaient mis fin à leur couple d'un commun accord et l'avaient annoncé aussitôt, pour éviter les commérages ; sur *Goop*, son site, Gwyneth en avait parlé en ces termes : « C'est le cœur plein de tristesse que nous nous résignons à notre séparation. » Le *Sun* croyait savoir que les deux amies en manque de farniente s'étaient programmé une cure de quatre jours dans un spa californien qui proposait également des cours de yoga, de la méditation et des randonnées.

Il y avait pourtant la rumeur d'une brouille entre les deux jeunes femmes, qu'on n'avait plus vues ensemble en public depuis longtemps. D'après le magazine *Heat*, leurs rapports s'étaient dégradés suite à ce que Beyoncé considérait comme une indélicatesse de la part de Gwyneth : une histoire de vente de charité à laquelle la blonde actrice avait associé le nom de Beyoncé sans lui demander son avis.

Et pourtant, malgré le mystère qui planait sur l'amitié – ou non – des deux jeunes femmes, le tabloïd *Star* affirmait que Gwyneth jouait les conseillères conjugales auprès de Beyoncé – allant jusqu'à lui suggérer de rendre visite avec Jay-Z à son propre conseiller conjugal.

CHAPITRE VINGT-DEUX

Fin juin, la semaine du coup d'envoi d'*On the Run*, Beyoncé et Jay-Z diffusèrent sur le net une vidéo des répétitions. On les voit en coulisses, main dans la main, enlacés ou échangeant des regards énamourés. Dans ce clip de trois minutes figure aussi une Blue Ivy de deux ans qui attend leur sortie de scène et leur crie « Bon boulot ! » après leur premier concert à Miami.

Les potins qui enflaient autour de leurs hypothétiques démêlés conjugaux gâchèrent pourtant le lancement de la tournée. Certains échos faisaient même état d'une « séparation de corps ». La presse people se lança sans pitié à l'assaut des vies professionnelle et privée d'un couple qui restait obstinément silencieux. On épiait leurs moindres faits et gestes et on observait à la loupe cette tournée qui « grinçait » et « s'effritait ». *On the Run* s'annonçait pourtant comme la seconde tournée la plus lucrative de tous les temps après celle de U2… sauf que celle de U2 avait duré presque deux ans, avec cent dix dates en tout, soit six fois plus que celle d'*On the Run*.

Une autre rumeur absurde vit le jour : le scandale de l'ascenseur avait été monté de toutes pièces pour doper la vente des billets ! Comme d'habitude quand ça sifflait à ses oreilles, Beyoncé laissa la musique parler pour elle. Le 25 juin, quand la tournée démarra au Sun Life Stadium de Miami, le show des deux époux subjugua plus de 70 000 spectateurs. Et parmi eux, Kelly, toute jeune mariée, qui arborait fièrement un petit ventre bien arrondi. Pour annoncer que Tim, son mari, et elle attendaient leur premier enfant, elle avait posté sur Instagram une minuscule paire de baskets pour bébé.

Pendant les deux heures et demie de son show, le couple interprétait plus de quarante chansons, se relayant pour occuper la scène ou partageant le feu des projecteurs sur leurs diverses collaborations. Le spectacle les présentait en fugitifs armés, émules de Bonnie et Clyde. Comme le fit habilement remarquer le *Miami New Times*, ils semblaient en effet vouloir « échapper aux médias, à leur statut dans la musique pop, à la haine, à la connerie… et parfois même l'un à l'autre ».

Sur les affiches et dans la vidéo de promo, Beyoncé et Jay-Z portaient les cagoules noires lugubres devenues symbole de la tournée. L'amitié supposée de Beyoncé et de Kim Kardashian se prit encore un coup dans l'aile quand Kim laissa entendre que le couple avait piqué cette idée à son mari. Pour prouver ce qu'elle disait, elle posta une photo Instagram de Kanye arborant un an plus tôt une cagoule similaire. Kim légenda la photo d'une série de hashtags sous-entendant que question style, son mari battait ses imitateurs à plate couture.

Dans l'ensemble, les critiques étaient dithyrambiques. Voici ce que posta le site *allhiphop.com* après la première date, à Miami : « Dès le début, on comprend qu'on va assister à un spectacle total. Beyoncé peut ainsi procéder à ses phénoménaux changements de costumes, entre autres. La coordination de cette démonstration de force n'est pas seulement remarquable, elle en est également le principal atout. Deux des meilleurs artistes du monde nous offrent un spectacle qui illustre parfaitement les raisons pour lesquelles ils se retrouvent ensemble au sommet. Les gens sont fous d'eux parce qu'ils sont puissants, d'abord et avant tout. On les considère un peu comme une famille royale, et on les idéalise de mille façons, de telle sorte qu'ils finissent par incarner le grand amour dans un conte de fées qui se réalise. »

« Cette tournée exploite à merveille les atouts de ces deux bêtes de scène, s'extasie le *Guardian.* Jay lui apporte le côté bravache de Brooklyn et Bey, l'arrogance sudiste. » Tout aussi impressionné, le *Boston Globe* déclare : « Ils sont rares, les artistes capables de produire un spectacle de cette envergure et de cette qualité. Pas une once de gras, pas de podiums interminables, pas de décors compliqués, pas de musiciens trop présents. Beyoncé et Jay-Z se suffisent à eux-mêmes. Nul besoin d'en rajouter. »

Les critiques sont heureux... et les fans au septième ciel devant ces images inédites d'un mariage aussi discret que légendaire : vêtue de la robe blanche que sa mère lui a conçue pour le grand jour, Beyoncé est radieuse. Près d'elle, Jay-Z porte un smoking des plus classiques. Le couple entonne un medley de *Forever Young* et *Halo*, puis Jay-Z glisse un anneau étincelant au doigt de Beyoncé et ils échangent leurs vœux. On la voit aussi se faire tatouer le fameux IV de son annulaire. Blue Ivy apparaît ensuite sur l'écran géant, suivie d'une photo des mots « The Carters » écrits dans le sable. Dans un autre extrait, Bey est enceinte ; son ventre nu et distendu apporte un démenti flagrant et définitif aux commérages sur la mère porteuse et la grossesse simulée.

Elle interprète ensuite – la vraie Bey, sur scène – un morceau particulièrement torride, *Partition*, au cours duquel elle reproduit l'une des danses sexy du clip. Filmée lors du concert de Cincinnati, cette même prestation sera projetée lors de la cérémonie de remise des BET Awards 2014 ; on y voit un Jay-Z dégoulinant de sueur attaquer le morceau avant l'arrivée langoureuse de sa femme sur scène. Ses cheveux blonds gonflés par le vent, elle empoigne un mât et s'y frotte avec délice, puis démontre sa souplesse au-dessus d'un fauteuil. Lors de cette remise des BET Awards, Bey remportera le prix de Meilleure artiste féminine pour la pop et le R & B, et celui de Meilleure collaboration pour *Drunk in Love* avec Jay-Z.

En Amérique du Nord, *On the Run* fit escale à Los Angeles, Chicago et San Francisco, plus deux dates au Canada. Fin juillet, on apprit que le couple cherchait à prolonger sa tournée en Grande-Bretagne à l'automne. Une source anonyme précisa au *Sun* que ce serait sans doute une décision de dernière minute : « Il ne s'écoulerait donc que quelques semaines entre la mise en vente des billets et l'événement. »

Sur le plan technique, cette tournée ne figure pas parmi les plus ambitieuses de Beyoncé, mais ses tenues de scène sont des chefs-d'œuvre de créativité. Dans *03 Bonnie & Clyde*, premier morceau du show, elle porte un body Versace en filet de pêche et cuir noir au décolleté plongeant, un masque en résille et des bottines à talons hauts. Le styliste s'est inspiré des looks « gangster et hip-hop », et cette tenue inaugurale symbolise « une séduisante criminelle en fuite ». Parmi les autres tenues, une salopette Diesel en jean bordée de cristaux Swarovski évoque un uniforme de la police. Michael Costello, quant à lui, a conçu pour elle un splendide body en dentelle : « Je m'inspire de Beyoncé parce que je suis un fan pur et dur, et surtout de ses cheveux et de sa façon de bouger... j'essaye de reproduire ce mouvement dans ses tenues, qu'il s'agisse de rajouter un sequin, un bouton ou une manche spectaculaire. Comme celles que je lui ai faites pour le body en dentelle noire ! Je voulais un vêtement dans lequel elle puisse bouger et subjuguer le public. »

La tenue dont on parla le plus est un body noir d'inspiration SM, une création d'Alexander Wang dont la coupe sur les hanches est si agressive qu'il fait penser à un simple string vu de derrière. Courageux, de la part de Bey... mais il lui va à ravir.

Dans le genre à peine plus modeste, elle porte également un body Givenchy aux finitions étincelantes de pierres et cristaux ; Riccardo Tisci, le directeur de la création, a confié à *People* qu'il avait fallu environ mille heures de travail pour broder ce body dans les ateliers de Paris. Toutes les gemmes ont été cousues à la main, une par une, ainsi que les cristaux, étoiles et autres paillettes. La maison Givenchy a aussi créé pour Beyoncé une jupe dans un drapeau américain d'une seule couleur : cinq cents heures de travail. Riccardo nous apprend que Jay-Z s'est beaucoup intéressé à la création du look de sa femme sur scène : « Il a assisté aux essayages, rien ne lui échappait. Il a aimé tous nos modèles. » Vêtu beaucoup plus sobrement, le rappeur alterne costume et sweat à capuche, plus ses fameuses lunettes de soleil noires et cette chaîne en or qu'il aime tant – 5 kilos de métal précieux... un quart de million de dollars !

Quand la tournée s'ébranla, le maquilleur de Beyoncé révéla le secret de sa peau éclatante et sans défauts : un nettoyage approfondi. Sur le site *style.com*, il déclara pratiquer sur elle deux fois par semaine un peeling à base de glycol et d'enzyme de fruit. « Le but, pour les demoiselles, c'est d'augmenter le renouvellement cellulaire de manière à réduire le recours au fond de teint et à l'anticernes. Beyoncé en a rarement besoin. »

Date après date, Jay-Z et Bey se taillaient un beau succès, avec un spectacle remarquablement bien rodé. Mais malgré la complicité qu'ils affichaient sur scène, les insinuations allaient bon train : dès qu'ils s'éloignaient des feux de la rampe, rien n'allait plus, disait-on. Avant le démarrage de la tournée, le bruit avait couru d'une seconde grossesse. Mais cette fois, on était loin de l'annonce joyeuse du nouveau bébé d'un couple de stars. Car certains magazines faisaient état d'une aventure entre Jay-Z et Casey Cohen, une starlette de la téléréalité américaine.

Compte tenu de la sveltesse de Beyoncé durant *On the Run*, une grossesse semblait très peu probable. Et pourtant, la rumeur continua à enfler. En juillet, ce fut une chanteuse de R & B qu'on accusa d'avoir eu une aventure avec Jay-Z. Était-ce Mya, la chanteuse du groupe Lady Marmalade ? Celle-ci nia farouchement : « Ça n'a jamais eu lieu et ça n'aura jamais lieu. Cette histoire ne repose sur rien, il suffit de quelques types assoiffés de ragots pour lancer une rumeur. Et c'est ça que vous appelez les médias ? » Puis elle se compare à Jésus et déclare qu'on a fait d'elle un bouc émissaire : « Les fausses allégations servent à faire du chiffre. Il faut livrer quelqu'un à critiquer aux pauvres et aux malheureux pour leur faire oublier leur propre dénuement, histoire qu'ils se sentent vaguement mieux dans leurs existences misérables. Si on a traité Jésus de cette façon, on peut traiter n'importe qui de cette façon. Dieu vous bénisse. » Ni Beyoncé ni Jay-Z ne commentèrent les propos qui circulaient dans la presse, mais les spéculations reprirent de plus belle après un incident survenu pendant le concert de Cincinnati, le 28 juin. Ce soir-là, tout le monde se rendit compte que Beyoncé avait modifié les paroles de *Resentment*, une chanson de 2006. Le texte original en était : *Been ridin'with you for six years – Je suis avec toi depuis six ans.* Au lieu de quoi, elle chanta : *Been ridin'with you for twelve years, Why did I deserve to be treated this way by you ?* c'est-à-dire : *Je suis avec toi depuis douze ans – J'ai vraiment mérité que tu me traites de cette façon ?* Mais une autre modification étonna encore davantage ses fans : *Je ne pouvais pas faire pour toi ce que faisait ta maîtresse* devint *Je ne pouvais pas faire pour toi ce que faisait cette sale putain.*

Plus tard, à Philadelphie, au début du mois de juillet, Beyoncé éclata en sanglots en interprétant cette même chanson. Ironie du sort, elle portait ce soir-là un long voile de mariée et un tailleur-pantalon en dentelle blanche. On mit ses larmes sur le compte des fêlures qui craquelaient le vernis du couple légendaire. La chanson était suivie par une vidéo sur laquelle Beyoncé déclarait en voix *off* : « L'amour est un perpétuel pardon. »

Les messages étaient brouillés, ce soir-là : Beyoncé ne modifia pas les paroles de *Resentment* et, plus tard, pendant le show, Jay-Z la serra contre lui et l'embrassa avec fougue. Dans la presse, on comparait à longueur de colonnes les deux versions de la chanson ; mais ces larmes, ces réflexions sur le pardon, étaient-elles là simplement pour ajouter à la chanson une touche sentimentale ou reflétaient-elles une réalité conjugale plus intime ? En tout cas, personne n'avait jamais produit la moindre preuve de l'infidélité de Jay-Z, et Beyoncé semblait bouleversée par les questions permanentes que suscitait l'état de son couple. D'après un témoin bien informé, que cita le magazine *Grazia* : « Elle est anxieuse, ce qui ne lui ressemble pas, et s'isole de ses proches. Elle ne peut plus supporter toutes ces spéculations incessantes.

Jusqu'à maintenant, elle renvoyait l'image d'une vie parfaite ; elle n'a toujours pas digéré l'attention négative qu'elle suscite. »

Ceux qui la connaissaient savaient que les rumeurs faisant état d'une proximité trop grande entre Jay-Z et Rita Ora, la protégée du rappeur, l'avaient sans doute blessée tout autant. Au début du printemps, Rita avait balayé tous les sous-entendus. « Ne vous avisez plus de manquer de respect à Beyoncé ! s'étrangla-t-elle sur une radio. Ce que vous faites, c'est totalement indécent ! Vous n'avez pas le droit d'aller aussi loin ! » En juillet, pour désamorcer les rumeurs de mésentente entre elles, Beyoncé posta en ligne des photos d'elle portant des vêtements de la nouvelle collection créée par Rita pour Adidas. Cette attention toucha beaucoup la jeune femme qui ne se priva pas de le faire savoir sur Twitter.

Tous ces ragots qui se succédaient affectaient forcément Beyoncé. Cette fille pourtant solide comme un roc perdait pied dès qu'elle sortait de scène, s'il fallait en croire certains. Le magazine *Heat* cite l'une de ces sources : « Beyoncé vient de passer quelques semaines terriblement difficiles. Elle ne sait pas ce qu'elle doit croire ou pas et fait de son mieux pour ne pas laisser transparaître son chagrin. Elle a l'impression que tout s'effrite autour d'elle. »

Et comme si cela ne suffisait pas, la presse fit froidement état de leur séparation imminente, dès que la tournée serait bouclée. Le *New York Post* cita un autre témoin anonyme : « Vous avez remarqué ? Ils ne portent plus leurs anneaux. » D'après le même témoin, Jay-Z faisait « tout pour sauver son couple ». Quelques jours plus tard, le même journal annonça que Beyoncé avait visité discrètement, sans Jay-Z, des appartements à New York, et qu'elle avait repéré un penthouse à 21,5 millions de dollars dans le quartier de Chelsea. Le *Post*, qui rapportait quotidiennement tous les ragots concernant le couple, affirme que les époux logeaient tous les soirs dans des hôtels différents. « Ils ne se contentent pas de réserver des chambres séparées ; ils ne veulent même pas se croiser et ne se retrouvent que pour les concerts », précisait un proche. D'après ce tabloïd, le couple ne tiendrait peut-être pas jusqu'à la fin d'*On the Run*. Apparemment, Beyoncé, Jay-Z, la société de promotion Live Nation, la chaîne de télé HBO et une petite équipe de juristes s'étaient vus en urgence pour discuter de l'évolution de la situation. Les producteurs du spectacle penchaient pour une déclaration officielle, mais Bey et Jay-Z semblaient s'y opposer. Et dans l'hypothèse d'une séparation, Jay-Z refusait que Beyoncé aille se confier à Oprah sur un plateau, où elle se présenterait forcément comme la victime.

Sur fond de rumeurs incessantes, Bey sortit avec Nicki Minaj une nouvelle version de *Flawless* dans laquelle elle se référait directement à la prise de bec peu glorieuse entre Solange et Jay-Z dans l'ascenseur d'un hôtel. « Il faut s'attendre au pire quand il y a un milliard de dollars dans un ascenseur », rappe Bey. Personne ne savait réellement si l'incident en question était responsable des frictions conjugales, mais Bey devait encore avoir l'*Elevatorgate* en travers de la gorge…

Le buzz provoqué par les querelles de ménage supposées des deux stars ne se limitait pas aux médias américains. En Grande-Bretagne, le *Daily Mirror* rapporta que le couple avait fait appel à un conseiller conjugal pendant la tournée « pour continuer à communiquer et éviter tout malentendu ». Après avoir consulté Gwyneth Paltrow, l'auteur de l'article concluait ainsi son papier : « Leurs problèmes ne sont pas insurmontables ; il s'agit avant tout d'huiler quelques rouages grippés. Ils sont heureux ensemble et leur fille, Blue Ivy, reste leur absolue priorité. »

Beyoncé a toujours été d'une discrétion remarquable sur sa vie privée et les ratés menaçant son couple. Elle n'a accepté d'en parler qu'à une seule occasion : en 2011, lors d'un entretien accordé au *Harper's Bazaar*. Ce jour-là, elle a reconnu que son mariage avec Jay-Z était loin d'être parfait : « Comme toute belle réussite, le mariage demande de gros efforts et pas mal de sacrifices. Il faut être sérieusement motivé, et il faut que les deux époux le soient autant l'un que l'autre. Ce qu'il y a de beau dans le mariage, c'est qu'il vous grandit en vous forçant à affronter vos peurs et vos doutes. »

Plus récemment, elle avait laissé entendre qu'elle n'arrivait pas à s'imaginer sa vie sans Jay-Z. En 2013, Oprah Winfrey lui avait dit : « Vous avez trouvé une forme d'équilibre entre votre côté tigresse et la compagne aimante que vous êtes également. » La réponse de Beyoncé ne s'était pas fait attendre : « Tout à fait. Je ne serais pas la personne que je suis si je ne l'avais pas à mes côtés quand je rentre chez moi. Il m'ancre dans le réel. »

Cet intérêt sans précédent pour l'état de leur mariage transformait chacune des dates de la tournée en une occasion de rechercher des clés pour comprendre ce qui se passait vraiment chez les Carter-Knowles. La dernière semaine de juillet, pendant le concert de Chicago, le *Journal Sentinel* se livra à une analyse poussée du langage corporel du couple : « Il a fallu attendre plus d'une heure et le *Drunk in Love* de Beyoncé pour les voir enfin se toucher, quand Jay étreignit un peu maladroitement sa femme lui tournant le dos. » Rien n'était plus banal que ce geste, sauf que le couple faisait les gros titres pour moins que ça. Ils étaient habitués à ce qu'on examine leur vie à la loupe, bien sûr, mais la curiosité malsaine qu'ils suscitaient désormais dépassait largement tout ce qu'ils avaient affronté jusqu'alors. Ils géraient ce problème à leur manière : en se taisant.

Pendant ce même concert, auquel assistèrent une Michelle Obama souriante et sa fille Sasha, Beyoncé modifia à nouveau le texte de *Resentment.* Ce show n'était pas qu'un concert, fit remarquer le *Chicago Tribune* ; c'était aussi « un *soap opera*, une allégorie et du théâtre dans le théâtre, où la vie imite l'art qui imite la vie : un couple qu'on suppose perturbé se parle à travers ses chansons ».

Malmenés par le flux et le reflux des potins, Bey et Jay se donnaient pourtant un mal fou pour démontrer que tout allait bien. À Chicago, ils dînèrent avec Blue dans un restaurant à steak au milieu de la clientèle habituelle. Très détendus, ils commandèrent du tartare de thon, du steak et du saumon, plus deux verres de vin rosé. Lors d'une incursion dans sa chaîne de magasins préférée – Topshop –, Beyoncé laissa de bonne grâce ses fans la prendre en photo. Pendant toute la tournée, ils postèrent régulièrement sur Instagram des photos illustrant leur intimité. Après le concert de Chicago, Bey publia un cliché d'elle au soleil couchant, trinquant avec un mâle non identifié qu'on suppose être Jay-Z. Sur une autre photo, elle flotte paisiblement à la surface de l'océan, les bras tendus au-dessus de sa tête, ses doigts formant un cœur. Une autre encore : main dans la main, Jay et elle s'éloignent dans l'eau vers un petit bateau qui passe au large. Elle posta d'autres photos sur son site, notamment celle qui la montre aux côtés de Jay-Z et Blue Ivy lors d'une exposition d'art à New York ; sur ce cliché, Blue et sa maman portent des robes assorties aux motifs floraux vintage. Plus loin, Beyoncé sourit, allongée sur une planche de surf… une allusion aux paroles torrides de *Drunk in Love*, probablement. Sur un autre cliché, Jay-Z tient leur fille dans ses bras sur une plage des tropiques ; commentaire de Bey : « Ma couleur préférée, c'est le bleu Jay-Z. » Ces photos prises sur le vif ne pouvaient être l'œuvre d'une femme brisée par la fin d'une relation. Bien au contraire, Beyoncé brossait obstinément le panorama d'une vie de couple idyllique. Pourquoi se serait-elle donné cette peine, si les esprits chagrins qui prédisaient la fin de leur mariage avaient raison ?

Après le concert émouvant du « retour » à Houston, Beyoncé se laissa aller à un élan de nostalgie : elle publia quelques photos d'eux sur la piste où elle faisait du roller dans sa jeunesse. Puis la tournée fit escale à La Nouvelle-Orléans ; le lendemain, jour de relâche, le couple fut aperçu en train de déjeuner en tête à tête au *Cochon Restaurant*. Le soir, ils dînèrent avec Solange au *Kingfish* ; comme le rapporte un témoin, « ils avaient l'air de passer du bon temps, mais discrètement, et très décontractés ».

La pression des rumeurs était sans doute très pénible dans l'intimité, mais ils n'en laissaient rien paraître au quotidien et pendant leurs shows. « Qu'il y ait ou pas du rififi au paradis n'a aucune importance, commenta le *Boston Globe*. Ce qui compte, c'est le spectacle, et notre reine et son gangster ne permettraient pas qu'il craque aux entournures. »

Cet été-là, en 2014, Beyoncé traversa d'autres turbulences : elle apprit qu'elle avait sans doute une demi-sœur. Mathew était à nouveau poursuivi en reconnaissance de paternité, cette fois-ci par un ex-mannequin originaire de Houston, une certaine Taqoya Branscomb. Selon *Buzzfeed*, Taqoya affirmait que sa fille, née en 2010 dans le comté de Harris, au Texas, était aussi celle de Mathew, et elle insistait pour qu'il se soumette à un test ADN.

Quelques jours plus tard, une photo plutôt surprenante de Taqoya en compagnie de Solange commença à circuler dans la presse. TMZ mena l'enquête : d'après ce site, les deux femmes avaient fait connaissance en 2008 par l'intermédiaire d'un ami styliste, puis s'étaient revues à plusieurs reprises. Mais quand la nouvelle du procès s'ébruita, Solange jura qu'elle ne connaissait pas Taqoya. Son agent émit l'hypothèse qu'elles avaient été prises en photo ensemble par hasard.

Ce n'était pas la première fois que Mathew était poursuivi en reconnaissance de paternité : en 2010 déjà, obligé de subir un test ADN, il avait dû admettre qu'il était bien le père de l'enfant d'Alexsandra Wright. Depuis, pour Matthew, ça se gâtait : interviewée à la télé, Alexsandra l'avait vertement critiqué. Il n'avait jamais cherché à rencontrer Nixon, son fils, et elle, elle vivait de coupons alimentaires, car Mathew refusait de lui verser la pension pour le gamin. Il devait plus de 32 000 dollars à sa mère.

Drames familiaux et prétendus soucis conjugaux mis à part, Beyoncé reçut quand même quelques bonnes nouvelles, cet été-là : en juillet, elle apprit qu'elle était en lice pour huit MTV Video Music Awards. Elle dominait largement la concurrence. Elle était nominée entre autres dans les catégories Meilleure vidéo de l'année pour *Drunk in Love*, ainsi que Meilleure interprète féminine et Meilleure chorégraphie pour *Partition*. Suivit rapidement l'annonce d'une exposition qui lui serait consacrée au Rock and Roll Hall of Fame and Museum de Cleveland, dans l'Ohio. Sa robe Givenchy du Met Gala 2012, les talons vertigineux et le short sexy de *Crazy in Love*, le justaucorps noir de *Single Ladies*, la tenue du Super Bowl allaient se retrouver en compagnie de la veste psychédélique de John Lennon dans *Sgt. Pepper* et de la guitare électrique de Kurt Cobain, dans la section « légendes du rock » du musée. Meredith Rutledge-Borger, la conservatrice, déclara à *Associated Press* : « Quand nous avons constaté la quantité de matériau qu'elle pouvait nous envoyer, nous nous sommes dit que la seule façon de mettre ces articles en valeur était de les exposer dans la zone du musée réservée aux légendes du rock. Beyoncé y a tout à fait sa place. Elle lui revient de droit auprès d'Aretha Franklin, des Supremes et de Janis Joplin. » « Pour une artiste comme Beyoncé, figurer dans ce musée qui rend hommage à toutes ses idoles et à tous ses mentors, c'est quelque chose d'énorme », s'est réjouie Lee Anne Callahan-Longo, l'une des membres de l'équipe de direction de Beyoncé.

Lee Anne est très en dessous de la vérité : pour sa patronne, voir ses tenues de scène côtoyer en vitrine celles de ses idoles est une véritable consécration. Depuis qu'elle a épaté sa mère en chantant dans la cuisine, quand elle était une toute petite fille timide aux dents écartées, Beyoncé rêve de rejoindre l'Olympe où évoluent ceux dont elle révère la musique. Elle l'a déjà dit en 2007, sur CNN : elle ne s'arrêtera pas avant d'avoir atteint ce sommet. « Je ferai des choses différentes, déclare-t-elle en 2007. Je veux être unique, ne ressembler à personne. Je travaille dur pour progresser. J'espère bien devenir une icône. »

Il y a longtemps qu'elle a acquis ce statut, mais elle ne va certainement pas se contenter de ce qu'elle a. Elle accumule les prix et les récompenses, preuves de sa réussite professionnelle, mais elle caresse d'autres projets : « Je dois me fixer de nouveaux horizons, annonce-t-elle dès 2007. Je ne suis jamais satisfaite, vous savez. Je veux continuer à grandir. Vendre des millions ou des milliards de disques, ça m'est complètement égal. C'est déjà fait, Dieu merci. Maintenant, je vais devenir une légende, et ensuite je resterai dans le métier pendant une vingtaine d'années. »

Avec cette attitude volontariste, Beyoncé était la personne idéale pour devenir en 2014 le visage d'une nouvelle campagne de stars, où elle côtoie entre autres Michelle Obama et Victoria Beckham. Intitulée « Ban Bossy » et initiée par les American Girl Scouts, cette campagne a pour objectif de décomplexer les femmes vis-à-vis de la pratique du pouvoir. Comme le dit Beyoncé dans le clip de Ban Bossy : « Les postes à responsabilité intéressent moins les filles que les garçons, car les filles ont peur qu'on les accuse d'être autoritaires. » S'adressant directement à la caméra, Bey lui assène alors le credo de la campagne, qui semble à lui seul résumer toute l'éthique de la planète Beyoncé : « *I'm not bossy, I'm the boss*[1]. »

Ce mantra lui va comme un gant. La preuve : le magazine *Time* l'a élue la personne la plus influente du monde en 2014. Ornant fièrement la couverture de ce prestigieux numéro, elle déclare : « Toute ma vie, j'ai rêvé de poser pour *Time*. C'est important pour une artiste, car cela n'a rien à voir avec la mode, la beauté ou la musique. On pose pour *Time* quand on est influent culturellement. » Sheryl Sandberg, directrice des opérations de Facebook et rédactrice pour ce numéro, nous parle du statut de la star : « Beyoncé ne se contente pas de s'asseoir à votre table, elle en construit une meilleure. Sur scène et en dehors de la scène, sa voix porte loin, et elle s'en sert pour pousser les femmes à s'émanciper et à prendre le pouvoir. L'année dernière, Beyoncé a rempli les salles du *Mrs Carter Tour* tout en assurant son job de mère à plein temps. Son secret : elle travaille dur, et elle est honnête et authentique. Et quand on lui demande : "Qu'est-ce que la peur vous empêche de faire ?", elle répond : "Regardez-moi. Je vais le faire." »

1. Traduction : « Je ne suis pas autoritaire, je suis la patronne ».

Quelques semaines plus tard, en juin 2014, le magazine *Forbes* la nomme « Célébrité la plus puissante au monde » en prenant en compte à la fois ses revenus et son impact médiatique. Avec les ventes spectaculaires de l'album *Beyoncé* et les énormes bénéfices du *Mrs Carter Show World Tour*, elle aurait engrangé 115 millions de dollars en douze mois. Jay-Z reste classé dans les dix premiers.

Un an auparavant, répondant au magazine GQ, Bey a reconnu son influence toujours grandissante : « Je suis puissante, je le sais… Puissante à un point qui dépasse mon entendement. » Mais « Queen Bey » souligne aussi qu'elle a gagné le droit d'édicter ses règles, si l'on considère tous ces sacrifices auxquels elle a dû consentir dès son plus jeune âge : « J'ai probablement travaillé plus dur que quiconque, du moins dans l'industrie musicale. Je dois garder à l'esprit que tout ce que j'ai obtenu, je le mérite. »

Autre fait incontournable : son pouvoir a encore augmenté dès l'instant où les émissions parodiques se sont emparées de son cas. En mai 2014, le *Saturday Night Live* diffuse la fausse bande-annonce d'un faux film intitulé *The Beygency*, avec Andrew Garfield dans le rôle principal. L'intrigue se déroule dans un monde où tous ceux qui osent critiquer Bey sont immédiatement traqués par de mystérieux hommes en noir… C'est un gag excellent, parce qu'il reflète brillamment la manière dont beaucoup de fans perçoivent désormais la chanteuse : comme un système de croyances à elle toute seule plutôt que comme une simple popstar. Cet hommage parodique l'a bien sûr enchantée, comme le prouve ce « Haaaaaaaaaaa » extatique affiché sur son compte Instagram à côté du gros logo rose sur fond noir de *The Beygency*.

Depuis quelques mois, un parfum de scandale flotte sur sa vie privée, mais rien ne pourrait la faire dévier du chemin ambitieux qu'elle s'est tracé. À trente-trois ans, elle a déjà gagné quatre cent soixante-treize trophées sur un total de cinq cent vingt et une nominations… Mais ce n'est peut-être que la partie visible de l'iceberg. Quand *Access Hollywood* lui demande quels objectifs elle veut atteindre avant ses quarante ans, elle répond très simplement : « J'aimerais bien faire de la mise en scène, continuer à explorer la vidéo, et peut-être un jour réaliser mon propre court-métrage... Et puis je veux faire fructifier mes affaires. » Quand on lui pose la même question pour ses soixante ans, elle rit et déclare qu'à cet âge-là, elle ne sera sûrement plus capable de danser sur la choré de *Single Ladies*. « Je pense que ma priorité, ce seront mes enfants et aussi, je l'espère, mes petits-enfants. Et puis ma maison de disques ou ma société de production ou que sais-je... »

Pour Beyoncé, la famille compte autant que sa carrière. Et dès le départ, elle a réussi à concilier ces deux ambitions. En appliquant ses propres règles, bien sûr. Faire les choses « à sa façon », c'est ce qui la distingue de la plupart de ses contemporains. Ça, et son refus du formatage et des étiquettes excluantes. En fin de compte, elle n'a pas grand-chose à voir avec une industrie musicale cynique et uniquement soucieuse de marketing. Certes, c'est une artiste populaire, qui surfe sur le courant dominant, mais elle louvoie souvent pour contourner les règles et se propulser sur la crête de la vague.

Elle sort sa musique comme elle en a envie et quand elle en a envie ; elle enregistre des dizaines de vidéos qui donnent probablement le tournis à ses concurrentes et, chaque fois qu'elle grimpe sur scène, elle entre dans un univers parallèle que d'autres ne connaîtront qu'en rêve.

Rappelons que Beyoncé n'a jamais désiré la gloire en tant que telle ; le moteur qui fait tourner son monde à elle, c'est le travail, un travail acharné. Elle pourrait déjà prendre sa retraite, si elle le voulait. Elle pourrait regarder tomber les royalties jusqu'à la fin des temps, mais ça ne lui viendrait même pas à l'idée. Elle a encore des choses à faire : elle sait qu'elle peut progresser encore, travailler plus dur et accomplir d'autres hauts faits. En cela, son exemple est sans doute l'un des plus excitants de notre époque.

Quand une personnalité est exposée au jugement du public, il se trouve toujours des aigris pour critiquer ses faits et gestes et ce qu'elle représente. Certes, mais les fans de Beyoncé sont innombrables. Et tous, ils la vénèrent : hommes, femmes et enfants de tous âges, homosexuels ou pas, et quelle que soit leur origine ethnique. On pourrait débattre à l'infini des raisons pour lesquelles elle suscite une admiration aussi large. L'une d'elles nous semble évidente : elle a quelque chose à offrir à chacun d'entre nous. Légende de la pop, bombe sexuelle, icône du style, mère, féministe et philanthrope, elle est à la fois modeste et incroyablement glamour, elle innove tout en respectant les traditions, elle est chaste et pourtant provocante, et pleine d'un charme simple tout autant que vénéneux. Les contradictions qui l'habitent – et qui en font la femme qu'elle est – font qu'elle correspond à beaucoup de critères distincts. On compare souvent sa vie au bon vieux rêve américain, mais en réalité le secret de l'attrait qu'elle exerce reste impossible à définir. Si c'était évident, d'autres ne se gêneraient pas pour copier sa recette. Pour l'instant, la reine Bey semble indétrônable.

À l'avenir, Jay-Z ne fera peut-être plus partie du tableau, mais les indestructibles principes de Beyoncé, ceux qu'elle incarne en tant que femme puissante et indépendante, ne s'effaceront jamais. Elle est en train d'écrire elle-même le prochain chapitre de sa vie. Elle n'a nul besoin de s'expliquer. Comme elle le dit dans le documentaire *Year of 4*, pendant que nous la regardons flotter, sereine, à la surface de l'océan : « Je n'ai rien à prouver à personne. Je dois juste écouter ce que me dicte mon cœur et me concentrer sur le message que je veux transmettre au monde. Mon monde à moi, je m'en occupe. »

TABLE DES MATIÈRES

p. 1 : © RexFeatures/David Fisher.
p. 2 : © RexFeatures/Matt Baron BEI.
p. 3 : (en haut) © RexFeatures/Brian Rasic ; (en bas, à gauche) © RexFeatures/Startraks Photo ; (en bas, à droite) © RexFeatures/Snap Stills.
p. 4 : © Getty Images/Frederick M. Brown.
p. 5 : (en haut) © Getty Images/Samir Hussein ; (en bas, à gauche) © RexFeatures/James McCauley ; (en bas, à droite) © Getty Images/Kevin Mazur Wire Image.
p. 6 : (en haut) © Getty Images/Jeff Kravitz ; (en bas) © RexFeatures/Antoine Cau SIPA.
p. 7 : (en haut) © RexFeatures/Antoine Cau SIPA ; (au milieu) © Getty Images/Christopher Polk ; (en bas) © RexFeatures/Antoine Cau SIPA.
p. 8 : (en haut) © Corbis/Luca Chelsea ; (en bas) © RexFeatures/Frank Micelotta

Tous les efforts ont été faits pour retrouver les copyrights de ces photos. En cas d'erreur ou d'omission, les éditions Marabout-Hachette Livre seront heureuses de modifier les copyrights au moment de la réimpression de cet ouvrage.

Pour l'éditeur, le principe est d'utiliser des papiers composés de fibres naturelles, renouvelables, recyclables et fabriquées à partir de bois issus de forêts qui adoptent un système d'aménagement durable.

En outre, l'éditeur attend de ses fournisseurs de papier qu'ils s'inscrivent dans une démarche de certification environnementale reconnue.

Photocomposition Nord Compo

Imprimé en France par CPI Brodard & Taupin
La Flèche (Sarthe), le 14-11-2014
N° d'impression : 3007841

pour le compte des Éditions Marabout
Dépôt légal : novembre 2014
ISBN : 978-2-501-10214-8
46-2230-6/01